O PROJETO ATMAN

Uma Visão Transpessoal do Desenvolvimento Humano

Ken Wilber

O PROJETO ATMAN

Uma Visão Transpessoal do Desenvolvimento Humano

Tradução
CARMEN YOUSSEF

EDITORA CULTRIX
São Paulo

Título do original:
The Atman Project

Publicado mediante acordo com The Theosophical Publishing House,
306 West Geneva Road, Wheaton IL 60187 USA.

Edição	Ano
1-2-3-4-5-6-7-8-9	99-00-01-02-03-04

Direitos de tradução para a língua portuguesa
adquiridos com exclusividade pela
EDITORA CULTRIX LTDA.
Rua Dr. Mário Vicente, 374 – 04270-000 – São Paulo, SP
Fone: 272-1399 – Fax: 272-4770
E-mail: pensamento@snet.com.br
http://www.pensamento-cultrix.com.br
que se reserva a propriedade literária desta tradução.

Impresso em nossas oficinas gráficas.

Para
Roger Walsh,
de quem me orgulho
de ser amigo.

Sumário

Introdução à nova edição

O Projeto Atman foi, até onde podemos dizer, a primeira psicologia que conseguiu com êxito unir o Oriente e o Ocidente, o convencional e o contemplativo, o ortodoxo e o místico, numa única estrutura coerente e plausível. Nessa união, ela incorporou e integrou um número significativo de abordagens, de Freud a Buda, da Gestalt a Shankara, de Piaget a Yogachara, de Kohlberg a Krishnamurti.

Comecei a escrever *O Projeto Atman* junto com o seu volume gêmeo, *Up from Eden*. Tive sempre a intenção de publicá-los juntos – um cobrindo a ontogenia, o outro a filogenia – e agora, graças à Quest Books, isso realmente aconteceu.

Nas quase duas décadas desde que escrevi *Atman*, descobri que sua estrutura básica continua firme e sólida como sempre: com efeito, pesquisas, dados e teorias posteriores aumentaram sua plausibilidade. Também estou contente por relatar que nada no horizonte teórico parece ameaçar suas estruturas, dinâmica, estágios, e por isso sinto uma certa confiança em que seus princípios gerais, com um pequeno ajuste aqui e ali, continuarão válidos por um tempo longo e fértil.

Alguns críticos se queixaram de que eu simplesmente havia usado várias fontes de uma forma literária, de que minha abordagem não se baseava em dados clínicos ou experimentais. Isso, porém, é totalmente falso: a vasta maioria dos teóricos nos quais me fiei foram exatamente aqueles que tinham sido precursores na comprovação clínica e experimental direta, do *method clinique* de Jean Piaget às exaustivas observações de Margaret Mahler gravadas em videoteipe e às inovadoras investigações morais de Lawrence Kohlberg – para não falar da enorme quantidade de evidências fenomenológicas apresentadas pelas próprias tradições contemplativas. *O Projeto Atman* baseou-se diretamente nas provas coligidas por mais de sessenta pesquisadores que seguiam inúmeras metodologias (e centenas de outros de maneira informal). O leitor poderá ver uma amostra de muitas delas nas duas dúzias ou mais de tabelas incluídas neste livro.

Quanto às inúmeras correlações que se encontram nesta obra, devo dizer que continuei a aprimorar a natureza exata delas (dividindo-as, sobretudo, em estruturas básicas e estágios do eu), e os leitores interessados poderão acompanhar esse aprimoramento em livros posteriores como *Eye to Eye; Transformations of Consciousness; Sex, Ecology, Spirituality*; e naquela que talvez seja a versão mais acessível, atualizada e popular, *A Brief History of Everything*. No entanto, as linhas gerais e as correlações ainda são exatamente aquelas sugeridas neste livro e se acham explicadas de um modo direto nas páginas seguintes.

O Projeto Atman assinalou também o fim do meu flerte com o Romantismo e sua tentativa de transformar a regressão numa fonte de salvação. De fato, eu começara a escrever os dois livros, *Atman* e *Eden,* como uma confirmação da visão romântica: homens e mulheres começam uma união inconsciente com o Divino – um mergulho irrefletido num tipo de Céu na Terra, num Éden paradisíaco, tanto no sentido ontogenético como no filogenético; rompem depois essa união, por meio de um processo de alienação e dissociação (o ego isolado e divisor) e, por fim, retornam a uma união consciente e maravilhosa com o Divino.

Assim, o desenvolvimento humano prossegue, por assim dizer, do Céu inconsciente ao Inferno consciente e deste para o Céu consciente. Comecei a escrever ambos os livros no sentido de validar essa visão.

Porém, quanto mais eu trabalhava nos livros, mais óbvio ficava que a visão romântica era desesperadamente confusa. Ela combinava uma ou duas verdades muito importantes com algumas confusões ultrajantes, e o resultado foi um pesadelo teórico. Desembaraçar essa confusão monstruosa foi uma preocupação constante para mim durante vários anos – quase uma década, na verdade – e marcou um dos períodos teóricos mais turbulentos da minha vida. A razão de eu ter escrito tantos ensaios sobre falácias – como a falácia pré/trans e a falácia da fronteira única – é que os românticos cometeram muitas delas, e eu, por ser um bom romântico, as cometi regiamente; e assim, compreendendo essas falácias de dentro, de perto e de um ângulo muito pessoal, pude escrever o que muitas pessoas consideravam ser críticas estropiadas delas. Ninguém jamais se mostra tão viciado numa teoria quanto naquela que recentemente abraçou.

É, todavia, razoavelmente fácil entender o erro crucial da visão romântica. Tomem a infância como exemplo. A visão romântica, como dissemos, é que o infante começa num estado de *Céu inconsciente*. Ou seja, uma vez que o eu do bebê ainda não está diferenciado do ambiente que o cerca (ou da mãe), o próprio eu do bebê está na verdade unido à Base dinâmica do Ser – mas de maneira inconsciente. Assim, o Céu inconsciente – ditoso, maravilhoso, místico, o estado paradisíaco do qual ele logo irá cair e ao qual sempre desejará retornar.

E de fato, prossegue dizendo a visão romântica, em algum momento nos primeiros anos de vida, o eu se diferencia do ambiente, a união com a Base dinâmica se perde, sujeito e objeto separam-se e o eu passa do Céu inconsciente para o Inferno consciente – o mundo da alienação do ego, da repressão, do terror, da tragédia.

Mas, prossegue a feliz narrativa, o eu pode fazer um tipo de reversão no desenvolvimento, regredir a um estado anterior de união infantil, tornar a unir-se à grande Base do Ser, só que agora de forma totalmente consciente e auto-realizada e, assim, encontrar o Céu consciente.

É isso o que acontece com toda a visão romântica: começa-se em um Céu inconsciente, uma união inconsciente com o Divino; *perde-se* depois essa união inconsciente e mergulha-se, assim, no Inferno consciente; pode-se então recuperar a união Divina, mas agora de uma forma elevada e consciente.

O único problema com essa visão é que o primeiro passo – a perda da união inconsciente com o Divino – é uma impossibilidade absoluta. Todas as coisas estão unidas à Base Divina – que é, no final das contas, a Base de todo ser! Perder a união com essa Base é deixar de existir.

Acompanhem atentamente este raciocínio: existem apenas duas posições que se pode ter em relação à Base Divina: já que todas as coisas estão unidas à Base, ou se está consciente dessa união, ou se está inconsciente dessa união. Ou seja, pode-se estar consciente ou inconsciente da própria união com a Base Divina: essas são as únicas duas opções que se tem.

E já que a visão romântica afirma que se começa, quando bebê, uma união inconsciente com a Base, *não se pode então perder essa união!* Já se perdeu a consciência; não se pode mais então perder a própria união, caso contrário, deixa-se de existir! Portanto, se se começou sem consciência dessa união, nada pode ser pior, ontologicamente falando. Isso já é o cúmulo da alienação. Já se está vivendo no Inferno, por assim dizer; já se está mergulhado no samsara, só que não se tem ciência disso; não se tem consciência para reconhecer isso. Esse é mais propriamente o estado atual do eu do bebê: Inferno inconsciente.

O que realmente começa a acontecer, no entanto, é que se principia a despertar para o mundo alienado dentro e em redor de si. Passa-se do Inferno inconsciente para o Inferno *consciente*, e estar consciente do Inferno, do samsara, da existência dilacerante, é o que faz crescer – e ser adulto – esse pesadelo de miséria e de alienação. O eu do bebê é relativamente tranqüilo, não porque ele esteja vivendo no Céu, mas porque ele não tem consciência suficiente para registrar as labaredas do Inferno que o cercam por todos os lados. O bebê está definitivamente mergulhado no samsara, ele simplesmente não o sabe, não tem consciência suficiente para percebê-lo, e a iluminação certamente não é um regresso a esse estado infantil! Ou uma "versão madura" desse estado! Nem a personalidade do bebê nem o meu cão se contorcem em culpa, angústia e agonia, porém a iluminação não consiste em recapturar a consciência de cão (ou uma forma madura de consciência de cão!).

À medida que o eu do bebê se desenvolve em percepção e consciência, ele passa gradativamente a perceber o sofrimento intrínseco à existência, o tormento inerente ao samsara, o mecanismo de loucura envolto inerentemente no mundo manifesto: ele começa a sofrer. Ele é introduzido à primeira Nobre Verdade, uma iniciação violenta ao mundo da percepção, cuja única matemática é o fogo torturante do desejo insaciado e insaciável. Esse não é um mundo dominado pelo desejo que faltava no estado "maravilhoso" anterior de imersão do bebê, mas simplesmente um mundo que dominava esse estado inconscientemente, um mundo de que agora o eu lenta, dolorosa, tragicamente, se dá conta.

Por conseguinte, à medida que o eu se desenvolve em percepção, ele se move do Inferno inconsciente para o Inferno consciente, onde pode passar a vida inteira procurando, acima de todas as outras coisas, consolos entorpecidos que embotarão seus rudes e gastos sentimentos e anuviarão as águas-fortes de seu desespero. Sua vida se transforma num mapa de morfina e, envolvendo-se no brilho anestésico de todas as suas compensações, ele pode até chegar a convencer-se, ao menos por um tempo tinto de lavanda e rosa e matizado de afeto, de que o mundo dualista é uma coisa completamente bela.

Mas, por outro lado, o eu pode continuar seu crescimento e desenvolvimento em esferas genuinamente espirituais: transcendendo a percepção do eu separado, ele se desdobra na própria Divindade. A união com o Divino – uma união ou identidade que tinha estado presente mas inconsciente desde o início – agora refulge na consciência numa brilhante explosão iluminada e num choque daquilo que é indizivelmente comum: ele percebe sua Suprema Identidade com o próprio Espírito, anunciada, talvez, em nada mais do que a brisa fresca de um brilhante dia de primavera, esse escandalosamente óbvio acontecimento.

Assim é o curso atual da ontogenia humana: do Inferno inconsciente ao Inferno consciente, e deste para o Céu consciente. *Em nenhum ponto o eu perde sua união com a Base*, ou então cessaria totalmente de existir! Em outras palavras, o programa romântico é preciso sobre o segundo e o terceiro passos (o Inferno consciente e o Céu consciente), mas é totalmente confuso com relação ao próprio estado infantil, que não é o Céu inconsciente mas sim o Inferno inconsciente.

Dessa maneira, o estado infantil não é transpessoal inconsciente, mas basicamente pré-pessoal. Não é trans-racional, é pré-racional. Não é transverbal, é pré-verbal. Não é trans-ego, e sim pré-ego. E o curso do desenvolvimento humano – *e da evolução em geral* – vai do subconsciente, passando pelo autoconsciente, ao superconsciente; do pré-pessoal, passando pelo pessoal, ao transpessoal; do submental, passando pelo mental, ao supermental; do pré-temporal, passando pelo temporal, ao transtemporal; em outras palavras, o eterno.

Os românticos simplesmente fizeram confusão entre pré e trans, e assim elevaram os estados pré à glória do trans (da mesma forma que os reducionistas rejeitavam os estados trans alegando que eram regressão a estados pré). Essas duas confusões – a elevacionista e a reducionista – são as duas formas principais da falácia pré/trans, delineada e identificada pela primeira vez nas páginas seguintes. E a questão crucial era a de que o desenvolvimento não é regressão a serviço do ego, mas evolução na transcendência do ego.

E assim acabou minha fascinação romântica.

* * *

Ora, há de fato um *abandono* da Divindade, do Espírito, da Base primordial, e esta é a verdade que os românticos estão procurando alcançar, antes de incidirem nas suas falácias pré/trans. Esse abandono é chamado *involução*, o movimento pelo qual todas as coisas abandonam a consciência de sua união com o Divino, e assim imaginam ser mônadas separadas e isoladas, alienadas e alienantes. E uma vez que ocorreu a involução – e o Espírito torna-se inconscientemente envolvido nas formas mais baixas e ínfimas de sua própria manifestação –, então pode ocorrer a *evolução*: o Espírito se desvela (como você há de ver sugerido nas páginas seguintes) do big-bang para a matéria, da matéria para a sensação, da sensação para a percepção, da percepção para o impulso, do impulso para a imagem, da imagem para o símbolo, do símbolo para o conceito, do conceito para a razão, da razão para os eventos psíquicos, destes para os eventos sutis e destes para os eventos causais, no caminho para o seu próprio auto-reconhecimento chocante, para a própria auto-realização e auto-ressurreição do Espírito. E em cada um desses estágios – da matéria para o corpo para a mente para a alma para o espírito – a evolução se torna cada vez mais consciente, cada vez mais perceptiva, cada vez mais realizada, cada vez mais desperta – com todas as alegrias e todos os terrores inerentemente envolvidos nessa dialética do despertar.

Em cada estágio desse processo de retorno do Espírito a si mesmo, nós – você e eu – nos lembramos, talvez vagamente, talvez intensamente, de que já estivemos conscientemente unidos ao próprio Espírito. Esse vestígio de memória está aí, no fundo da nossa consciência, forçando-nos sempre a perceber, a despertar, a lembrar quem e o que já somos.

De fato, todas as coisas, podemos supor, intuem em maior ou menor grau que sua verdadeira Base é o próprio Espírito. Todas as coisas são impelidas, impulsionadas, forçadas a manifestar essa compreensão. E todavia, antes desse despertar divino, todas as coisas buscam o Espírito de um modo que na realidade impede a sua realização: caso contrário, estaríamos realizados neste mesmo instante! Buscamos o Espírito de formas que o impedem. Ou seja, buscamos de todas as maneiras.

Buscamos o Espírito no mundo do tempo; mas o Espírito é intemporal e não pode ser encontrado aí. Buscamos o Espírito no mundo do espaço; mas o Espírito é infinito e não pode ser encontrado aí. Buscamos o Espírito neste ou naquele objeto, brilhante e atraente e cheio de fama ou fortuna; mas o Espírito não é um objeto e não pode ser visto ou apreendido no mundo das mercadorias e da comoção.

Em outras palavras, estamos buscando o Espírito de formas que impedem sua realização e forçam-nos a criar recompensas substitutas, que nos impelem para o miserável mundo do tempo e do terror, do espaço e da morte, do pecado e da separação, da solidão e do consolo, e nos aprisionam nele.

Esse é o projeto Atman.

* * *

O projeto Atman: a tentativa de encontrar o Espírito de formas que o impedem e forçam recompensas substitutas. E, como você vai ver nas páginas seguintes, toda a estrutura do universo manifesto é acionada pelo projeto Atman, um projeto que prossegue até que nós – você e eu – despertemos para o Espírito, cujos substitutos buscamos no mundo do espaço e do tempo, da posse e do desespero. O pesadelo da história é o pesadelo do projeto Atman, a busca infrutífera no tempo daquilo que é enfim intemporal, uma busca que gera inerentemente terror e tormento, um eu devastado pela repressão, paralisado pela culpa, sitiado pela frieza e febre da alienação desventurada – uma tortura que só se desfaz no Coração radiante quando a grande busca se desenrola, quando a contração do eu relaxa sua tentativa de encontrar Deus, real ou substituto: o movimento no tempo se desfaz pelo grande Incriado, o grande Vazio no Coração mesmo do Cosmos.

Portanto, quando ler este livro, procure lembrar: lembre-se do grande acontecimento quando você exalou e criou este Cosmos inteiro; lembre-se do grande vazio quando você se lançou para fora como o Mundo inteiro, só para ver o que aconteceria. Lembre-se das formas e forças por meio das quais você viajou até agora: das galáxias aos planetas, às plantas verdejantes estendendo-se para cima na direção do Sol, aos animais caminhando sorrateiramente dia e noite, inquietos na sua fatigada busca, por meio de homens e mulheres primitivos, suspirando pela luz, até a própria pessoa que agora segura este livro: lembre quem e o que você foi, o que fez, o que viu, quem realmente você é em todas essas aparências, máscaras do Deus e da Deusa, máscaras da sua própria Face Original.

Que a grande busca cesse; que a contração do eu se desenrole na consciência do presente imediato; que todo o Cosmos se lance para dentro do seu ser, já que você é a própria Base dele; e então você há de se lembrar que o projeto Atman nunca ocorreu, que você nunca se moveu e que tudo é exatamente como deve ser, quando o tordo canta numa manhã esplendorosa e gotas de chuva batem no telhado do templo.

Prefácio

O tema deste livro é simples: desenvolvimento é evolução; evolução é transcendência na maravilhosa expressão de Erich Janstch: "evolução como auto-realização por meio da autotranscendência";[199] e a transcendência tem como objetivo final Atman, ou a Consciência de Unidade final no Deus único. Todos os impulsos são um subconjunto desse Impulso, todos os desejos são um subconjunto desse Desejo, todos os esforços são um subconjunto desse Esforço – e a esse movimento como um todo damos o nome de projeto Atman: o impulso de Deus na direção de Deus, de Buda na direção de Buda, de Brahma na direção de Brahma, porém inicialmente realizado por intermédio da psique humana, com resultados que vão do extático ao catastrófico. Como *Up from Eden*[427] procura demonstrar, se os homens e as mulheres têm como origem mais remota as amebas, seu destino mais remoto é Deus – e, no meio do caminho, acham-se sob o domínio da incrível construção conhecida como o projeto Atman. Todo esse movimento evolutivo não faz senão prosseguir de unidade para unidade até existir apenas Unidade, e o projeto Atman finalmente se dissolver sob o impacto do próprio Atman.

Este livro começou como uma série de artigos para o jornal *Re-Vision*, que aliás acabaram aparecendo nos quatro primeiros números daquela publicação.[412, 415, 416, 424] No entanto, o período de publicação estendeu-se por um ano e meio, quase dois, e durante esse período minhas idéias sobre o tema, naturalmente, evoluíram e amadureceram. Assim, apesar de ter começado como uma série de artigos para *Re-Vision*, na verdade este livro guarda apenas uma leve semelhança com eles. A todos os que leram e acompanharam com interesse esses longos artigos, devo a explicação a seguir.

A série da *Re-Vision* teve como principal ponto de partida a sugestão de vários pesquisadores ocidentais no sentido de que o primeiro período da infância, quando o recém-nascido está inseparavelmente *unido* à mãe e ao ambiente em geral, torna-se o modelo de todo os estados adultos de perfeita união transcendente e unidade extática. Se for assim, naturalmente parece que o desenvolvimento necessário da criança, para fora dessa fusão-união primitiva, representa uma privação fundamental, não apenas de um estado extremamente agradável, mas também de um estado metafisicamente *superior* – a perda do "paraíso" ou um "afastamento do Self", como diriam os junguianos. No entanto, como muitos sugeriam posteriormente, esse "paraíso superior" poderia ser *reconquistado*, pelo adulto, de forma amadurecida e saudável. Essa visão, ou algo muito parecido, tem sido sustentada no todo ou em parte pelos junguianos, por Neumann,[279] Norman O. Brown,[57] Mahler e Kaplan,[218] Loewald e os neopsicanalistas,[246] Watts,[390] Koestler e Campbell.[66] Embora sob outros aspectos eu tenha na mais alta conta a opinião desses pesquisadores, a reflexão mais aprofundada levou-me a considerar essa noção em especial mais e mais insustentável. Além de – incorretamente – dar ensejo a odiosas comparações entre a esfera transpessoal e a infantil, ela parece basear-se na falta de consideração das profundas diferenças entre o que (acompanhando Wescott[395]) chamaremos estados "pré" e estados "trans".

O estado infantil de fusão é, com efeito, uma espécie de "paraíso", como vamos ver, mas um paraíso de ignorância pré-pessoal, e não de despertar transpessoal. Só comecei a compreender claramente a verdadeira natureza do estado pré-pessoal de fusão infantil quando vim a conhecer a definição dada por Piaget: "O eu nesse estágio é *material*, por assim dizer..."[297] E, como veremos, a *união material* é, de todas, a unidade mais baixa possível – não há nela nada metafisicamente "elevado"; o fato de ser uma estrutura de unidade, anterior à diferenciação sujeito-objeto, leva, erroneamente, à sua identificação com estruturas de unidade verdadeiramente superiores, que são transujeito/objeto. Quando esse ponto ficou evidente para mim, todo o esquema que eu havia apresentado em *Re-Vision* passou por um pequeno reajuste – apenas nos aspectos necessários – e este livro, de certa forma, se reorganizou espontaneamente. Embora poucos dados apresentados em *Re-Vision* tenham sido mudados, minha nova compreensão de um contexto diferente para esses dados (*pré* e *trans*) exigiu algumas mudanças de terminologia.

Reservei o termo "uroboros" para o estado pré-pessoal de fusão infantil material (juntamente com "pleroma"); "centauro" passou a denotar estritamente a integração madura do corpo e do ego-mente, e introduzi o termo "tífon" para o período infantil de pré-diferenciação do corpo e do ego (os estágios "corpo-ego" de Freud); "transpessoal" refere-se exclusivamente às formas maduras e adultas de transcendência do ego-mente e do corpo. Os termos "evolução" e "involução" são empregados de acordo com o hinduísmo (p. ex., Aurobindo), e o que antes era designado por esses termos passou a ser denominado (com base em Coomaraswamy) "Arco para fora" e "Arco para dentro". A idéia do projeto Atman ficou inalterada. Contudo, como o estado ideal de união extática não é nem de longe a fusão pré-pessoal da "consciência cósmica infantil", e sim a unidade transpessoal da esfera causal-final, o contexto do projeto Atman naturalmente deslocou-se para esse estado, muito mais explicitamente do que em minhas formulações originais. Creio que tudo isso já estava contido nas entrelinhas dos artigos originais; neste livro, porém, esses conceitos estão nas próprias linhas, do modo mais direto que me foi possível expressá-los.

Isso posto, vamos à história do projeto Atman. É a descrição do que vi; uma pequena oferenda do que me lembrei; é também a poeira zen que se deve sacudir das sandálias; e, finalmente, é uma ilusão diante daquele Mistério que é nada mais.

Ken Wilber
Lincoln, Nebraska

Saiba que, por natureza, toda criatura busca tornar-se semelhante a Deus.

Mestre Eckhart

Todas as criaturas buscam a unidade; toda multiplicidade luta para atingi-la – a meta universal de toda vida é sempre essa unidade.

Johann Tauler

Unir-se ao universo, unir-se a Deus – é o que, sabendo ou não, mais desejamos.

Fritz Kunkel

1

Prólogo

Onde quer que olhemos na natureza, disse o filósofo Jan Smuts, nada vemos senão *todos*.[354] Não são todos simples, mas hierárquicos: cada todo é parte de um todo maior que, por sua vez, é parte de um todo ainda maior. Campos dentro de campos dentro de campos, estendendo-se pelo cosmos, entrelaçando cada uma e todas as coisas.

Smuts prossegue dizendo que o universo não é um todo estupidamente estático e inerte — ao invés de ocioso, o cosmos é energeticamente dinâmico e até criativo. Tende (e agora diríamos teleonomicamente, não teleologicamente) a produzir todos de nível cada vez superior, cada vez mais inclusivos e organizados. O desenvolvimento no tempo desse processo cósmico global não é outra coisa senão a *evolução*. Smuts denominou *holismo* o impulso em direção a unidades cada vez mais elevadas.

Continuando nessa linha de pensamento, poderíamos dizer que, como a mente ou psique humana é um aspecto do cosmos, seria de esperar encontrarmos, dentro da própria psique, o mesmo arranjo hierárquico de todos dentro de todos, do mais simples e rudimentar ao mais complexo e inclusivo. Em geral, essa é exatamente a descoberta da moderna psicologia. Como diz Werner, "Sempre que ocorre desenvolvimento, ele avança de um estado de relativa globalidade e falta de diferenciação para um estado de crescente diferenciação, articulação e integração hierárquica".[394] Jakobson fala de "fenômenos estratificados que a moderna psicologia revela nas diferentes áreas do plano mental",[196] onde cada camada estratificada é mais integrada e mais abrangente que sua predecessora. Bateson ressalva que até mesmo o aprendizado é hierárquico, envolvendo vários grandes níveis, sendo cada um deles "meta" em relação a seu predecessor.[23] Como aproximação geral, portanto, podemos concluir que a psique — como o cosmos em conjunto — possui muitas camadas ("pluridimensional"), é composta de todos, unidades e integrações de ordem sucessivamente superior.

A evolução holística da natureza — que produz em toda parte todos cada vez maiores — manifesta-se na psique humana como *desenvolvimento* ou *crescimento*. A mesma força que produziu o homem a partir de amebas produz adultos a partir de bebês. Ou seja, o crescimento de uma pessoa, da infância à idade adulta, é simplesmente uma versão em miniatura da evolução cósmica.

Ou poderíamos dizer que o crescimento ou desenvolvimento psicológico nos seres humanos é simplesmente um reflexo microcósmico do crescimento universal em conjunto, e tem o mesmo objetivo: o desdobramento de unidades e integrações de ordem cada vez maior. Esta é uma das principais razões pelas quais a psique é, com efeito, estratificada. De forma muito semelhante à formação geológica da Terra, o desenvolvimento psicológico avança estrato por estrato, nível por nível, estágio por estágio, cada nível sucessivo sobrepondo-se a seu predecessor de forma a incluí-lo, mas também a transcendê-lo ("envolvê-lo", como diria Werner).

Ora, no desenvolvimento psicológico o *todo* de qualquer nível torna-se apenas *uma parte* do todo do nível seguinte, que por sua vez se torna uma parte do todo seguinte, e assim por diante ao longo de toda a evolução da consciência. Tome-se, apenas como um exemplo, o desenvolvimento da linguagem: primeiro a criança aprende a balbuciar sons, depois emite sons mais extensos de vogais e consoantes, depois palavras simples, em seguida pequenas sentenças, depois frases simples, e finalmente frases mais extensas. Em cada estágio, partes simples (p. ex., palavras) são integradas em todos maiores (p. ex., frases) e, como ressalta Jakobson, "novos acréscimos são sobrepostos aos anteriores e a dissolução começa com os estratos mais elevados".[196]

A moderna psicologia do desenvolvimento, no conjunto, dedicou-se apenas à exploração e explicação dos diversos níveis, estágios e estratos da constituição humana – mente, personalidade, psicossexualidade, caráter, consciência. Os estudos cognitivos de Piaget[294] e Werner,[393] os trabalhos de Loevinger,[243] Arieti,[7] Maslow[262] e Jakobson,[196] os estudos de desenvolvimento moral de Kohlberg[229] – todos eles subscrevem, no todo ou em parte, o conceito de estágios estratificados de crescente diferenciação, integração e unidade.

Isso posto, temos o direito de perguntar: "Qual é então o estágio *mais elevado* de unidade a que podemos aspirar?" Talvez a pergunta não devesse ser formulada em termos tão absolutos, perguntando-se apenas "Qual é a natureza de alguns dos estágios mais elevados de desenvolvimento? Que formas de unidade se revelam nas almas mais desenvolvidas da espécie humana?"

Todos sabemos que os estágios e níveis "inferiores" da psique se assemelham (estou falando em termos simples, gerais): eles são instintivos, impulsivos, libidinosos, "id-escos", animais, simiescos. Todos nós sabemos quais são alguns dos estágios "intermediários": adaptação social, ajuste mental, integração do ego, organização sintática, avanço conceitual. Mas não há estágios superiores? Seria o "ego integrado" ou o "indivíduo autônomo" o ponto mais alto de consciência dos seres humanos? O ego individual é uma unidade de ordem maravilhosamente superior, porém, comparado à Unidade do cosmos em geral, não passa de uma insignificante parcela da realidade holística. Teria a natureza trabalhado esses bilhões de anos apenas para engendrar esse rato dotado de ego?

O problema desse tipo de pergunta reside em *encontrar* exemplos de personalidades de ordem verdadeiramente superior – e, para começar, decidir exatamente *o que* constitui uma personalidade de ordem superior. Minha impressão é que à medida que avançar a evolução coletiva da humanidade, a questão se tornará muito fácil de resolver, porque mais e mais personalidades "iluminadas" aparecerão nos dados populacionais e os psicólogos, nas suas análises estatísticas, serão obrigados a incluir perfis de ordem superior nos estágios de desenvolvimento. Neste ínterim, a idéia que se tem de "ordem superior" ou "altamente desenvolvido" continua sendo muito filosófica. Não obstante, os poucos indivíduos bem-dotados que se deram ao trabalho de estudar o problema sugeriram que os grandes místicos e sábios do mundo representam alguns dos mais elevados, se não o mais elevado, de todos os estágios do desenvolvimento humano. Foi exatamente o que disse Bergson; e o mesmo fizeram Toynbee, Tolstói, James, Schopenhauer, Nietzsche e Maslow.

A questão é que *podemos* ter uma excelente população de personalidades extremamente evoluídas e desenvolvidas, constituída pelos grandes sábios-místicos do mundo (argumento respaldado pelos estudos de Maslow). Portanto, vamos simplesmente *supor* que o autêntico sábio-místico represente o mais elevado estágio do desenvolvimento humano – tão além do homem normal médio quanto a própria humanidade está além dos macacos. Isso, com efeito, nos daria uma amostra que se aproxima do "mais elevado estado de consciência" – uma espécie de "estado superconsciente". Ademais, a maioria dos sábios-místicos deixou registros muito detalhados dos estágios e etapas de sua própria transformação até os planos superconscientes. Ou seja, eles não nos falam apenas do nível mais elevado de consciência e superconsciência, mas também de todos os níveis intermediários que levam até lá. Se tomarmos todos esses estágios superiores e os somarmos aos estágios/níveis inferiores e intermediários que foram tão meticulosamente descritos e estudados pela psicologia ocidental, chegaremos a um modelo razoavelmente bem-equilibrado e abrangente do espectro da consciência. Esta é exatamente a natureza e a meta da presente obra.

O ARCO PARA FORA E O ARCO PARA DENTRO

Depois de reunir todos os estágios e níveis de evolução da consciência, chegamos a algo que se assemelha ao *ciclo geral da vida*. Além disso, constatamos que – se todos os estágios superiores relatados pelos místicos forem reais – esse ciclo de vida passa da subconsciência (instintiva, impulsiva, id-esca) para a autoconsciência (do ego, conceitual, sintática) e daí para a superconsciência (transcendente, transpessoal, transtemporal), como mostra a Fig. 1. Podemos ainda dividir esse ciclo, para facilitar, em duas metades: o Arco para Fora, ou o movimento da subconsciência para a autoconsciência, e o Arco para Dentro, ou o movimento da autoconsciência para a superconsciência (ver Fig. 1). O ciclo geral foi primorosamente descrito por Ananda Coomaraswamy:

> Pode-se considerar que a vida ou as vidas de um homem desenham uma curva — um arco de experiência temporal subtendido pela duração da Vontade de Viver individual. O movimento dessa curva para fora... — o Caminho da Busca — o *Pravritti Marga* — caracteriza-se pela auto-afirmação. O movimento para dentro — ... o Caminho do Retorno — o *Nivritti Marga* – caracteriza-se pela crescente Auto-percepção. A religião dos homens no caminho para fora é a Religião do Tempo; a religião dos que retornam é a Religião da Eternidade.[86]

A história do Arco para Fora é a história do Herói — a história da terrível batalha para libertar-se do sono do subconsciente, da imersão na matriz primeva da pré-diferenciação. A história do Arco para Fora também é a história do ego, pois o ego é o Herói; a história de sua emergência do inconsciente — os conflitos, os crescimentos, os terrores, as recompensas, as ansiedades. Ela ocorre no campo da diferenciação, da separação, do possível isolamento; e do crescimento, da individuação, da emergência.

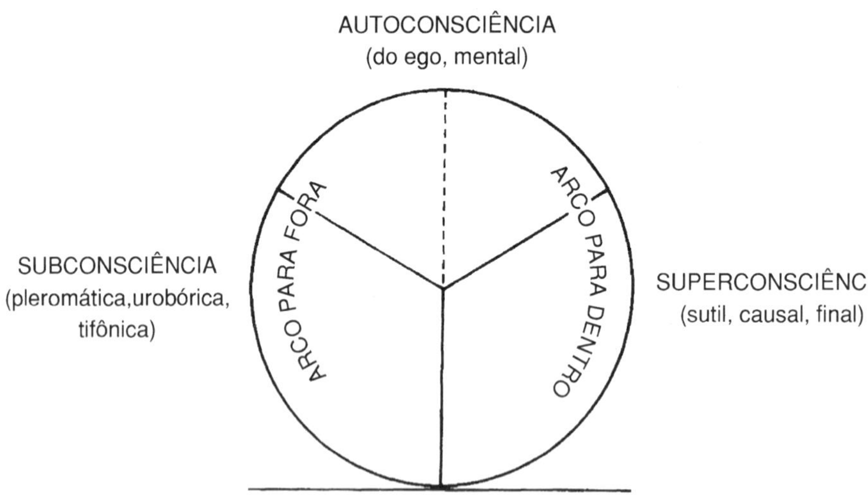

Fig. 1. Ciclo Geral da Vida

No entanto, o Arco para Fora, o movimento da subconsciência para a autoconsciência, é apenas metade da história da evolução da consciência — uma metade necessária, sem dúvida, mas mesmo assim uma metade. Além do ego autoconsciente, de acordo com os sábios místicos, está o caminho do retorno e a psicologia da eternidade — o Arco para Dentro. Nossa tarefa, assim, é tentar expor toda a história da evolução da consciência, abrangendo não apenas o movimento para fora da subconsciência para a autoconsciência, mas também o movimento para dentro, da autoconsciência para a superconsciência (para referência futura, a Fig. 2 apresenta um mapa completo desse desdobramento). Veremos que a subconsciência é uma espécie de unidade pré-pessoal; a superconsciência é uma unidade transpessoal – e a incrível viagem entre esses dois pontos terminais é a história desta obra.

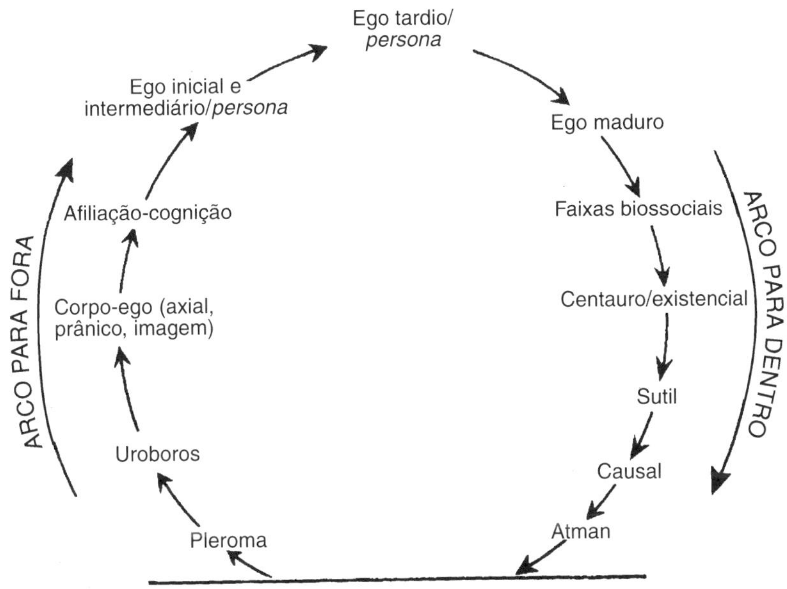

Fig. 2. O Ciclo Completo da Vida

A ABORDAGEM

A evolução psicológica de homens e mulheres da infância para a idade adulta – ou seja, todo o processo de ontogenia – tem sido investigada no Ocidente, em geral, sob o título muito genérico de "psicologia do desenvolvimento". Historicamente, esse campo como um todo incluiu elementos tão distintos quanto o desenvolvimento cognitivo, o amadurecimento moral, a teoria do aprendizado, as fases psicossexuais, o desenvolvimento motivacional, afetivo e intelectual, a apropriação de papéis – e tudo isso, no entanto, está mais ou menos confinado apenas ao Arco para Fora.

Contudo, mesmo apenas esse estudo do Arco para Fora é atualmente tão vasto e abrange tantas abordagens teóricas e metodológicas que, a essa altura, só se podem tirar as mais amplas e genéricas conclusões. Temos, no mínimo, as importantes obras de Baldwin, Dewey, Tufts, G.H. Mead, Broughton, Jung, Piaget, Sullivan, Freud, Ferenczi, Erikson, Werner, Hartmann, Arieti, Loevinger,

Kohlberg etc. Menciono todos esses nomes só para poder dizer que não é minha intenção debater os méritos de qualquer um deles em relação aos outros, mas apenas discutir a importância do Arco para Fora, tomado em conjunto, à luz do Arco para Dentro. Assim, vou simplesmente apresentar um esboço de trabalho de algumas das fases geralmente aceitas do desenvolvimento da autopercepção e recorrer livremente às principais escolas de desenvolvimento — correndo o risco de parecer, às vezes, um tanto não-discriminativo.

Além disso, não farei absolutamente distinção alguma entre diferentes linhas de desenvolvimento, tais como cognitivo, moral, afetivo, conativo, motivacional, emocional e intelectual, já que ainda não se pode determinar, em todos os casos, se alguma dessas seqüências ou todas elas são paralelas, independentes ou equivalentes, ou se representam uma ou muitas fontes — e meu desejo é evitar, desde o início, esse debate tão complexo.

O mesmo se aplica também, em essência, ao Arco para Dentro: usarei o mesmo tipo de abordagem panorâmica, recorrendo livremente às escolas místicas do Oriente e do Ocidente, hinduísmo, budismo, taoísmo, sufismo, cristianismo, platonismo etc. Estou ciente de que ao adotar essa abordagem tolerante e neutra em relação a essas diversas escolas, complexas ou singelas, psicológicas ou religiosas, corro o risco de ser repudiado por todas elas — mas nenhuma outra abordagem nos fornecerá os dados necessários para um modelo harmonioso e completo.

Começamos, portanto, pelo começo. Ou melhor, pelo momento do nascimento...

2

As raízes primitivas da consciência

O EU PLEROMÁTICO

É quase unânime a noção de que nem o feto no útero nem o bebê ao nascer possuem uma autopercepção desenvolvida. Para o neonato, não há absolutamente nenhuma separação real entre o interior e o exterior, o sujeito e o objeto, o corpo e o meio ambiente. Não é exatamente que o bebê nasce num mundo de objetos materiais que ele é incapaz de reconhecer, mas sim — do ponto de vista do bebê — que literalmente ainda não existem *objetos* de qualquer espécie. Acontecimentos, sim; acontecimentos objetivos, não. Ou seja, o bebê está de fato consciente de determinados acontecimentos, mas não como "objetivos", não como separados dele. O mundo objetivo e a consciência subjetiva do bebê são totalmente não-diferenciados — o neonato não consegue diferenciar o mundo material das ações que exerce nele. E assim, num sentido especial, o eu e o ambiente físico são uma só e a mesma coisa.

O eu é "pleromático", como diriam os alquimistas e gnósticos, o que significa, em essência, que o eu e o cosmos *material* estão indiferenciados. O próprio Piaget diz exatamente isso: "Nas fases iniciais, o mundo e o eu são um só; não há distinção entre esses termos... o *eu é material*, por assim dizer" (o itálico é meu).[297] O eu está engastado na *materia prima*, que é tanto o caos primitivo da matéria física como a matriz maternal ou Prakriti, a partir do qual foi configurada toda a criação.

Loevinger conclui que "Não se pode dizer que o bebê, ao nascer, possua um ego. Sua primeira tarefa é aprender a diferenciar-se de seu ambiente".[243] Ou, nas palavras de von Bertalanffy, "O estágio (de consciência) mais primitivo parece ser aquele em que não se conhece a diferença entre o mundo exterior e o ego... O bebê ainda não faz distinção entre ele mesmo e as coisas externas; e isso é algo que ele só aprende a fazer vagarosamente".[34] Koestler faz uma bela síntese de tudo isso: "Freud e Piaget, entre outros, enfatizaram o fato de que o recém-nascido não diferencia o ego do ambiente. Ele tem percepção dos acontecimentos, mas não de si mesmo como entidade separada...

O universo está enfocado no eu, e o eu é o universo – um estado que Piaget denomina consciência 'protoplásmica' ou 'simbiótica'."

Como essa é uma fase de absoluto adualismo, oceânica e autista, ela também tende a ser pré-espacial e pré-temporal. Para o neonato, não existe espaço real, no sentido de que não existe intervalo, distância ou separação entre o eu pleromático e o ambiente. Assim, também não existe tempo, visto que a sucessão de objetos no espaço não pode ser reconhecida. A percepção do neonato é desprovida de espaço, de tempo e de objeto (mas não de acontecimentos). Por todos esses motivos, analistas (como Ferenczi) gostam de referir-se a essa fase como de "onipotência incondicional", que "persiste enquanto não existir nenhuma concepção de objetos" (Fenichel).[120] Ou seja, como não existe real concepção de espaço, tempo e objetos, não há percepção de limitações. Daí a onipotência da ignorância. Nas palavras do pesquisador junguiano Neumann, este é "o estágio pleromático de perfeição paradisíaca do ser ainda não nascido, o estágio embrionário do ego, que a consciência posterior contrastará com os sofrimentos do ego não autárquico no mundo".[279]

Observe-se que esta é uma perfeição pré-pessoal, e não transpessoal. É, de fato, uma espécie de paraíso original, porém um paraíso de inocência e ignorância, o estado anterior à Queda na autoconsciência. E que, como veremos, não deve ser confundido com o paraíso transpessoal da superconsciência. Um é pré, o outro é trans, e a diferença entre eles não é senão todo o ciclo de vida da consciência.

EU PLEROMÁTICO	
• Estilo cognitivo –	absoluto adualismo; sem objeto, sem espaço, protoplásmico
• Clima afetivo –	onipotência total oceânica, incondicional, paraíso pleromático
• Fatores conativos ou motivacionais –	rudimentares; instintivos
• Modo temporal –	atemporal, assim como pré-temporal (não transtemporal)
• Modo do eu –	oceânico, protoplásmico, pleromático, *materia prima*

A uroboros alimentar

Uma das primeiras tarefas do bebê é construir algum tipo de mundo objetivo separado dele, ato que começa, ao mesmo tempo, a estruturar sua noção subjetiva do eu. Contudo, de forma alguma essa tarefa tem êxito imediato, e entre o estágio de total adualismo e a fase de noção rudimentar do eu localizado como corpo individual, a consciência do bebê flutua naquilo que Neumann denominou "esfera extrapessoal, urobórica". Diz ele: "Penso nessa camada do campo arquetípico como algo 'extrapessoal', bem como 'além' dos opostos do psíquico e do físico determinados pela consciência." Eu diria "pré-pessoal", onde o psíquico e o físico ainda não foram diferenciados, mas a questão é que no "desenvolvimento do indivíduo há uma preponderância inicial de fatores [urobóricos], [pré-pessoais ou extrapessoais], e é somente no decorrer do desenvolvimento que a esfera pessoal passa a ser vista e adquire independência".[279] A uroboros é coletiva, arcaica, ainda principalmente oceânica: a palavra "uroboros" vem da serpente mítica que, comendo a própria cauda, constitui uma massa auto-suficiente, pré-diferenciada, em estado bruto, ignorante de si mesma.

"O estágio inicial simbolizado pela uroboros", escreve Neumann, "corresponde a um estágio pré-ego; o estágio da mais remota infância, quando apenas começa a existir um germe de ego. ... Naturalmente, então, as primeiras fases da consciência do ego em evolução do ser humano estão sob o domínio da uroboros. São as fases da consciência infantil do ego que, embora não mais inteiramente embrionária [isto é, não mais inteiramente pleromática] e já possuindo existência própria, continua a viver em estado bruto [a uroboros], ainda não separada dele, mal começando a diferenciar-se dele."[279] Como ressalta Neumann, há uma diferença entre o eu pleromático e o eu urobórico. De acordo com nossa explicação, o eu pleromático é totalmente adualista, sem absolutamente nenhuma fronteira significativa; o eu urobórico, no entanto, já possui uma espécie de fronteira – já está começando a dividir o velho estado oceânico em dois termos globais, ou seja, o eu urobórico em contraposição a uma espécie de "outro urobórico" ou "entorno urobórico". Ambos são pré-pessoais.

A essa altura, então, o eu do bebê já não *é* o caos material, pois ele está começando a reconhecer algo *fora* de si mesmo, algo que não é o seu eu, e esse entorno global, indiferenciado, pré-pessoal é o que chamamos o *outro urobórico*. Esse estágio, portanto, é marcado por um adualismo difuso, mas não (como no estágio anterior) por um adualismo absoluto. No entanto, isso também significa que, embora em menor grau que no estágio pleromático, existem na consciência do bebê "apenas estados passageiros, sem nenhuma distinção de tempo e local", a que Sullivan deu o nome de "modo prototáctico" de experiência, no qual tudo que o bebê conhece são "estados passageiros, e suas experiências são 'cósmicas' no sentido de que são indefinidas e ilimitadas".[46] Urobóricas.

Como esse estágio ocorre por volta do início da extensa fase oral da infância – quando a principal ligação do bebê com o mundo é uma ligação *oral* – Neumann também denomina o eu desse momento a "uroboros alimentar" e, em alguns aspectos, isso corresponde à fase oral pré-ambivalente (pré-pessoal) da psicanálise. Também é chamado "alimentar" porque toda a uroboros é dominada pela "psicologia visceral" – pela natureza inconsciente, pela fisiologia, pelos instintos, pela percepção reptiliana e pelas mais rudimentares descargas emocionais. Como diz Neumann, no estado urobórico o organismo ainda "está imerso em seus instintos, como um animal. Abraçado, sustentado e acalentado pela grande Mãe Natureza, ele está entregue a ela, para o bem ou para o mal. Nada é ele; tudo é o mundo [o eu ainda é mais ou menos material e pleromático]. O mundo lhe dá abrigo e nutrição, enquanto ele quase não deseja, quase não age. Sem fazer nada, jazendo inerte no inconsciente, apenas presente no inesgotável mundo crepuscular, com todas as necessidades supridas sem esforço pela grande nutriz – assim é esse estado inicial e beatífico".[279] E é beatífico porque é pré-pessoal, quase pré-existencial – o eu ainda não sofre muito porque ainda não tem muita existência própria.

Sob certos aspectos, portanto, esse estado urobórico ainda é um estado de ignorância venturosa e de consciência pré-Queda. "O germe de ego ainda habita o pleroma... e, como consciência inata, vive em letargia no ovo primordial, no contentamento do paraíso."[279] De acordo com a psicanálise, esta é a fase da "onipotência alucinatória mágica", que é o "período imediatamente posterior ao nascimento, quando o bebê acha que só precisa desejar alguma coisa para que ela apareça".[120] Mais tarde, veremos esse estado de contentamento pré-pessoal – a euforia de ainda não ser um ego – dar lugar a *ananda* e *mahasukha*, o supremo contentamento de não mais ser um ego: o contentamento da transcendência.

Naturalmente, concordar que a uroboros "vive em letargia no paraíso" não é o mesmo que dizer que ela não tem seus medos, ou tensões rudimentares, ou desprazeres. Por mais venturosamente ignorante que seja esse estágio, como sustentam alguns pesquisadores, é preciso não esquecer o fato de que ele também contém as raízes de um medo primordial. Segundo os Upanishads, "Sempre que existe o outro, existe o medo". O eu urobórico do bebê começa a sentir o medo opressivo e primitivo pela simples razão de que agora reconhece um *outro* – o outro urobórico. Podemos observar que os junguianos, os freudianos e os kleinianos concordam, todos eles, que a melhor forma de interpretar esse medo é considerá-lo *oral* – ou seja, o medo primordial é o medo de ser engolido, engolfado e aniquilado pelo outro urobórico (muitas vezes na forma do "seio mau").[279, 120, 225] Como a uroboros pode "engolir" o outro, teme para si o mesmo destino.[120] E todo esse estado de coisas, esse medo primordial de ser aniquilado nas mãos do outro urobórico, Neumann denomina *castração urobórica*.

Para completar esse exame da uroboros, poderíamos observar que o desenvolvimento cognitivo do organismo se situa apenas nos estágios iniciais da esfera sensório-motora (estágios 1, 2 e 3, que em conjunto denominamos "formas urobóricas" ou "esquemas" urobóricos, seguindo o trabalho de Piaget).[297]

Diz-se que esse estado é totalmente acausal,[7] dominado por reflexos e elaboração de reflexos,[46] e que ainda apresenta uma orientação pré-temporal.[97]

Não obstante a uroboros alimentar ser vivida na sua forma mais "pura" nessa fase pré-ambivalente, ela exerce profunda influência pelo menos – para adotar provisoriamente o ponto de vista psicanalítico – até as fases posteriores, oral-sádica e anal, embora seja gradualmente transcendida em favor de uma crescente consciência pessoal e individual. A uroboros alimentar em si, contudo, continua sendo estritamente pré-pessoal, coletiva, arcaica, reptiliana. É seguramente uma das mais primitivas estruturas da psique humana e, juntamente com o pleroma básico, pode remontar desde formas inferiores de vida até ao próprio início do cosmos.

EU URORÓRICO	
• Estilo cognitivo	primeira diferenciação sujeito-objeto; acausalidade, modo prototáctico; satisfação alucinatória dos desejos; formas urobóricas (início do desenvolvimento sensório-motor)
• Clima afetivo	euforia oceânica, medo primordial
• Fatores conativos ou motivacionais	impulso primitivo de sobrevivência (do eu urobórico), necessidades fisiológicas (fome)
• Modo temporal	pré-temporal
• Modo do eu	urobórico, arcaico, pré-pessoal, reptiliano, reflexo, alimentar

3

O eu tifônico

À medida que a autopercepção do bebê começa a deslocar-se da uroboros pré-pessoal para o organismo individual, vemos o surgimento e a criação do eu orgânico ou eu do ego-corpo. O eu-corpo ou ego-corpo é, de certa forma, a transição do estágio de serpente da uroboros para o estágio realmente humano do ego mental, e portanto muitas vezes nos referimos a toda essa esfera (com todos os seus estágios e subestágios) como a esfera do "tífon" – o tífon, na mitologia, é meio humano e meio serpente.

Dividirei essa fase de desenvolvimento tifônico em três subestágios principais: o corpo axial, o corpo prânico e o corpo imagem, reconhecendo sempre que esses subestágios, em grande parte, se sobrepõem em diversas áreas.

O CORPO AXIAL E O CORPO PRÂNICO

Por "corpo axial" entendo, essencialmente, o corpo físico, sentido como algo diferente do ambiente físico. O bebê tem um corpo físico desde o nascimento, porém só reconhece o corpo axial por volta de 4 a 6 meses de idade (e só chega a diferenciar o eu e o não-eu por volta de 15 a 18 meses de idade).[218] "Imagem axial" é simplesmente um termo genérico para as primeiras imagens estáveis que ajudam a diferenciar o sujeito que percebe do objeto percebido ou sentido. As imagens axiais participam das atuais sensações e percepções. Todos os objetos do campo de percepção, neste exato momento, são objetos axiais ou imagens axiais: os objetos "lá fora" (bem como as sensações "aqui dentro"). Assim, as imagens axiais reconhecem *objetos* (elementos de alguma forma diferentes do eu), mas apenas objetos *presentes*. As imagens axiais dominam o terceiro, o quarto e o quinto estágios da inteligência sensório-motora. "No quinto estágio", como Gardner resume, "a criança já realiza um intercâmbio efetivo e maleável com o mundo dos objetos. Contudo, ela continua restrita ao mundo dos objetos presentes; quando as coisas desaparecem da vista (ou quando ela olha em outra direção), tem dificuldade em incorporá-las ao seu campo de pensamento."[149] Seu mundo ainda é em grande parte (mas não totalmente) *axial* – limitado ao simples, ao imediato e ao presente ainda meio vago. De qualquer forma, sob a influência de sistemas de imagens axiais, o bebê constrói tanto um tipo de realidade externa como uma sensação física ou corporal do eu interior.[218]

Como está começando a surgir um eu orgânico definido, também começam a surgir as emoções básicas desse eu. Denominamos esse componente emocional básico (em oposição aos instintos reflexos mais rudes da uroboros) nível prânico ou corpo prânico (de acordo com os hindus e budistas). Mas, nesse estágio, as emoções ainda são muito primitivas e elementares. Como ressaltaram autores como Werner[393] e Arieti,[7] os construtos cognitivos desse nível inicial (ou seja, as imagens axiais) são de natureza tão elementar e esquemática que não conseguem suscitar ou sustentar nenhuma das emoções mais elevadas ou mais complexas. Em vez disso, as emoções básicas presentes nesse estágio são o que Arieti, num meticuloso levantamento da literatura, denomina emoções elementares ou "proto-emoções", tais como raiva, medo, tensão, apetite e satisfação ou simples prazer.[7]

Já que, como vimos, o componente tempo característico do nível axial nada mais é que o presente imediato, não é de surpreender que Arieti também caracterize essas emoções como "rápidas" ou "abreviadas". Ou seja, as emoções abreviadas são as únicas que podem ser contidas ou sustentadas pela imagem axial no presente rápido e imediato; nenhuma outra emoção pode ser experimentada nesse modo temporal simples, e assim nenhuma outra é suscitada. Será preciso que se desenvolvam construtos cognitivos mais elaborados que a imagem axial para que surjam emoções mais complexas ou constantes. No todo, as emoções características desse estágio inicial são — como também afirma o pensamento psicanalítico em geral — muito rápidas, abreviadas, e assim tendem a uma descarga imediata e imoderada, nada ocorrendo a tempo de impedi-las.[120, 243]

Também poderíamos observar de passagem que, de acordo com a psicanálise, e especialmente os kleinianos, as mais significativas imagens axiais são as do seio, "sendo a mãe encarada em parte como objeto". Essa imagem do seio costuma surgir da "identificação projetiva" na qual a mãe, o eu e o seio são todos inicialmente unos e não-diferenciados. O medo correspondente a essa fase é a "perda do seio". Diz-se que tal medo leva a uma cisão da imagem do seio em duas, "o seio bom" e o "seio mau", o primeiro uma promessa de vida (Eros) e o segundo uma ameaça de morte (Tânatos).[225, 46]

A imagem axial e a rapidez do modo temporal desse nível também guardam estreita relação com os dois amplos aspectos motivacionais desse nível (para facilitar, estou combinando em um só os níveis axial e prânico); o princípio do prazer-desprazer e o impulso da sobrevivência imediata. Tomemos primeiramente o impulso da sobrevivência: na medida em que a autopercepção do bebê começa a centralizar-se e enfocar seu organismo individual, ele tem uma percepção mais aguda do que no estado urobórico da ameaça vaga e ainda ininteligível da extinção. Por estar mais ciente da sua percepção isolada do eu nesse nível do corpo axial, o bebê está mais fortemente sintonizado com a possibilidade de sua extinção. Assim, a sobrevivência simples e "rápida" ou, mais precisamente, a continuação momento a momento da percepção isolada do eu, passa a ser de suma importância nesse nível.

A segunda das duas grandes áreas motivacionais desse nível é o princípio do prazer-desprazer. Uso essa expressão, como Freud nem sempre fez, tanto no sentido positivo como no negativo: a busca do prazer e da satisfação corporal bem como a evitação da tensão, do desprazer, do desconforto. Pois nessa fase – axial-prânica, ou físico-emocional – "a motivação, como tendência a buscar o prazer e evitar o desprazer, torna-se assim uma força psicológica fundamental".[7] Neumann concordaria com essa avaliação e iria mais além, apontando a razão pela qual o princípio do prazer-desprazer ou prazer-dor não é tão proeminente nas fases anteriores, urobórica e pleromática, mas desabrocha nesse nível corpo-axial: "Quando o ego começa a emergir de sua identidade com a uroboros e cessa a ligação embriônica com o útero, o ego adquire uma nova atitude em relação ao mundo. A visão de mundo do indivíduo muda em cada fase de seu desenvolvimento, e a variação de arquétipos e símbolos, deuses e mitos é a expressão, mas também o instrumento, dessa mudança [como veremos, ele está falando sobre 'símbolos de transformação']. Separar-se da uroboros significa nascer e descer até o... mundo da realidade, cheio de perigos e desconforto. O ego nascente adquire consciência das qualidades do prazer-dor, a partir das quais experimenta o prazer e a dor. Conseqüentemente, o mundo passa a ser ambivalente."[279] Assim, enquanto o "contentamento oceânico" domina nos estados pleromático e urobórico, o princípio do prazer domina no estado corporal. Este, como veremos, é uma *transformação* dos anteriores.

De acordo com a psicanálise, o prazer corporal é, no início, "polimorficamente perverso", o que quer dizer que o bebê é capaz de extrair sensações prazerosas de todas as atividades, superfícies e órgãos do corpo. O princípio do prazer, nesse sentido, é um princípio corporal pois, para ser mais preciso, todo o corpo nesse estágio está "tomado de uma sexualidade total, ainda indiferenciada, que contém, em um só, todos os 'instintos parciais' posteriores". Ademais, "o movimento de satisfação do prazer ocorre espontânea e resolutamente como 'um movimento de afastamento de algo desagradável, ou uma aproximação de algo agradável' ".[7] Assim, a busca rápida ou abreviada e a evitação rápida ou abreviada marcam as duas inflexões motivacionais, estreitamente inter-relacionadas e quase inseparáveis, do nível axial/prânico: sobrevivência e prazer.

O dr. Arieti resume, com apurado equilíbrio e penetração, os principais aspectos desse nível de percepção do eu:

> É possível, nesse nível sensório-motor... ou do princípio do prazer exoceptual [ou seja, o conjunto das fases axial/corpo prânico], experimentar uma percepção ou consciência do eu, que inclui e integra as funções que estuda-

> mos? Se por "eu" queremos denotar um sujeito vivo, naturalmente podemos afirmar que nessa fase o eu é um organismo que opera no nível proto-emocional-exoceptual ["exocepto" é semelhante, em linhas gerais, ao que denominamos "axial-imagético"]. Se por eu queremos denotar o indivíduo como ele mesmo se conhece, devemos afirmar que esse estado de consciência é rudimentar.
> Provavelmente consiste num amontoado de simples relações entre estados fisiológicos, percepções, proto-emoções e exoceptos – relações que a princípio envolvem algumas partes do corpo, principalmente a boca [fase oral]. Contudo, à medida que se desenvolvem padrões de comportamento motor em relação a objetos externos, provavelmente surge até nos animais subumanos uma espécie de identidade motora primitiva, bem como a consciência da totalidade do próprio corpo.[7]

Finalmente, como indicado acima entre colchetes, as fases tifônicas em conjunto – axial, prânica, imagética – são de certa forma semelhantes a todo o período oral (e principalmente oral-sádico) descrito pela psicanálise. A esfera tifônica em si, contudo, recua até a uroboros alimentar e se estende até os *aspectos* anal e fálico das fases subseqüentes de desenvolvimento.

EU AXIAL e PRÂNICO	
• Estilo cognitivo –	sentimento; sensório-motor; acausalidade; imagens axiais; exoceptual
• Elementos afetivos –	emoções elementares (medo, cobiça, raiva, prazer); nível prânico
• Fatores conativos/ motivacionais –	sobrevivência imediata; princípio do prazer-desprazer
• Modo temporal –	concreto, momentâneo, presente passageiro
• Modo do eu –	corpo axial, prânico, sensório-motor, narcisista

O CORPO-IMAGEM

O surgimento, no bebê, da capacidade de criar amplas imagens mentais marca um ponto decisivo no desenvolvimento. O mais significativo é que a imagem permite que o bebê acabe por construir um mundo ampliado de objetos e um modo de tempo expandido, ambos os quais contribuem muito para o estabelecimento da "constância de objetos".[294] Por meio de uma imagem concreta, a princípio inexata, difusa e adualista, porém cada vez mais definida, o bebê dá início à grandiosa construção de um novo tipo de ambiente e de uma nova percepção de eu, construção que, no sistema de Piaget, leva à conclusão final das esferas sensório-motoras e — ao mesmo tempo — começa a ultrapassá-las.

Como se diz que a primeira imagem axial significativa é a do seio, a primeira imagem concreta significativa é a "imagem materna" (Sullivan),[359] pois "o primeiro objeto de todo indivíduo é a mãe".[46] De acordo com Sullivan, "Esta (a imagem maternal) é uma imagem muito vaga, que gradualmente fica mais distinta como algo que não faz parte do bebê".[46] Além disso, como uma espécie de continuação e transformação da divisão entre o bom e o mau seio, "a mãe que contribui para a sensação de bem-estar ou euforia é caracterizada como a 'Mãe Boa'. Quando ela perturba de alguma forma o bebê, transforma-se em outro 'complexo de impressões', a 'Mãe Má'".[46] O bebê, assim, inicia a relação decisiva, porém muito longa com a Grande Mãe, relação essa que se manifesta no plano corporal como um drama existencial (vida ou morte) entre o organismo individual e seu entorno maternal.[25] Essa contenda é tão significativa que, segundo Erik Erikson, envolve nada menos que um conflito entre a confiança e a desconfiança básicas.[108]

Podemos observar ainda que toda essa fase de desenvolvimento (que recua até o nível axial/prânico e se estende até a fase anal e fálica) foi intensamente estudada por Jung e seus seguidores como a "esfera do simbolismo maternal",[279] e pelos freudianos como as fases da mãe pré-edipiana.[57] Ambas as linhas de investigação foram estimuladas pela monumental descoberta, por Bachofen, da religião da Grande Mãe (que, por assim dizer, está por trás das religiões patriarcais).[17] Mas todos concordam que "a mãe devoradora, perversa, e a boa mãe que transborda afeto são dois lados da grande... Deusa Mãe que reina sobre esse estágio psíquico".[279]

Assim como o bebê cria e organiza uma rede de imagens e impressões da mãe, bem como de outros objetos ambientais significativos, ele também dá início à construção correlata de auto-imagens não reflexas, comumente denominadas, nessa fase, "imagens corporais". Imagens corporais são simplesmente "quadros de imagens" do corpo físico ou axial, e diz-se que quanto mais "próxima" a imagem corporal está do corpo físico ou axial, tanto mais "precisa" ela é.[339] "Devido à simultaneidade da ocorrência dos dados táteis exteriores e sensórios interiores, o próprio corpo [o corpo axial] passa a ser algo à parte do resto do mundo e, assim, torna-se possível discernir o eu e o não-eu. A soma de representações mentais do corpo [axial] e seus órgãos, a chamada imagem do corpo [corpo-imagem] constitui a idéia do eu [nessa fase] e é de importância fundamental para a posterior formação do ego."[120]

De acordo com Sullivan, as auto-imagens iniciais são apenas o "eu bom", o "eu mau" e o "não-eu" que, poderíamos acrescentar, normalmente são correlatas da Mãe Boa, da Mãe Má e da Mãe Devoradora, toda a "rede de impressões" que reflete o debate entre o ser e a nulidade, tão agudamente sentido nesse nível eu-corpo.[359] Poderíamos observar ainda, no contexto do organismo a essa altura basicamente indiferenciado, que esse estágio também é chamado bissexual, com uma sobreposição dos órgãos dos sentidos.[120, 279, 138]

Mas vamos voltar à imagem em si, pois é muito significativo que, nessa fase de desenvolvimento, muitos objetos que não estão ao alcance imediato podem, graças à imagem, ser *imaginados*. Ou seja, o bebê pode começar a imaginar ou conceber a existência dos objetos não imediatamente presentes (o que diferencia a imagem propriamente dita da imagem axial; a imagem axial só pode representar objetos presentes, enquanto a imagem propriamente dita pode representar objetos não presentes). Assim, a atual matriz de experiência do bebê é até certo ponto expandida no tempo, de modo simbólico e representativo.[7] O bebê começa a entrar no mundo de uma série de momentos ampliados, porém ainda aleatórios. Ele se movimenta em um *presente extenso*, no qual flutuam as imagens não organizadas de fatos passados e as imagens aleatórias de possibilidades futuras.[359]

A essa altura, essas imagens parecem funcionar no que Sullivan denominou "modo paratáctico", no qual "a totalidade não diferenciada da experiência é decomposta em partes que ainda não estão ligadas de nenhuma forma lógica. Elas 'simplesmente acontecem' juntas ou não, dependendo das circunstâncias. O processo é análogo ao termo gramatical 'paratáctico', que se refere à colocação de frases uma após a outra sem nenhum conectivo ('e', 'ou', 'desde que' etc.) para mostrar a relação lógica entre elas. O que a criança experimenta ela também aceita, implicitamente, sem reflexão, como a forma natural. Não existe processo passo a passo de atividade simbólica, e não é possível fazer inferências. A experiência é vivida como estados organísmicos momentâneos, não ligados (do eu-corpo)".[46]

Ademais, o modo paratáctico é mais ou menos equivalente ao que Freud denominou o "processo primário" pré-lógico, pois em "casos de (cognição) paratáctica, ocorre uma resposta que se segue a um tipo de organização do processo primário".[7] Esse tipo de organização foi codificado por von Domarus como "identidade-predicado" ou "identidade parcial": os objetos são percebidos como idênticos quando compartilham predicados ou partes salientes; dessa forma, as classes se confundem com os membros da classe, e cada membro se confunde com os outros.[7, 23] Assim, para dar um exemplo simples, o processo primário não distingue com facilidade uma caverna, uma caixa, um útero e uma xícara, pois todos esses objetos têm em comum o predicado "concavidade" e a parte "abertura". Todos eles pertencem à classe de "objetos côncavos com uma abertura"; portanto, cada objeto é encarado como idêntico a qualquer um dos outros, e um objeto pode *ser* a totalidade da classe e a totalidade da classe pode *estar* inteiramente em um único objeto. De qualquer forma, "na forma mais pura as imagens pertencem ao processo primário",[7] e é principalmente esse fato que explica os fenômenos de "deslocamento" (um objeto "transforma-se" em outro) e "condensação" (toda uma classe de objetos reduz-se a um único objeto da classe).[135]

Farei um esforço, mais adiante, para diferenciar o processo primário infantil das formas superiores de fantasia (que chamaremos imagem-visão). A fantasia inferior – o processo primário – pode ser uma fonte infindável de problemas, enquanto o processo de fantasia superior é uma fonte infindável de criatividade. A fantasia inferior, o processo primário, é na verdade uma espécie de cognição mágica que confunde o sujeito e o predicado, como também o todo e a parte (isto é, não consegue distinguir um membro de uma classe da própria classe).[23] Da mesma forma, o processo primário tende a confundir sujeito e objeto – talvez se possa melhor descrevê-lo como o "embaçamento" que mistura a psique subjetiva com o mundo material. Como nessa fase o sujeito e o objeto estão apenas começando a se diferenciar, o modo cognitivo desse estágio tende, também, a ser "confuso", ou indiferenciado. Piaget explica o fenômeno dessa forma:

> Nos estágios iniciais, o mundo e o eu são um só; um dos termos não se distingue do outro [as fases pleromática-urobórica]. Mas quando se tornam distintos, esses dois termos a princípio permanecem muito próximos um do outro; o mundo continua sendo consciente e cheio de intenções, o eu ainda é material, por assim dizer. Em cada etapa do processo de dissociação, esses dois termos evoluem no sentido da maior divergência, mas na criança nunca são (e aliás nem no adulto) inteiramente separados. ... Permanece em cada estágio, na concepção da natureza, aquilo que poderíamos chamar "aderência", fragmentos de experiência interna que continuam presos ao mundo externo.[297]

Essa confusão básica e mágica entre o interior e o exterior, a psique e o ambiente material, é uma das características do processo primário pré-verbal (uma observação que Arieti também faz).[7] É como se essa forma cognitiva, das mais primitivas, que se desenvolve à medida que a psique se cristaliza fora do pleroma material, fizesse parte tanto do sujeito mental como do objeto material, sem pertencer exclusivamente a nenhum deles, mas refletindo a primeira centelha rudimentar de conhecimento que aparece quando o sujeito e o objeto começam a se diferenciar.

A imagem propriamente dita surge apenas por volta da terceira fase de desenvolvimento sensório-motor; antes disso, o bebê só possui formas urobóricas, imagens axiais, sistemas motores etc. "É somente por volta do sétimo mês que o bebê começa a formar imagens. Por exemplo, se ele é capaz de procurar um chocalho depois que este foi escondido debaixo de um travesseiro, presume-se que seja capaz de trazer na mente a imagem do chocalho."[7] No entanto, desse período em diante as imagens começam a entrar firmemente na consciência, e até a sexta fase de desenvolvimento sensório-motor (por volta do final do segundo ano de vida), a criança consegue imaginar objetos ausentes com tanta precisão que é capaz de formar um "quadro" correto da permanência de objetos, "o conhecimento de que o mundo é composto de objetos substanciais, que existem permanentemente e que podem ser manuseados e sofrer vários tipos de transformação e, mesmo assim, manter sua identidade".[149] A criança faz isso essencialmente mediante o poder de "imaginar" objetos ausentes, por mais frágil que esse processo possa ser, em outros aspectos, nesse estágio.

A presença da imagem também amplia grandemente a vida emocional e motivacional do bebê, pois agora ele pode reagir não apenas a fatos, pessoas e objetos presentes, mas também à simples *imagem* dessas entidades, que podem ou não estar presentes.[116, 120] A imagem pode, pois, *evocar* o mesmo tipo de emoções e sentimentos que o objeto ou a pessoa reais. Além disso, o bebê pode, pela primeira vez, ter emoções *prolongadas*, pois a imagem pode não apenas evocar nuanças de sentimentos, mas também mantê-las e prolongá-las. Assim, como Arieti mostra com tanta clareza, o bebê pode sentir ansiedade, que nada mais é que medo *imaginado* e, portanto, sentido. Da mesma forma, ele pode *desejar*, já que o desejo é simplesmente um prazer *imaginado*.[7] Não existe mais apenas o medo presente, mas também o medo imaginado. E tampouco apenas o prazer corporal, mas também o prazer desejado. Assim, a imagem dá origem à *satisfação do desejo*, bem como à *redução da ansiedade*, e essas são transformações mais desenvolvidas do princípio mais simples do prazer-desprazer, que atuava no nível anterior.[7] A satisfação dos desejos e a evitação da ansiedade tornam-se, pois, motivações significativas desse nível — e ambas ultrapassam o momento presente ou axial para atingir possibilidades futuras. Contudo, como ainda não existem inibições fortes ou eficazes, essas emoções ainda tendem a ser descarregadas imediatamente.[120] Por causa desse imediatismo "indisciplinado", diz-se muitas vezes que essa é a etapa do "predomínio do impulso".[243]

Seja como for, a essa altura o bebê saiu da incorporação material e pleromática inicial e despertou para um mundo separado dele, um mundo do

O EU DO CORPO-IMAGEM

• Estilo cognitivo —	paratáctico, processo primário mágico, imagens polivalentes; completamento sensório-motor
• Elementos afetivos —	emoções, desejos, ansiedades constantes, vontade rudimentar
• Elementos motivacionais/conativos —	satisfação de desejos, redução da ansiedade, sobrevivência e segurança prolongadas
• Modo temporal —	presente expandido
• Modo do eu —	imagem corporal não reflexa

qual já não é a principal força motora. O paraíso pleromático está perdido para sempre.

A NATUREZA DO TÍFON: UM RESUMO

Gostaria de concluir esta parte enfatizando que há uma concordância geral, na psicologia ocidental e oriental, no sentido de que os níveis mais baixos de desenvolvimento envolvem funções e processos biológicos simples. Isto é, os níveis mais baixos envolvem processos somáticos, instintos, sensações e percepções simples, e impulsos emocional-sexuais. Já vimos o testemunho do Ocidente: no sistema de Piaget, essas são as esferas sensório-motoras; Arieti se refere a elas como instintivas, exoceptuais e proto-emocionais; Loevinger dá-lhes o nome de pré-sociais, impulsivas e simbióticas; é a esfera do id de Freud e a esfera urobórica de Neumann; e são as duas necessidades inferiores de Maslow, a fisiológica e a de segurança.

A psicologia oriental está de pleno acordo com essa avaliação. Para o hinduísmo vedanta, essa é a esfera do *anna-mayakosa* e *prana-mayakosa*, os níveis da fome e da sexualidade emocional (essas são traduções exatas).[94] Para o budista, são os cinco *vijnanas* inferiores, ou a esfera dos cinco sentidos.[107] A psicologia dos chakras (yoga) refere-se a elas como os três chakras inferiores: o *muladhara*, ou raiz material e nível pleromático; *svadhisthana*, ou nível emocional-sexual; e *manipura*, ou nível do poder agressivo.[329] São também os três *skandhas* inferiores do sistema de psicologia budista hinayana: o corpo físico, a percepção-sentimento, a emoção-impulso.[107] Na cabala, ou escola mística hebraica, é o *malkuth* (o plano físico) e o *yesod* (vital-emocional).[338] E, no fim das contas, tudo isso aponta para uma das maiores idéias de Freud: "O ego", disse ele, "*é em primeiro lugar e acima de tudo um ego corporal.*"[140]

Vimos que o ego-corpo — o tífon ou o eu-corpo — costuma desenvolver-se do seguinte modo: concorda-se em geral que o bebê a princípio não é capaz de distinguir o eu do não-eu, o sujeito do objeto, o corpo do ambiente. Ou seja, nesse estágio mais primitivo o eu está literalmente unido ao mundo físico. "Durante as fases iniciais", como disse Piaget, "o mundo e o eu são um só — o eu, por assim dizer, ainda é material." Essa fase inicial de *unidade material*, que Piaget denomina "protoplásmica", nós chamamos de pleromática e urobórica (para resumir, estou reunindo essas duas fases). "Pleromático" é um antigo termo gnóstico que significa o universo material — *materia prima* e *virgo mater*. "Uroboros" é a imagem mítica da serpente que come a própria cauda, e significa "totalmente enclausurado em si mesmo" (autista) e "incapaz de reconhecer o outro" (narcisista).

É desse estado primordial de fusão (ou melhor, do que introduziremos mais adiante como "inconsciente base") que surge o eu separado e, como disse Freud, o eu surge em primeiro lugar e acima de tudo como um corpo, um eu corporal. Isto é, a mente — ainda muito incipiente e subdesenvolvida —

é quase *totalmente indiferenciada do corpo*, de modo que o eu vê o mundo quase que totalmente por meio de *categorias e arranjos corporais* (morder, chupar, mastigar, bater, empurrar, puxar, prazer, sensório, sentimento, oral, anal, fálico etc.) O eu, a essa altura, é o de uma mente subdesenvolvida – que opera com imagens – e que não se diferencia do corpo: daí o eu-corpo. Trata-se, nas palavras de Neumann, de um eu rudimentar "ainda identificado com o funcionamento do corpo como um todo e com a unidade de seus órgãos".[279]

O bebê morde um cobertor e não sente dor; morde seu polegar e sente dor. Ele descobre que existe uma diferença entre o corpo e o não-corpo, e gradualmente aprende a deslocar sua atenção *do* pleroma *para* o corpo.

Assim, da unidade material primitiva surge o primeiro senso real do eu: o ego-corpo (neste resumo, estou falando do corpo axial, prânico e do corpo-imagem como uma só coisa). O bebê *se identifica* com o corpo recém-surgido, com suas sensações e emoções, e aos poucos aprende a distingui-las do cosmos material em geral.

Observe-se que o ego-corpo, ao diferenciar-se do ambiente material, de fato *transcende* aquele estágio primitivo de fusão e incorporação. O ego-corpo transcende o ambiente material e, conseqüentemente, consegue realizar *operações* físicas nesse ambiente. No fim do período sensório-motor (por volta dos 2 anos), a criança já diferenciou o eu do não-eu a tal ponto que tem uma imagem razoavelmente estável da "constância dos objetos" e, assim, consegue atingir a coordenação *muscular* da atuação física *sobre* esses objetos. Ela consegue coordenar o movimento físico de vários objetos do ambiente, algo que não poderia fazer com facilidade enquanto não conseguisse diferenciar-se desses objetos.

Vamos ressaltar essa tríade: ao *diferenciar* o eu de um objeto, o eu *transcende* aquele objeto e pode assim *atuar* sobre ele (usando *como ferramentas* as *estruturas* do nível daquele eu – nessa fase, o corpo sensório-motor).

Assim, nesse estágio (ou estágios) do ego-corpo, o eu já não está ligado ao ambiente pleromático – mas *está* ligado ao corpo biológico, ou identificado com ele. O eu, como ego-corpo, é dominado por impulsos instintivos, impulsividade, o princípio do prazer, os impulsos e descargas involuntários – todos os processos e impulsos do id tão bem descritos por Freud *et al.* É por isso que também chamamos o ego-corpo de "eu tifônico" – o tífon, na mitologia, é meio humano, meio serpente (uroboros). Em termos fisiológicos, o complexo reptiliano e o sistema límbico dominam o eu nessa fase.

O tífon, portanto, por mais primitivo e inferior que seja, representa uma transcendência da antiga incorporação no pleroma e na uroboros. O tífon, dessa forma, é de fato uma unidade de ordem superior, pois "o corpo significa totalidade e unidade em geral, e essa reação total representa uma totalidade autêntica e criativa".[279] Concluindo, é preciso considerar o tífon, o eu-corpo, como "um sentimento corporal generalizado no qual a unidade do corpo é a primeira expressão da individualidade".[279]

4

O eu da afiliação

O aparecimento e a aquisição da linguagem constituem, muito provavelmente, o processo isoladamente mais significativo do Arco para Fora do ciclo de vida de cada um. Ele traz em sua larga esteira um complexo de fenômenos inter-relacionados e imbricados, entre os quais se destacam novos e mais elevados estilos cognitivos,[337] uma noção ampliada do tempo,[120] um modo novo e mais unificado do eu,[243] uma enorme expansão da vida emocional,[7] formas elementares de autocontrole reflexo,[267] e os princípios da *afiliação* – no sentido de Castañeda.[70]

A estrutura profunda de qualquer linguagem inclui uma determinada sintaxe de percepção e, na medida em que adquire a estrutura profunda de sua língua materna, o indivíduo aprende simultaneamente a fazer uma síntese mental de um determinado tipo de realidade descritiva e, assim, percebê-la como se estivesse incorporada na própria estrutura da língua.[70] Desse importante momento em diante, até onde vai o Arco para Fora, a estrutura de sua língua é a estrutura do seu eu e o "limite de seu mundo".[428]

A forma amadurecida e calibrada dessa cognição de afiliação, aprimorada em formas mais lógicas e conceituais, é conhecida por muitos nomes: processo secundário de Freud,[135] modo sintático de Sullivan,[359] pensamento realista de Piaget,[297] pensamento aristotélico de Arieti.[7] Mas – e é isso que precisamos explorar meticulosamente nessa fase específica da evolução – essa cognição sintática, esse pensamento verbal-lógico não surge completo nem de uma só vez. No estágio anterior de evolução, o do corpo-imagem, encontramos a consciência do bebê dominada pelos modos urobórico e prototáctico de cognição. Evidentemente, o bebê não passa repentinamente desse processo primário mágico, da fantasia multifacetada do modo paratáctico, para o processo secundário de pensamento verbal, linear, sintático. Há um enorme hiato entre o mundo da parataxe (imagens mágicas) e o mundo da sintaxe (pensamento linear, verbal). Entre os dois encontra-se uma série intermediária de modos cognitivos, que constituem uma espécie de transição híbrida resultante do choque da sintaxe com a mágica.

Nem puramente alógico nem puramente lógico, esse estágio (ou estágios) intermediário geral foi denominado pré-causal (Piaget),[297] pré-lógico (Freud),[135] animista (Ferenczi), palavras e pensamentos mágicos (Ferenczi),[121] paleológico (Arieti),[7] linguagem autista (Sullivan)[359] – e foi extensamente investigado por Lacan como a "linguagem esquecida da infância", uma linguagem que cria as estruturas mais proeminentes do inconsciente (segundo a visão de Lacan, que aceito quando colocada no contexto).[236] Como o processo primário mágico, esse pensamento paleológico funciona freqüentemente com base na equivalência todo/parte e predicado-identidade; porém diferentemente do processo primário puro, que é estritamente composto por imagens não-verbais, o pensamento pré-causal é em grande parte verbal e auditivo – elaborado mediante um nome-e-palavra linear, com símbolos abstratos e auditivos. Diferentemente da imagem do processo primário, é um verdadeiro tipo de pensamento propriamente dito, atuando com protoconceitos, abstração verbal e formação elementar de classes. Poderíamos dizer que é uma linguagem informada pelo processo primário mágico. É exatamente por isso que Sullivan disse que esse pensamento pré-causal, a que ele denominou "pensamento ou linguagem autista", é a *manifestação verbal da parataxe.*[46] Arieti relata um exemplo impressionante dado por Levy-Bruhl:

> "Um nativo do Congo diz a um europeu: Durante o dia você toma vinho de palmeira com um homem, sem saber que há nele um espírito mau. À tarde você ouve o som de um crocodilo devorando algum pobre-coitado. Durante a noite, um lince come todas as suas galinhas. Pois bem, o homem com quem você bebeu, o crocodilo que comeu alguém e o lince são todos uma só pessoa.'" Evidentemente [escreve Arieti] uma característica ou predicado comum (ter um espírito mau) levou à identificação. ... Em minha opinião, o processo lógico se interrompe no estágio em que uma característica comum... leva à identificação de diferentes sujeitos. Os diferentes sujeitos (o homem, o crocodilo e o lince) passam a ser equivalentes. ... Nesse nível de organização, o indivíduo tende a registrar segmentos idênticos de experiência e a montar uma organização conceitual sobre os segmentos idênticos.[7]

A equivalência todo/parte e a identidade-predicado desse tipo de pensamento coloca-o decididamente em um tipo de atmosfera mítica e mágica – e, com efeito, Ferenczi (entre muitos outros) fala desse estágio como aquele que contém "palavras e pensamentos mágicos".[121] Von Bertalanffy explica:

> Neste ínterim, a faculdade especificamente humana da fala e as atividades simbólicas em geral se desenvolveram. Chegamos então à fase mágica, na qual a experiência animista ainda perdura, porém com um importante acréscimo: o ser humano adquiriu o poder da linguagem e de outros símbolos. No entanto, ainda não se faz uma distinção nítida entre o símbolo e o que ele designa. Portanto, de alguma forma o símbolo (p. ex., o nome ou

outra imagem) é a coisa, e a manipulação da imagem simbólica – como por exemplo pronunciar o nome da coisa com a devida cerimônia, pintar os animais que serão caçados, e assim por diante – confere poder sobre os objetos em questão. O selvagem, o bebê e o neurótico regredido têm uma série infindável de rituais para exercer esse controle mágico.[34]

Pode estar evidente que muitos investigadores usam os termos "mágico" e "mítico" mais ou menos como equivalentes, o que é perfeitamente aceitável. Eu, contudo, reservo o termo "mágico" para o estágio anterior de "imagens mágicas" e o processo primário puro. "Mítico", por outro lado, parece melhor para descrever essa fase atual paleológica – mais sofisticada que a magia, mas ainda não totalmente capaz de clareza lógica: é o nosso estágio mítico de afiliação. No entanto, eu gostaria de acrescentar que o pensamento mítico, *em suas formas maduras*, não é absolutamente patológico nem destorcido: em vez disso, em conjunto com a fantasia superior (ou imagem-visão) ele desvenda realidades profundas e modos elevados do ser arquetípico, muito além da lógica ordinária. Não obstante, a fase paleológica imatura é uma fonte infindável de confusão psíquica para a criança, e leva a um grande número de resultados desfavoráveis – muitos deles, no fim, patológicos.

É justo, pois, dizer que esse pensamento pré-causal é mais ou menos abstrato, mas são abstrações rudimentares matizadas de elementos míticos: "No nível paleológico, contrariamente ao nível fantástico [o estágio anterior unicamente de imagens puras], o homem tem a capacidade de fazer abstrações. Ele consegue separar dados semelhantes de uma multiplicidade de objetos e formar categorias ou classes de objetos. O processo da abstração, contudo, está longe de ser concluído. Ou a parte abstrata é confundida com o todo, ou é feita uma identificação errônea entre diferentes todos aos quais pertencem as partes semelhantes."[7]

Assim, a formação da linguagem rudimentar e o pensamento pré-causal impregnam toda a consciência desse nível de afiliação inicial. Mas quanto mais a linguagem se desenvolve, mais a fase paleológica recua para segundo plano, pois "o desenvolvimento da fala transforma gradualmente o pensamento pré-lógico em pensamento lógico, organizado e regulado, e esse é um passo decisivo na direção do princípio da realidade".[46] A parataxe dá lugar à sintaxe.

É de grande importância nessa fase o fato de que, à medida que a criança adquire a sintaxe dos que a rodeiam – um processo que começa nesse estágio – ela começa a reconstruir o mundo percebido dos que a rodeiam. Por intermédio da linguagem, da gramática e da sintaxe, ela aprende uma descrição particular do mundo que lhe ensinarão a chamar de realidade. Esta, sem dúvida, é a mensagem perspicaz de *don* Juan:

> Para o feiticeiro, a realidade, ou o mundo que todos conhecemos, é apenas uma descrição.

> Para validar essa premissa, *don* Juan empenhou-se ao máximo em fazer-me chegar à convicção autêntica de que o que eu tomava por mundo próximo não passava de uma descrição do mundo, uma descrição que havia sido instilada em mim desde o momento em que nasci.
> Ele ressaltou que todo aquele que entra em contato com uma criança é um professor que lhe descreve incessantemente o mundo, até o momento em que a criança é capaz de perceber o mundo conforme ele é descrito. De acordo com *don* Juan, não temos memória alguma desse momento prodigioso, simplesmente porque nenhum de nós poderia ter nenhum ponto de referência para compará-lo a qualquer outra coisa...
> Para *don* Juan, portanto, a realidade de nossa vida cotidiana consiste em um fluxo interminável de interpretações de percepções que nós, as pessoas que compartilham uma determinada *afiliação*, aprendemos a fazer da mesma maneira.[70]

A criança, pois, aprende a transformar e assim *criar* seu fluxo de percepções de acordo com a descrição do grupo ao qual é filiada.[403] A princípio, ela só consegue *reconhecer* a nova realidade de sua afiliação, mas acabará por ser capaz de *recordar-se dela*, momento a momento, e depois disso o mundo conforme descrito passa a ser sua realidade superior, e ela efetivamente ingressa na esfera lingüística do ser. Essa é uma experiência decisiva de crescimento, porém naturalmente tende a tornar os estágios anteriores mais ou menos inacessíveis. A principal razão pela qual a maioria das experiências da infância são esquecidas não é tanto por elas serem violentamente reprimidas (algumas de fato são), e sim por não *se encaixarem* na estrutura de descrição de afiliação e, assim, a pessoa não dispõe mais dos *termos* com que possa recordá-las.

Não se trata, evidentemente, de condenar a linguagem, mas apenas de ressaltar que o crescimento e a evolução cada vez maiores da consciência também acarretam muitas dificuldades e conflitos em potencial. Pois a evolução — no Arco para Fora e também no Arco para Dentro — é caracterizada por uma série hierárquica de estruturas *emergentes,* cujo sentido é em geral do inferior para o superior, e cada estrutura recém-surgida precisa ser integrada e consolidada a suas predecessoras — tarefa de dimensões nem um pouco modestas. Não apenas podem as estruturas superiores reprimir as inferiores, mas estas também podem, rebeldemente, desintegrar e dominar as superiores. O aparecimento da mente verbal é simplesmente o exemplo clássico de uma estrutura superior que tem a possibilidade de reprimir todas as inferiores, e isso pode levar às mais desastrosas conseqüências.

Mas, como dissemos, o próprio aparecimento da linguagem — a mente inferior ou verbal — é um marco decisivo do crescimento da consciência, principalmente em comparação com o eu-corpo anterior de simples estados físicos, percepções e emoções simples. Em especial, observamos que pelo uso da linguagem a criança pode, pela primeira vez, criar uma representação de uma *série* ou *seqüência* de fatos, começando assim a construir um mundo de enorme extensão temporal. Ela adquire uma noção sólida do *tempo* – não apenas o presente ampliado dos objetos imaginados (como na fase anterior), mas uma cadeia linear de representações abstratas, que vão do passado para o futuro. "Como passou a ser possível a representação verbal de uma *seqüência* de fatos, acrescenta-se agora uma dimensão temporal: o homem adquire pela primeira vez a compreensão do passado e do futuro. Embora ainda não seja possível medir com exatidão longos lapsos de tempo, o passado e o futuro não imediato surgem como dimensões temporais plenas."[7] Ou, na visão psicanalítica conforme Blum, "A fala introduz uma função extensa de previsão, pois os acontecimentos podem ser planejados no mundo das palavras"[46] de modo que, como diz Fenichel, "o tempo e a previsão passam a ser incomparavelmente mais adequados por meio da aquisição de palavras. A faculdade da fala transforma... o pré-pensamento em pensamento lógico, organizado e mais regulado".[120]

Tudo isso pode ser sintetizado em poucas palavras: na verdade, o aparecimento da mente verbal caracteriza uma transcendência significativa do corpo tifônico, o corpo preso ao presente dos simples sentimentos e impressões momentâneos. A mente, de fato, está começando (mas apenas começando) a cristalizar-se fora do corpo e a diferenciar-se dele, exatamente como na fase anterior o corpo se cristalizou fora do ambiente material. Com a mente verbal ou inferior, o eu já não está preso e acorrentado ao presente, míope de visão e limitado em percepção. A consciência, por assim dizer, expandiu-se por meio do veículo da linguagem simbólica, que *cria* para a mente um espaço de percepção muito além dos meros dados captados pelos sentidos.

É claro que este é um avanço colossal na curva evolutiva da consciência, e um passo que até hoje somente a humanidade deu. Mas como procurei demonstrar em *Up from Eden,*[427] há um preço a pagar por todo aumento de consciência – como a própria criança logo descobre. Observe-se que a linguagem contém um tipo de *tempo* nos verbos, e quando a criança olha o mundo através dos olhos da linguagem, não é de surpreender que ela veja um mundo temporal ou *transitório* – e portanto um mundo de tensão, sendo o tempo e a ansiedade sinônimos (como Kierkegaard sabia). Da mesma forma, ela aprende a construir e a identificar-se com *uma percepção transitória* do *eu* – ela passa a ter um passado e olha para o futuro. O preço que a criança paga por esse aumento de consciência é um reconhecimento maior de sua própria condição de separação e, assim, de sua vulnerabilidade. Pois a criança está, num grau cada vez maior, começando a despertar de sua sonolência no subconsciente – está, por assim dizer, sendo lançada do estado paradisíaco da ignorância e da confiança para o mundo da separação, do isolamento e da mortalidade.

E assim, logo depois da aquisição da linguagem, e raramente antes, toda criança passa por um longo período de pesadelos – desperta do sono a pedir socorro desesperadamente, consciente do terror intrínseco de ser um eu separado, abalada pelo terror primitivo sempre à espreita por baixo da superfície do eu separado.

Do lado positivo, no entanto, como a seriação verbal permite restringir o tempo e fazer a síntese mental de um mundo de afiliação e transitoriedade, ela também contribui para a capacidade cada vez maior que a criança tem de retardar, controlar, canalizar e adiar suas atividades, que de outra forma seriam impulsivas e incontroláveis. De acordo com Ferenzi, "A fala... acelera o pensamento consciente e a conseqüente capacidade de retardar a descarga motora".[46] A criança precisa conceber e relembrar o mundo do tempo – entender o passado e o futuro em termos abstratos – para ser capaz de comandar ativamente suas reações a esse mundo. Ou seja, o "domínio ativo" e o "autocontrole" dependem estreitamente da tensão e do tempo, bem como do crescente domínio sobre a musculatura corporal.[108, 243] Ademais, esse desenvolvimento do domínio ativo é uma "substituição gradativa de meras reações de descarga por atos. Isso se consegue mediante a interposição de um lapso *de tempo* entre o estímulo e a resposta".[120]

De acordo com a visão junguiana, essa "reação retardada e desemocionalização ocorrem paralelamente à cisão do arquétipo em grupos de símbolos".[194, 279] Ou seja, nesse estágio o eu aprende a "dividir um amplo conteúdo em aspectos parciais, vivenciando-os aos poucos, um após o outro", o que quer dizer, vivenciando-os em sucessão linear, no tempo. Mas, diz Neumann, essa diferenciação está "longe de ser um processo negativo", pois é o único meio pelo qual a reatividade emocional incontrolável pode ser substituída por um aumento de consciência. "Por esse motivo", diz ele, "é muito bem fundada a tendência de separar a reação [imediata e instintiva] da imagem de percepção que a desencadeia [i.e., inserir um *tempo* entre a resposta instintiva e o estímulo-imagem]. Se o aparecimento de um arquétipo não é imediatamente seguido por uma ação reflexiva instintiva, tanto melhor para o desenvolvimento da consciência, porque o efeito dos componentes dinâmico-emocionais é perturbar ou até impedir... a consciência."[279]

A linguagem não ajuda apenas a estabelecer uma realidade de afiliação de ordem superior e um eu de ordem superior, mas também funciona como um importante veículo por meio do qual as ações aceitáveis a esse mundo de afiliação podem ser comunicadas, em geral pelos pais. Por meio da palavra e do pensamento, a criança internaliza as primeiras proibições e exigências dos pais, e cria assim aquilo que tem recebido várias denominações: "pré-consciência" (Fenichel), "moralidade do esfíncter" (Ferenczi), "superego moral precoce" (Rank), "pré-superego", "precursores do superego", "ética visceral" ou "mãe interior". Observe-se, contudo, que nesse estágio a "mãe interior" não é mais apenas uma rede de imagens – como era a Grande Mãe da fase corpo-imagem – mas também uma rede de representações *verbais*. Não é apenas uma formação implícita, contém informações explícitas. Não é muito organizada nem rigidamente delineada, no entanto, e por isso tende à degeneração se a figura de autoridade correspondente não estiver de fato presente.[120, 243, 343]

A linguagem e a função incipiente de pensamento abstrato ampliam enormemente o mundo afetivo e conativo da criança, pois agora as emoções estão livres para percorrer o mundo do tempo, e podem ser evocadas pelo tempo – desejos temporais específicos, bem como aversões temporais concretas podem, pela primeira vez, ser cogitados e vagamente verbalizados. Também se apresentam escolhas à consciência da criança, pois no mundo da transitoriedade as coisas já não "simplesmente acontecem" (como nas esferas tifônicas), mas oferecem diversas possibilidades entre as quais escolher. É somente na linguagem que se pode dizer a palavra "ou...". "Devo fazer isso OU aquilo?" Assim, encontramos aqui as raízes da protovolição e da força de vontade, transformações do desejo mais difuso e global do nível anterior.

Em alguns poucos aspectos, esse estágio corresponde ao período anal-sádico descrito pela psicanálise. (A rigor, a fase anal *per se* refere-se unicamente ao desenvolvimento da libido, ou prânico, ou emocional-sexual, e isso não pode ser igualado nem ao desenvolvimento do ego nem ao desenvolvimento cognitivo. No entanto, como neste livro não estou fazendo distinção entre as diversas linhas de desenvolvimento, incluo nesse ponto a fase anal, pois é aqui que ela costuma desenvolver-se. Da mesma forma, incluirei a fase fálica na discussão do nível do ego-mental, no próximo capítulo.) Diz-se que os medos específicos desse estágio são o medo da perda do corpo (fezes) e o medo da mutilação do corpo.[120] Examinaremos de perto esse medo da mutilação do corpo quando falarmos da dinâmica da evolução, onde o papel dele é extremamente importante. Finalmente, Erik Erikson, representando a psicanálise, acrescenta que as lutas dessa fase dizem respeito ao senso de autonomia em contraposição à dúvida e à vergonha – em outras palavras, como a criança vai se sentir nesse novo mundo de afiliação e escolha.[108]

Em síntese, nesse estágio a percepção do eu ainda é um tanto tifônica, porém, menos; vale dizer, o eu está começando – mas apenas começando – a

O EU VERBAL DA AFILIAÇÃO	
• Estilo cognitivo –	linguagem autista; pensamento paleológico e mítico; cognição de afiliação
• Elementos afetivos –	desejos temporais, gostos e aversões mais prolongados e específicos
• Fatores motivacionais/ conativos –	protovolição, raízes da força de vontade e escolha autônoma, senso de pertencer
• Modo temporal –	limites do tempo, estruturação do tempo, passado e futuro
• Modo do eu –	eu verbal, de afiliação, senso de transitoriedade

diferenciar-se do corpo. As imagens passageiras do "eu bom" e do "eu mau" da fase anterior organizam-se numa percepção do eu lingüístico, rudimentar – o eu da afiliação, o eu da transitoriedade, o eu do nome-e-palavra.

A MENTE VERBAL: RESUMO

Vimos que as verdadeiras funções mentais ou conceituais estão *começando* a emergir do ego-corpo simples e a diferenciar-se dele. À medida que a linguagem se desenvolve, a criança é introduzida no mundo de símbolos, idéias e conceitos, e desse modo aos poucos ultrapassa as oscilações do ego-corpo – simples, instintivo, imediato e impulsivo. Entre outras coisas, a linguagem traz consigo a capacidade maior de imaginar seqüências de coisas e fatos aos quais os sentidos corporais *não estão diretamente* expostos. "A linguagem", como disse Robert Hall, "é o meio de lidar com o mundo não presente" e, até certo ponto, infinitamente além daquele das simples imagens.[176]

Também é verdade que a linguagem é o meio de *transcender* o mundo simplesmente presente. (A própria linguagem é transcendida nas esferas superiores da consciência, mas é preciso passar do pré-verbal para o verbal a fim de chegar ao transverbal; aqui estamos falando da transcendência do pré-verbal pelo verbal, o que, embora seja apenas metade da história, é um feito extraordinário.) Por intermédio da linguagem, pode-se antever o futuro, fazer planos, conduzir as atividades de hoje de acordo com o amanhã. Ou seja, pode-se retardar ou controlar os atuais desejos e atividades corporais. Trata-se, como vimos, de "uma substituição gradual das meras reações de descarga por ações. Isso se consegue interpondo-se um lapso de tempo entre o estímulo e a resposta".[120] Por intermédio da linguagem e suas estruturas simbólicas, sujeitas ao tempo, pode-se adiar a descarga imediata e impulsiva de impulsos biológicos simples. O indivíduo já não está totalmente dominado pelas exigências do instinto, mas pode, até certo grau, *transcendê-las.* Isso significa, simplesmente, que o eu está começando a diferenciar-se do corpo e a surgir como um ser *mental*, ou verbal, ou sintático.

Observe-se novamente aquela tríade que introduzimos no último capítulo: à medida que o eu mental faz sua aparição e *se diferencia* do corpo (com o auxílio da linguagem), ele *transcende* o corpo e, assim, pode atuar sobre ele usando como instrumentos suas próprias estruturas mentais (pode retardar as descargas imediatas do corpo e adiar as gratificações instintivas usando inserções verbais). Ao mesmo tempo, isso permite o *início* da sublimação das energias sexuais-emocionais do corpo em atividades mais sutis, complexas e evoluídas. Essa tríade de diferenciação, transcendência e atuação, tomada isoladamente é, como veremos, a mais elementar *forma de desenvolvimento*, repetida em todas as fases de crescimento, e que leva – por tudo que sabemos – diretamente ao Absoluto.

5

As esferas mentais do ego

Por diversos motivos, a autopercepção da criança passa a centrar-se gradualmente em torno de sua cognição de afiliação sintática e dos afetos, motivações e fantasias estreitamente associados à cognição de afiliação. A criança desloca sua *identidade* central da esfera tifônica para a esfera verbal e mental. A parataxe se extingue, e desabrocha o processo sintático ou secundário — o raciocínio linear, conceitual, abstrato, verbal, consensual — que penetra firmemente em todos os elementos da consciência. O resultado final é que o eu deixa de ser apenas uma auto-imagem ou constelação de auto-imagens passageiras e amorfas, ou uma simples palavra ou nome, para ser uma unidade de ordem superior de conceitos auditivos, verbais, dialógicos e sintáticos, a princípio muito rudimentares e tênues, mas que se consolidam rapidamente.

> Exceto nas primeiras fases do desenvolvimento, o estado de cognição de um indivíduo determina a maioria das mudanças que ocorre em sua vida psicodinâmica. É esse estado de cognição que reformula a experiência passada e presente e, em grande medida, altera suas associações emocionais. Entre as forças poderosas e emocionais que motivam ou perturbam os homens, há muitas que são sustentadas ou efetivamente engendradas por complicados processos simbólicos. Os sentimentos-conceitos do indivíduo relativos à importância pessoal, à identidade, ao seu papel na vida, à auto-estima não poderiam existir sem esses complexos construtos cognitivos... Os conceitos participam da imagem do eu e, em grande medida, constituem essa imagem. No nível conceitual [sintático], o homem já não vê a si mesmo como uma entidade física ou como um nome, e sim como um repositório de conceitos que se referem a ele... Ao pensar, sentir e mesmo ao agir, o homem passa a se preocupar mais com conceitos do que com coisas.[7]

Ou na formulação de Fenichel: "O passo decisivo para a consolidação da parte consciente do ego é dado quando a concepção auditiva das palavras é acrescentada às orientações mais arcaicas."[120] Esse eu auditivo, conceitual, sintático é o nível do ego propriamente dito, com quase todos os aspectos da percepção do eu, incluindo os fatores afetivos e conativos, inextricavelmente ligados ao pensamento de afiliação e à cognição conceitual.

Ora, o ego – no sentido em que estou usando esse termo – difere das outras formas de percepção do eu em aspectos importantes. Enquanto a uroboros era um eu pré-pessoal, enquanto o tífon era um eu vegetal, enquanto o eu da afiliação era um eu de nome-e-palavra, a essência do ego é a idéia do eu, o eu-*conceito*. O ego é o conceito de si mesmo, ou uma constelação de conceitos de si mesmo, juntamente com as imagens, fantasias, identificações, lembranças, subpersonalidades, motivações, idéias e informações relativas ou ligadas ao conceito do eu separado. Assim, um "ego saudável", na expressão da psicanálise, é um "conceito do eu" mais ou menos correto, que leva devidamente em conta as diversas tendências, freqüentemente discordantes, do ego.[119] Ademais, o ego – embora diferenciado do corpo – está enraizado na musculatura *voluntária* do corpo, de modo que os estados patológicos do ego tendem a apresentar uma correspondente disfunção muscular.[249] O nível do ego-sintático, portanto, é dominado pela cognição conceitual e caracterizado pela transcendência do corpo tifônico.

O estágio do conceito do ego, cujo início é semelhante à fase fálica (ou locomotor-genital) da psicanálise, também marca o aparecimento definitivo do superego propriamente dito.[46, 108] (Como ressaltei anteriormente, a fase fálica *per se* refere-se às esferas tifônicas ou corporais, porém em geral ocorre em conjunto com o aparecimento do ego inicial e do superego propriamente dito. Como não estou estabelecendo diferença entre diversas linhas de desenvolvimento, ao longo de todo o livro tratarei o período do ego inicial como o do ego-genital.) O superego é um conjunto internalizado ou introjetado, auditivo, verbal-conceitual de sugestões, ordens, exigências e proibições, em geral, assimiladas dos pais.[120] Na verdade, a idéia ou conceito internalizado do Pai inclui as atitudes, os sentimentos e os pensamentos deste em relação ao filho (ou antes, o que o filho acha que ele é). Em outras palavras, não é tanto o pai isoladamente que é internalizado, mas sim a *relação entre o pai e o filho*,[244] de modo que, para usar os convenientes termos da análise transacional, o Pai e a Criança são estruturas intra-ego correlativas. Na psique, elas se apóiam uma na outra (um fato em geral esquecido pela análise clássica, o que levou Fritz Perls a dizer que Freud estava "meio certo, como de hábito": ele captou o superego, mas esqueceu o "infra-ego").[291] A criança, quando internaliza conceitualmente os pais, ao mesmo tempo *fixa* e *limita* os relacionamentos que ela, como *filha*, tem com os pais e que os pais, *como pais*, têm com ela. Assim, os relacionamentos – em parte convencionais, em parte imaginativos – entre o pai e o filho se tornam uma relação intra-ego estabilizada.[243] Esta é uma faceta característica do nível do ego.

Dito de outra forma, nesse estágio os relacionamentos *interpessoais* anteriores se tornam estruturas *intrapsíquicas* – o que é possibilitado pela conceitualização verbal. Vale dizer que o desenvolvimento até mesmo de um pensamento conceitual ou sintático rudimentar traz consigo a capacidade de assumir papéis abstratos, e isso é decisivo no desenvolvimento do ego. A "dialética do crescimento pessoal" de Baldwin,[20] "o Outro" e a "fase do espelho" de Lacan,[236] o "eu do espelho" de Cooley,[82] o "assumir o papel dos outros" de Kohlberg,[229] o "outro particularizado" e o "outro generalizado" de Mead[267] – tudo isso aponta para "o diálogo internalizado dos papéis como a origem social do eu".[243] O mais importante é que "o diálogo dos papéis é criança em contraposição a pai, impulso em contraposição a controle, dependência em contraposição a domínio, tudo ao mesmo tempo. Cada vez que é apropriado o papel do alter ou do objeto, há um correspondente aumento da complexidade do ego da criança e, portanto, de seu alter ou objeto".[243]

Assim se verifica aquela decisiva "diferenciação interna da estrutura do ego" – basicamente em Pai e Filho, superego e infra-ego, opressor e oprimido (e outras subpersonalidades cuja variedade é muito grande para detalharmos aqui). Além disso, o relacionamento internalizado Pai e Filho tem raízes em retroflexões específicas.[418] Isso ocorre porque a criança assume o papel do Pai em relação a ela mesma mediante a retroflexão – ou seja, voltando para si mesma, os afetos-conceitos não permitidos pelo Pai. Por exemplo, a criança que é constantemente censurada pelo pai por ficar zangada acaba se identificando com o papel do Pai e censura a si mesma por suas explosões de raiva. Assim, em vez de o pai determinar quais impulsos são permitidos, a criança começa a exercer ela própria esse controle.[292] Ela pode elogiar a si mesma, o que resulta em sentimentos de orgulho, ou condenar a si mesma, o que resulta em sentimentos de culpa.[120] A questão é que, ao assumir o papel do Pai em relação a si mesma, ela é capaz de diferenciar seu ego em vários segmentos, todos eles *inicialmente* (mas apenas inicialmente) baseados nas relações interpessoais originais da criança com o pai. A relação externa entre pai e filho torna-se, então, uma relação interna entre duas subpersonalidades do ego. O interpessoal tornou-se intrapessoal, de modo que os estados Pai e Filho do ego são redes de retroflexões entrecruzadas e diálogos internalizados.[418]

O superego ou Pai pode ser subdividido em Pai Nutridor ou ego ideal, e Pai Controlador ou consciência; e o estado Criança do ego em Criança Adaptada, Criança Rebelde e Criança Natural.[33] Todas essas, contudo, são – no meu entender – *estruturas de pensamento intra-ego*, de diversos graus de complexidade conceitual. Ou seja, todas elas possuem elementos dominantes de sintaxe e diálogo, juntamente com os correspondentes afetos, imagens e matizes de sentimento. Portanto, não é que os afetos, fantasias e imagens não ocorram nesse nível conceitual do ego – eles na verdade ocorrem, mas estão em grande medida relacionados ou ligados a formas conceituais de realidade de afiliação.

Ademais, é essa natureza sintática, de diálogo Pai-Filho do ego (que vamos denominar ego P-A-C, representando as subpersonalidades Pai-Adulto-Criança) que *permite* a programação do roteiro, tratada de forma tão admirável pela análise transacional.[33] Não se pode programar o eu urobórico nem o eu tifônico (eles foram, por assim dizer, programados pela natureza), mas pode-se, até certo ponto, programar o pensamento de diálogo, pois é possível a alguém (na condição de pai, doutrinador, hipnotizador ou terapeuta) assumir sub-repticiamente um dos papéis importantes dos diálogos internos do indivíduo. Na medida em que o indivíduo se identifica com seu ego (eu conceitual, de diálogo) ele fica "preso ao roteiro", ou programado pelas instruções internalizadas. Devemos a Berne,[33] apoiado na descoberta de Perl,[291] a pormenorização do modo como quase todos os aspectos do estado do ego podem ser revelados como "diálogo interno" – séries sintáticas de signos auditivos acompanhados por afetos e imagens, de modo que até o id tifônico, nesse nível, é experimentado como uma "voz viva".[33]

Muito poucas pessoas sobrevivem à infância com um ego intacto na consciência, ou mesmo em grande parte intacto, visto que "depois que o superego se instala, ele decide quais impulsos ou necessidades serão permitidos e quais serão suprimidos".[46, 120] Isso significa que, sob a influência do superego e dependendo de todo o histórico dos níveis de desenvolvimento anteriores do eu, alguns afetos-conceitos são cindidos ou alienados (May),[266] permanecem indiferenciados ou são esquecidos (Jung),[209] projetados (Perls), [291] reprimidos (Freud),[137] ou seletivamente filtrados da consciência (Sullivan).[359] O indivíduo não fica com um conceito do eu realista, ou razoavelmente preciso e flexível, mas com um conceito do eu fraudulento, um eu idealizado (Horney),[190] um ego fraco (Freud),[140] uma *persona* (Jung).[210]

Por mera questão de conveniência, divido a esfera geral do ego em três grandes fases cronológicas: o ego inicial (dos 4 aos 7 anos de idade), o ego intermediário (dos 7 aos 12) e o ego tardio (dos 12 anos até o início do Arco para Dentro, quando e se o indivíduo entrar nele – raramente antes dos 21 anos de idade). Em qualquer ponto do desenvolvimento do ego, todo aspecto do eu que, se representado na consciência, seria percebido como excessivamente ameaçador, pode ser suprimido. A esses aspectos suprimidos chamamos a "sombra" e ao eu fraudulento resultante chamamos de a "*persona*" (de acordo com Jung). Para nós, a sombra representa aspectos do eu pessoal que poderiam também estar na consciência, mas não estão por motivos dinâmicos (descritos por Freud e Jung). Isso pode ocorrer em qualquer ponto do aparecimento do ego (embora os pontos decisivos ocorram durante o período do ego inicial), e portanto, em geral, às vezes nos referimos a todas as fases do ego como a esfera do ego/*persona*.

Gostaríamos de observar que a *persona per se* não é necessariamente uma estrutura patológica, mas uma espécie de "cara boa" ou "máscara social" que se pode adotar para facilitar a interação social. É um papel especial concebido para ajudar a facilitar diversas tarefas, de modo que uma pessoa pode, e deve, possuir várias *personae* – a *persona* do pai, a *persona* do médico, a *persona* do marido, a *persona* da esposa, e assim por diante. A soma de todas as *personae* possíveis de alguém é o ego total (na minha definição), e o próprio ego é formado e construído mediante o aprendizado e a combinação das várias *personae* em um conceito integrado do eu. Assim como o "outro particularizado" precede o "outro generalizado", a *persona* precede o ego.

A dificuldade começa quando uma determinada *persona* (como por exemplo o "bom moço não agressivo") se fortalece e domina o campo da consciência, de modo que outras *personae* legítimas (como por exemplo a *persona* "da agressão saudável" ou "da assertividade") não conseguem entrar na consciência. Como resultado, essas facetas cindidas do próprio ego tornam-se sombra, ou *personae* submersas. Nossa fórmula geral e um tanto simplista é, portanto: *persona* + sombra = ego. Observe-se que toda a sombra é inconsciente, mas nem todo o inconsciente é sombra. Ou seja, existem no inconsciente toda espécie de níveis, mas poucos deles são "pessoais" ou "*personae*-sombra submersas"; grandes segmentos do inconsciente são pré-pessoais (urobóricos, arcaicos, coletivos e de arquétipo inferior); grandes segmentos são transpessoais (o sutil, o causal, o transcendente, o do arquétipo superior — como veremos).

Finalmente, considero o período tardio do ego/*persona* (dos 12 aos 21 anos de idade) como crucial com respeito a todas as formas de *personae*. Isto é, até aquele momento o indivíduo aprendeu a criar e a *identificar-se* com várias *personae* adequadas, e nesse momento, a fase tardia do ego, ele não só normalmente domina suas diversas *personae* (estágio de "identidade em contraposição à confusão de papéis" de Erikson),[108] mas também começa a transcendê-las, a desidentificar-se delas. Essa "desidentificação" não denota "dissociação" ou "alienação" — uso o termo na acepção muito positiva de desfazer-se de uma

O EU MENTAL DO EGO

• Estilo cognitivo —	sintático de afiliação; processo secundário; pensamento verbal, dialógico; pensamento operacional concreto e formal
• Elementos afetivos —	afetos-conceitos, emoções-diálogo, principalmente culpa, desejo, orgulho, amor, ódio
• Fatores motivacionais/ conativos —	força de vontade, autocontrole, metas e desejos temporais, necessidades de auto-estima
• Modo temporal —	linear, histórico, passado e futuro ampliados
• Modo do eu —	ego-sintático, conceito do eu, estados do ego de pensamento e diálogo, várias *personae*

identificação *exclusiva* e restritiva, de modo a criar uma identificação *de ordem superior*. O bebê se desidentificou do pleroma, ou diferenciou-se dessa identidade restritiva. Da mesma forma, o ego se desidentifica do corpo tifônico, o que significa que não está mais *exclusivamente* ligado à esfera prânica ou identificado com ela. Não pode haver nenhuma identificação superior enquanto não for rompida a exclusividade das identidades de ordem inferior – e é nesse sentido que uso o termo "desidentificação". Assim que o eu se desidentifica das estruturas de ordem inferior, ele pode *integrá-las* às estruturas de ordem superior recém-surgidas.

Dissemos que, durante o período tardio do ego, além de normalmente dominar suas diversas *personae*, o indivíduo também começa a transcendê-las, a desidentificar-se delas. Tende, assim, a integrar todas as suas possíveis *personae* em um "ego maduro e integrado", e depois *começa* a desidentificar-se totalmente do ego. Isso, como veremos, marca o início do Arco para Dentro, e todas as fases desse ponto em diante são estritamente transego (ver Fig. 2 no Capítulo 1).

As esferas do ego: resumo

Observamos nessa fase a mesma forma de desenvolvimento que mencionamos nos dois capítulos anteriores – a forma da tríade de diferenciação, transcendência e atuação. Mas se olharmos um pouco mais de perto essa tríade de desenvolvimento, eis o que encontramos: em cada grande estágio de desenvolvimento há *aparecimento* de uma estrutura de ordem superior, *identificação* com essa estrutura superior e *diferenciação* ou *desidentificação* da estrutura inferior. Isso quer dizer uma *transcendência* da estrutura inferior, de tal modo que a estrutura superior *atua* sobre as estruturas inferiores, ao mesmo tempo que as *integra*.

Surge, assim, um ego mental razoavelmente coerente (em geral entre os 4 e 7 anos de idade) que se diferencia do corpo, transcende o simples mundo biológico e que *portanto* pode, até certo ponto, atuar sobre o mundo biológico (e o mundo físico anterior) usando os instrumentos do simples pensamento de representação. Toda essa tendência se consolida com o aparecimento (em geral, por volta dos 7 anos) do que Piaget chama "pensamento operacional concreto" – um pensamento que pode *atuar* sobre o mundo concreto e sobre o corpo, usando conceitos. Esse modo cognitivo domina a etapa do ego intermediário/*persona*.

Na época da adolescência – a etapa do ego tardio/*persona* – começa a ocorrer outra diferenciação extraordinária. Em essência, o eu simplesmente começa a diferenciar-se *do* processo de pensamento concreto. E como o eu começa a diferenciar-se do processo de pensamento concreto, ele pode, até certo ponto, *transcender* esse processo de pensamento e, portanto, *atuar* sobre ele. Assim, não é de surpreender que Piaget denomine esse estágio – o mais elevado, segundo ele – "operacional formal", porque o indivíduo pode *atuar* sobre seu próprio pensamento concreto (i.e., trabalhar com objetos formais ou lingüísticos, bem como com objetos físicos ou concretos), uma operação detalhada que, entre outras coisas, resulta nas dezesseis proposições binárias da lógica formal. Mas o único ponto que quero enfatizar aqui é que isso pode ocorrer porque a consciência se diferencia do pensamento sintático, transcende-o, por conseguinte, pode atuar sobre ele (algo que não podia fazer quando *era* esse pensamento). Na verdade, esse processo está apenas começando nessa etapa – ele se intensifica em estágios superiores –, porém a questão geral parece razoavelmente clara: a consciência, ou o eu, está *começando* a transcender o ego-mente verbal. Está começando a se tornar transverbal, transegóica.

Finalmente, vamos lembrar que o ego-mente verbal é conhecido no budismo mahayana como *manovijnana*,[362] no hinduísmo como *manomayakosa*,[94] no budismo hinayana como o quarto e o quinto *skandhas*.[107] Também é o quinto chakra, o chakra *visuddha*, ou mente verbal inferior, e os aspectos inferiores do sexto chakra ou chakra *ajna*, ou mente conceitual.[330] Na cabala é o *Tiphareth* (o eu do ego), *Hod* (intelecto) e *Netzach* (desejo).[338] E, não esqueçamos, são as necessidades de auto-estima de Maslow.[262]

Isso nos leva ao fim do Arco para Fora, mas não ao fim da nossa história.

6

Símbolos de transformação

A ascensão da consciência

Pelo que foi dito até agora, deve estar claro que, no fim de cada estágio ou nível de evolução, o modo do eu e o correspondente senso de realidade são, essencialmente, gerados por complexas transformações do nível anterior. Cada nível que surge não é, portanto, exatamente uma negação total do nível anterior, tampouco *vem do* nível anterior, sendo antes uma transformação (e transcendência) dele.

Vamos examinar a dinâmica transpessoal dessa transformação para cima na próxima parte e encontrar em seu núcleo o projeto Atman, ou a tentativa de atingir a Unidade última de maneiras que o impedem e impõem substitutos simbólicos – sucessivamente mais próximos da Fonte, por assim dizer, mas ainda assim meros substitutos. A essa altura, no entanto, vale a pena examinar a natureza dos próprios *transformadores*, e vamos constatar que, de um modo geral, cada transformação é efetuada, ou no mínimo acompanhada, por algum tipo de *estrutura simbólica* (usando a palavra "símbolo" na acepção mais ampla possível).

"O caminho da evolução", diz o psicólogo junguiano Neumann, "que leva a humanidade da inconsciência para a consciência, é o caminho traçado pelas transformações e ascensão da libido [que na psicologia junguiana não é a energia sexual, e sim a energia psíquica neutra em geral]."[279] E, como Jung demonstrou com tanta objetividade, "*o mecanismo que transforma a energia é o símbolo*". Daí o título (posterior) do primeiro livro de Jung: *Símbolos de Transformação*.[205]

Pois bem, já delineamos uma meia dúzia de grandes tipos e estruturas simbólicas: as formas urobóricas, a imagem axial, a imagem concreta, a palavra-e-nome e o conceito (todos eles, naturalmente, cobrem apenas o Arco para Fora). Cada uma dessas estruturas simbólicas é capaz de gerar um tipo diferente de representação, e assim cada uma delas está intimamente associada a um tipo de transformação para cima ou ascensão da consciência.

Vamos dar agora alguns exemplos dessa transformação simbólica, para esclarecer o mais possível essa idéia. Já observamos o modo de tempo específico que caracteriza os diversos estágios do Arco para Fora: a intemporalidade das fases pleromática e urobórica, o tempo presente imediato do corpo axial, o presente ampliado do corpo-imagem, as seqüências temporais rudimentares do estágio da afiliação e o tempo linear ampliado da fase do ego. Mas como é possível que o indivíduo, no decorrer de sua evolução inicial, passe de uma dessas formas temporais para a seguinte? Como ou por que meios uma forma de tempo dá lugar à seguinte?

A resposta genérica para grande parte dessa pergunta é: por meio e a partir das diversas estruturas simbólicas que aparecem em cada estágio do crescimento da consciência. Vejamos:

O modo temporal da fase pleromática-urobórica (tomada em conjunto) é adequadamente definido como intemporal, no sentido de pré-temporal, sem início e sem fim, anterior à seqüência e à serialidade e ignorante delas. Embora o bebê sem dúvida esteja ciente de determinados acontecimentos, ele não consegue apreendê-los na relação temporal, tampouco, de fato, separar-se deles. Isso, é claro, era o estado pleromático — a incorporação no universo material.

Contudo, com o aparecimento ou a entrada em cena das imagens axiais, essa consciência primitiva, pré-temporal é transformada em apreensão do presente passageiro — vago e nebuloso a princípio, mas nem mesmo assim *presente*. A pré-temporalidade, assim, dá lugar à primeira forma de tempo: o simples presente passageiro, o *nunc fluens*, a *duré réele*, e essa transformação, esse aumento da consciência, é possibilitado pela atividade da imagem axial; pois ela confere ao bebê a capacidade de elevar sua consciência, anteriormente indiferenciada e pleromática, de *objetos presentes* específicos.

Prosseguindo, com a ascensão da imagem concreta, o presente simples se transforma em *presente ampliado*, pois a imagem pode representar objetos ou pessoas *ausentes*, e assim reconhecer momentos presentes além dos que estão diretamente ao alcance. O mundo temporal do bebê, nesse nível de corpo-imagem, consiste num presente ampliado ou numa série de momentos presentes (paratácticos) justapostos. Assim vai sendo construído, lenta e trabalhosamente, o mundo cada vez maior do tempo, e a imagem concreta desempenha um papel decisivo nessa fase.

A imagem em si, contudo, não pode representar nem constituir na consciência um intervalo serial ampliado ou uma *seqüência de acontecimentos* no tempo. Mas o desenvolvimento da linguagem — as estruturas simbólicas da palavra-e-nome — traz a capacidade de reconhecer séries de acontecimentos e seqüência de ações, e assim perceber as facetas mais destacadas do mundo não presente. Em outras palavras, as estruturas simbólicas da linguagem *transformam* o momento presente em momento *transitório*, um momento cercado pelo passado e pelo futuro. Desse modo, a palavra-e-nome transforma o presente passageiro do nível do corpo axial num intervalo transitório do nível verbal de afiliação. Isso permite que a consciência *transcenda* o momento presente, o que constitui uma ascensão decisiva e de longo alcance. E – para concluir esta breve discussão – a grande estrutura simbólica seguinte, o pensamento sintático, cria uma estrutura mental clara e duradoura do tempo passado e do tempo futuro. Assim é que em cada fase da evolução uma estrutura simbólica adequada – que aparece naquele estágio – transforma cada modo específico de tempo no seu sucessor, e dessa forma dá o ritmo da ascensão da consciência.

Transformações semelhantes ocorrem na vida afetiva, motivacional e conativa do indivíduo, abrangendo do sentimento oceânico, primitivo e arcaico dos estágios pleromático-urobórico até as metas, escolhas, desejos individuais e específicos do ego e da *persona*. Para apenas delinear um exemplo desses acontecimentos transformadores, podemos ver que:

O sentimento oceânico original do nível urobórico é transformado pela imagem axial no princípio do prazer corporal e individual. Com a ajuda da imagem axial, o bebê começa a fazer um constructo e a representar o mundo externo – ele sai da incorporação material e urobórica e aprende a voltar sua consciência do cosmos material para a superfície de seu organismo (seu "ego-corpo"), ao mesmo tempo que faz tentativas de diferenciar seu corpo do ambiente imediato. Como vimos, a percepção do eu, a essa altura, passa gradualmente do modo pleromático-urobórico para o modo corpo-axial, e o sentimento oceânico amorfo também se transforma em princípio do prazer corporal, a princípio polimorficamente perverso e não controlado, mas mesmo assim corporal e não oceânico. A imagem axial transforma os sentimentos, os humores e a euforia em prazer corporal manifesto, o que é decisivo para ajudar a instalar e moldar a base corporal do sistema do eu – se tal transformação fracassar em qualquer medida relevante, o indivíduo fica fixado na euforia urobórica (isto é, extrai prazer em perder a consciência em ocupações pré-pessoais).

As transformações prosseguem: segundo a maioria das opiniões, o bebê logo em seguida associa o prazer corporal com a presença de alguns objetos significativos – normalmente a "figura materna" e o "seio bom". No entanto, com o aparecimento da próxima grande estrutura simbólica, a imagem propriamente dita, o bebê pode simplesmente *imaginar* o acontecimento que traz prazer, de modo que a imagem em si é capaz de evocar e sustentar uma reação agradável. Desse modo, o bebê não somente consegue sentir prazer imediato, mas também pode imaginar um prazer ainda não presente. Em outras palavras, pode *desejar*. Assim, a imagem transforma o princípio do prazer corporal em um certo grau de desejo mental.

De forma semelhante, o aparecimento da linguagem – da palavra e do nome, do tempo ampliado, da realidade da afiliação – transforma a satisfação dos desejos globais em desejos ampliados, específicos, temporalizados: em objetivos e metas temporais. O desenvolvimento posterior do pensamento conceitual e a consolidação da cognição sintática não fazem mais que cristalizar e ampliar enormemente, em todo o mundo do tempo linear, as metas específicas e os desejos temporais agora característicos da autopercepção do ego. Da euforia oceânica amorfa e sem direção para "quero estudar física", eis as muitas transformações do desejo.

Apesar de termos examinado apenas o Arco para Fora sem nada dizer do Arco para Dentro da evolução, creio que podemos, ainda assim, começar a ver que a evolução da consciência – a ascensão da consciência – é caracterizada por uma série de significativas transformações para cima, mediadas ou assistidas por diversos tipos de estruturas simbólicas. Em cada etapa da ascensão, uma estrutura simbólica adequada – que aparece naquele estágio – transforma cada modo específico de consciência no seu sucessor mais elevado. E, como vimos sistematicamente, uma vez que o sucessor superior aparece na consciência, o eu *identifica-se* com aquela estrutura, *diferencia-se* da estrutura inferior e, portanto, *transcende* essas estruturas inferiores, podendo por conseguinte *atuar* sobre elas e *integrá-las*. Assim é a ascensão da consciência, que prossegue até finalmente atingir o próprio Atman (que, isolado de todos os estágios, está totalmente além de todos os símbolos e de todas as formas – aqui elas já não são necessárias e, no fim das contas, não passam de um empecilho ao Informe).

Transformação e tradução

Existe uma diferença entre transformação e tradução, que podemos explicar como segue:

Modificando os termos da lingüística, podemos dizer que cada nível de consciência consiste numa *estrutura profunda* e numa *estrutura superficial*. A estrutura profunda consiste em todos os princípios limitadores básicos pertencentes a esse nível. A estrutura profunda é a forma que define um nível, que abrange todas as potencialidades e limitações desse nível. A estrutura superficial nada mais é que uma manifestação *particular* da estrutura profunda. A estrutura superficial é restrita pela forma da estrutura profunda, mas dentro dessa forma tem liberdade para escolher vários conteúdos (p. ex., dentro da forma do corpo físico, pode-se escolher andar, correr, jogar beisebol etc. O que todas essas formas têm em comum é a estrutura profunda do corpo humano).

A estrutura assemelha-se a um paradigma e contém em si todos os princípios limitadores básicos em cujos termos todas as estruturas superficiais se contradizem. Para dar um exemplo simples, tomemos um prédio de dez andares: cada andar é uma estrutura profunda, enquanto as diversas salas e objetos de cada andar são estruturas superficiais. O pleroma está no primeiro andar; a uroboros, no segundo; o tífon, no terceiro; o verbal, no quarto e o ego, no quinto (vamos propor mais adiante que a parapsicologia está no sétimo andar, a transcendência no nono, o próprio prédio é a consciência como tal). A questão é que, por exemplo, embora todos os egos sejam muito diferentes, estão todos no quinto andar: todos compartilham a mesma estrutura profunda.

Ao movimento das estruturas superficiais chamamos *tradução*; ao movimento das estruturas profundas chamamos *transformação*. Assim, se mudarmos a posição dos móveis do quarto andar, trata-se de uma tradução; porém, se mudarmos os móveis do quarto para o sétimo andar, trata-se de uma transformação. Para dar apenas um exemplo simples, podemos aplicar isso ao trabalho de Jung sobre a elaboração de arquétipos (e não é necessário acreditar na existência dos arquétipos de Jung para que esse exemplo seja válido. Não esquecer, também, que estou restringindo toda essa discussão a exemplos do Arco para Fora – ainda resta examinar as estruturas do Arco para Dentro). O arquétipo *magna mater* – a *materia prima* do caos pleromático – pode ser transformado no nível corporal em uma imagem concreta da Grande Mãe, que por sua vez pode ser transformada, no nível conceitual do ego, na *idéia* de uma esposa amorosa. Essas são transformações autênticas. Mas em cada um desses estágios, e por diversos motivos, pode ocorrer uma *tradução* específica. Assim, se o arquétipo urobórico da *magna mater* é transformado na imagem de uma caverna (no nível corporal), essa imagem pode passar por uma tradução ou deslocamento para a imagem de uma xícara, uma cesta, uma casa, um útero, uma caixa – como vimos no processo primário mágico desse nível. Esse processo de tradução não é uma mudança total de níveis, mas apenas uma mudança da "linguagem" ou da forma do nível em questão. A *magna mater* urobórica é *transformada* numa caverna; a caverna é *transladada* (traduzida) para uma xícara – o primeiro processo é vertical, o segundo é horizontal.

Assim, a tradução resulta numa "linguagem" ou forma diferente, porém a transformação resulta num tipo diferente de linguagem ou forma. A euforia urobórica primitiva transforma-se no princípio do prazer corporal, que pode então sofrer várias *traduções* (a "anfixe de erotismos" de Ferenczi) para diversas áreas do corpo, ou pode ser *transformado* em desejos ou metas egóicos, temporais e sintáticos – e estes, por seu turno, podem passar por traduções ou deslocamentos, e assim sucessivamente. As transformações são movimentos de um nível para outro, enquanto as traduções representam um movimento dos elementos em qualquer nível dado.

Uma vez que comece a existir um determinado nível de percepção do eu, ele se mantém por meio de uma série de traduções mais ou menos constantes. O modo particular de eu traduz tanto seu meio interno como seu ambiente externo, de acordo com as grandes estruturas profundas simbólicas e os paradigmas característicos daquele nível. Assim, por exemplo, quando o indivíduo atinge o nível egóico-sintático, ele se envolve num quase perpétuo "diálogo consigo mesmo", uma conversa subverbalizada constante que, incessantemente, traslada (i.e., traduz) e adapta sua realidade de acordo com as estruturas simbólicas de sua linguagem e pensamento, bem como com as principais regras sintáticas e premissas de sua realidade de afiliação (e, secundariamente, de suas associações filosóficas).

Em outras palavras, o modo do eu, agora *transformado* em nível do ego, mantém-se por um fluxo quase infindável de *traduções* específicas. Uma determinada transformação, assim, sempre ajuda a criar a possibilidade de novos tipos de traduções, e estas traduções ajudam a sustentar e manter aquela transformação. E assim, como veremos nas próximas partes, sempre que uma série de traduções deixa de atingir seu propósito e se destrói — no Arco para Fora ou para Dentro — o indivíduo é lançado em uma grande transformação. *Sempre que a tradução malogra, segue-se uma transformação* — que pode ser uma transformação regressiva ou progressiva, dependendo dos fatores que discutiremos mais adiante.

Faremos mais uma distinção importante: definimos *signo* como aquela forma que indica, representa ou participa de qualquer elemento *dentro* de um determinado nível, enquanto o *símbolo* indica ou representa ou participa de um elemento de um nível diferente (superior ou inferior). Isso está de acordo com a visão tradicional do simbolismo explicada por Huston Smith: "O simbolismo é a ciência do relacionamento entre diferentes níveis de realidade e não pode ser entendido com exatidão sem referência a eles."[352] Qualquer coisa que eu possa indicar no meu atual nível de consciência é apenas um signo; qualquer coisa superior só pode ser discutida ou pensada usando símbolos, e esses símbolos só podem ser finalmente entendidos depois da transformação para o nível superior em questão. Por conseguinte, também dizemos que a *tradução opera com signos, enquanto a transformação opera com símbolos.* E descrevemos há pouco várias transformações, do pleroma para o ego, que foram mediadas por *símbolos*.

Com tudo isso em mente, podemos dizer que cada transformação para cima marca o aparecimento, na consciência, de um nível novo e mais elevado, com uma nova estrutura profunda (matriz do símbolo), dentro da qual novas translações ou estruturas podem desenvolver-se e operar (matriz do signo). E podemos dizer que o desenvolvimento ou a evolução é uma série dessas transformações, ou mudanças da estrutura profunda, mediadas por símbolos, ou formas verticais da consciência.

O mais importante é que dizemos que todas as estruturas profundas são *lembradas*, no sentido platônico exato de *anamnesis*, enquanto todas as estruturas superficiais são *aprendidas*, no sentido estudado pelos psicólogos ocidentais. Concorda-se em geral que ninguém aprende a se tornar um Buda, mas que alguém simplesmente descobre ou lembra que já é Buda. Esse é um fato inquestionável da filosofia perene. Da mesma forma, ninguém aprende nenhuma estrutura profunda, mas apenas a descobre ou se lembra dela antes (ou enquanto) aprende sua estrutura superficial. Ninguém aprende a ter um corpo, mas alguns aprendem a jogar beisebol com ele — descobrindo estruturas profundas e aprendendo estruturas superficiais. Entre outras coisas, esse teorema fundamental (que vamos explorar mais adiante) nos livra do tédio de procurar derivar das estruturas inferiores a existência das superiores (p. ex., tentar obter o ego a partir do id).

TRADUÇÃO, TRANSFORMAÇÃO E PSICOPATOLOGIA

Para concluir esta breve discussão da translação e da transformação, poderíamos ressaltar que esses dois processos básicos também desempenham papéis significativos na psicopatologia, pois um tipo específico de transformação cria as condições propícias a um tipo específico de doença, enquanto a translação em si rege a natureza dos sintomas que acabam vindo à tona.

Eis um exemplo trivial. Para começar, observe-se que a repressão *não* é transformação. Poderíamos dizer que a repressão é uma espécie de *falha* de transformação (existem também a interrupção, a dissociação e a regressão). Por exemplo: quando a agressividade do eu é fortemente reprimida durante a transformação, vamos dizer, da esfera tifônica em esfera do ego, a ascensão da consciência fica sustada com respeito a essa faceta do eu. Ou então, dessa etapa em diante, o impulso da raiva será mal transladado com respeito a qualquer estrutura profunda, que posteriormente recusará esse impulso. Assim, a transformação para cima fica distorcida porque, *em todos os estágios* posteriores à repressão, o impulso é mal transladado. E essa má translação significa que o indivíduo não consegue representar esses impulsos para si mesmo com *signos* adequados, mas apenas com *símbolos* e esses símbolos representam os aspectos ocultos do eu que agora estão alojados nos níveis inferiores de seu ser. Poderíamos dizer que esses símbolos representam os aspectos do eu cuja origem está em um nível diferente da consciência (nesse caso, o tifônico) e *não podem* subir até o nível atual. Sem a repressão, a raiva simplesmente *se* transformaria com facilidade no nível do ego, entraria na consciência como um *signo*, e o indivíduo poderia corretamente transladar (traduzir) sua situação da seguinte forma: "Estou absolutamente enfurecido." Com a repressão, porém, um aspecto do eu *permanece* em um nível inferior, não consegue se transformar adequadamente, *portanto* entra na consciência apenas como um *símbolo* (já que os símbolos, e não os signos, representam níveis diferentes) e o indivíduo *traduz mal* a verdadeira forma de sua realidade atual. Essa má tradução gira compulsivamente em torno de um *símbolo* mal encaixado no processo de tradução, gerando um mistério na consciência.

A raiva é, assim, *transformada* em *símbolo*... E em sintoma. Sintoma é, essencialmente, o símbolo de algum aspecto do eu que se dissociou da consciência,[417] permanece ou regride para um nível inferior do eu, portanto não pode ser traduzido como signo e aparece apenas como símbolo/sintoma. (Não estou falando aqui de certos sintomas gerados apenas em *um* nível e que envolvem apenas signos cruzados, como a dissonância cognitiva.[124] Tampouco estou falando daqueles que figuram, de fato, entre os mais importantes de todos os sintomas: os que são símbolos de *níveis superiores* tentando surgir na consciência, sintomas que apontam não para o id, mas para Deus. Trataremos de alguns deles mais adiante.)

Sem a repressão, o impulso da raiva seria simples e facilmente descarregado, ou pelo menos facilmente reconhecido e corretamente traduzido. Com as defesas, porém, esse impulso pode ser transformado e traduzido em qualquer número de linguagens ou formas distorcidas. Ele pode ser diretamente mal traduzido ou deslocado para outras pessoas ou objetos. A raiva original também pode ser retrovertida ou transladada de volta para o eu, de modo que a pessoa já não sente raiva e sim depressão (a teoria psicanalítica clássica da depressão). Ou a raiva pode ser inteiramente projetada, ou transladada na origem para outra pessoa, deixando o projetor com sentimentos de temerosa ansiedade, visto que não é ele, mas sim a outra pessoa que agora parece ser hostil e estar zangada com ele. (A propósito, o *tipo* de má tradução é determinado em geral pela estrutura profunda do estágio no qual ocorreu a repressão ou defesa iniciais.)

Assim, nesse nível, o sintoma da depressão não é senão um *símbolo* (ou metáfora, na acepção de Lacan)[236] do impulso da raiva agora inconsciente ou integrado à sombra. Para o próprio indivíduo, seu sintoma parece ser uma linguagem totalmente estranha, que ele não consegue entender porque, entre outras coisas, esqueceu como se traduz esse sintoma. O sintoma da depressão causa-lhe total perplexidade — ele não sabe por que está deprimido, qual a causa do fenômeno, como controlá-lo. Para ele, é tudo grego, é tudo uma língua estranha.

No entanto, nesse exato momento sua raiva na sombra está sendo transformada e traduzida no sintoma/símbolo da depressão. Ele está fazendo a tradução e a transformação, porém se esqueceu, primeiro, de *como* está fazendo, e, segundo, *do que* está fazendo.[418] Assim, ele não vive como um conceito de ego "exato", mas como uma *persona* dissociada de sua raiva relegada à sombra. A *persona*, de fato, mantém sua existência por meio da má tradução (inversamente, uma vez corrigida a má tradução, extingue-se a identificação exclusiva com essa *persona*).

Nesse nível, a terapia procede mediante dois passos básicos: 1) o terapeuta ajuda o indivíduo a retraduzir o sintoma/símbolo para a forma original. A isso se chama "interpretação", e um bom terapeuta é um bom intérprete.[165] O terapeuta poderia dizer, por exemplo, "O seu sentimento de depressão é um sentimento mascarado de raiva e ira" — ele traduz a língua estranha do sintoma para a forma original. Ele "diz" à pessoa o "significado" da depressão (ou ajuda-a a descobrir sozinha), e assim ajuda a retraduzi-la em termos mais condizentes com a estrutura profunda da qual se originam os símbolos e sintomas. 2) A tradução terapêutica continua dessa forma ("trabalhar uma questão até o fim") até ocorrer uma *transformação* autêntica e mais ou menos completa da consciência, que passa do nível inferior para o superior, de modo que o símbolo passa a ser um signo e a raiva pode entrar na consciência em sua forma original — o que, por assim dizer, elimina o sintoma.

* * *

Até agora examinamos algumas das características mais destacadas dos grandes estágios do Arco para Fora do ciclo vital, bem como as grandes estruturas simbólicas que ajudam a mediar a transformação para cima, de um estágio para outro. Em cada grande estágio constatamos um acordo em termos gerais, mas muito forte, entre a psicologia ocidental e a oriental, e também vimos que começa a tornar-se visível uma forma geral de desenvolvimento: cada fase de desenvolvimento é caracterizada por diferenciação, transcendência, atuação e integração. Está na hora de nos voltarmos para o Arco para Dentro – o *nivritti marga*, o caminho do entendimento, a ascensão até a Fonte, a psicologia da eternidade. Acompanhamos o crescimento da subconsciência para a consciência do eu; vamos acompanhar agora o crescimento da consciência do eu para a superconsciência.

7

As esferas do centauro

No estágio tardio do ego (dos 12 aos 21 anos) o indivíduo, além de normalmente dominar suas diversas *personae*, tende a diferenciar-se delas, a desidentificar-se delas, a transcendê-las. Tende, assim, a *integrar* todas as suas possíveis *personae* no *ego maduro* – e começa então a diferenciar-se do ego ou desidentificar-se dele, para descobrir, pela transformação, uma unidade de ordem ainda superior ao eu egóico. E isso nos leva diretamente ao centauro.

Uma unidade de ordem superior

Quando a consciência começa a transcender o ego-mente verbal, ela pode – em maior ou menor grau, da primeira vez – integrar o ego-mente com todos os níveis inferiores. Ou sejam, como a consciência já não está identificada com nenhum desses elementos à exclusão dos outros, todos eles podem ser integrados: o corpo, a *persona*, a sombra, o ego – tudo isso pode ser reunido numa integração de ordem superior.

Esse estágio recebe diferentes denominações: "integração de todos os níveis inferiores" (Sullivan, Grant e Grant),[358] "integrado" (Loevinger),[243] "autorealizado" (Maslow),[262] "autônomo" (Fromm,[146] Riesman[318]). De acordo com Loevinger, esse estágio representa uma "integração do fisiológico e do psicológico",[243] e os estudos de Broughton[53] mostram essa fase como aquela em que "a mente e o corpo são ambos experiências de um eu integrado".[243] Esse eu integrado, no qual a mente e o corpo estão harmoniosamente unidos, é o que chamamos "centauro".[410] O centauro: o grande ser mitológico com corpo de animal e mente de homem, que existe em perfeito estado de união.

De modo geral, podemos dizer que quando a pessoa atinge a estabilidade no nível do centauro, os elementos da personalidade bruta – o corpo, o ego, a *persona*, a sombra e os chakras inferiores – tendem a entrar em harmonia espontaneamente. Pois a pessoa está começando a *transcendê-los*, e assim deixa de manipulá-los e explorá-los compulsivamente. No fim das contas, esta é a fase descrita de formas diferentes como autonomia, integração, autenticidade ou auto-realização – o ideal das terapias humanistas/existenciais, o estágio "superior" a que aspira a psicologia ocidental ortodoxa. Em vez de resumir todos os dados da pesquisa sobre essa etapa do centauro, da "auto-realização" ou "integração", vou limitar-me a apresentar um estudo convincente e representativo.

James Broughton concluiu recentemente um extenso estudo fenomenológico do que pessoas em diferentes fases de desenvolvimento consideram ser a relação entre a mente, o corpo e o eu.[53] Ele divide os resultados (sob a influência de Kohlberg, Piaget e Baldwin) em seis etapas de desenvolvimento cada vez maior. No nível 0, o mais baixo, a mente e o corpo não estão diferenciados; o eu é "dentro" e a realidade é "fora" – essa é a nossa esfera do ego-corpo. Nos níveis 1 e 2, a mente e o corpo se diferenciam, o eu passa a residir na mente, que controla o corpo; ambos, mente e corpo, parecem ser reais e "substanciais" – esses são nossos estágios do ego inicial e intermediário. Nos níveis 3 e 4, o indivíduo diferencia o papel social ou a falsa aparência (nossa *persona*) do "verdadeiro" conceito do "eu interior" – que é nosso nível do ego maduro. Prosseguindo, contudo, no nível 5 (para usar o resumo de Loevinger), o indivíduo, além de ter-se desidentificado da *persona*, começa a desidentificar-se do ego conhecido, pois "o eu como observador se distingue do conceito do eu [nosso ego] conforme é conhecido... O corpo fisiológico é reconhecido como uma estrutura conceitual, exatamente como a mente o é".[243] O ego-mente e o corpo já não são vistos como *substâncias*, mas simplesmente como *estruturas*. Parece-me que no nível 5 o eu está começando a passar para um centro que é anterior tanto ao corpo como à mente como entidades separadas, já que ambos são reconhecidos como meros *constructos*. E no nível 6, o mais elevado de Broughton, essa mudança parece estar concluída, pois nesse nível mais alto "*a mente e o corpo são ambos experiências de um eu integrado*".[243] Isso, na minha opinião, é o centauro, o eu integrado e total, acima e antes do corpo, da mente, da *persona* e da sombra, mas que, por assim dizer, abarca todos eles como *experiências* ("experiências de um eu integrado", como mostrou o estudo de Broughton).

Ora, no meu entender, os psicólogos existencialistas contribuíram muito para explicar, explorar e em geral "ressuscitar" o centauro – sendo essa uma das razões por que também dou a esse nível o nome de "existencial". Começando com Kierkegaard[223] e Nietzsche, passando por Husserl[192] e Heidegger[182] e Sartre,[331] até Binswanger,[36] Frankl,[131] Boss,[50] May,[266] Bugental,[64] e Maddi,[228] as potencialidades e as crises do ser total foram eloqüentemente expostas em termos existencialistas. Noções de autenticidade, do ser concreto no mundo, de experiência pura e visão verdadeira, do Dasein, de intencionalidade, autonomia, significado e eu centrado – peço desculpas por me limitar a enfileirar esses termos, porém a literatura existencialista é tão vasta e tão profunda que só posso sugerir sua essência citando algumas expressões e instando o leitor a consultar as obras originais. A questão é que todas essas noções foram propostas como potenciais do *ser*, e todas elas estavam amparadas na noção absolutamente central do corpo-mente *total*.

Não estou insinuando, absolutamente, que todos esses autores – e os muitos outros que pertencem em geral à escola "humanista/existencialista" – estejam perfeitamente de acordo, ou que todos estivessem falando estritamente do mesmo "eu", muito menos do que estou chamando de centauro. Mas parece-me efetivamente que eles compartilham um número substancial e impressionante de suposições e conclusões comuns (muitos desses escritores reconhecem esse fato quando aceitam, de modo geral, o rótulo "humanista-existencialista" – ver, por exemplo *Current Personality Theories*,[88] cujas partes sobre Rogers, Adler, Existencialismo, Holismo, Teorias Orgânicas e Personalismo, mostram que *todos* reconhecem as similaridades gerais recíprocas). Na minha opinião, contudo, o centauro existencial é um nível real e superior de consciência, uma unidade de ordem superior de diferenciação e transcendência, e as semelhanças genéricas entre esses escritores resultam do fato de que todos eles intuíram esse nível superior de ser e consciência ou eram pessoalmente sensíveis a ele.

Autonomia, auto-realização e intencionalidade

Ora, muitos desses escritores existencialistas-humanistas não pouparam esforços para explicar, explorar e descrever os *potenciais* do corpo-mente total ou centauro. Um conceito primordial a esse respeito é o de "auto-realização", introduzido por Goldstein e Karen Horney e popularizado por Maslow, Rogers, Perls e todo o movimento dos potenciais do ser humano. Toda a teoria de Rogers, por exemplo, "reexamina a importância da *realização do potencial pleno* de cada pessoa e o significado de conceitos tais como experiência, avaliação orgânica e sensação orgânica que, segundo essa teoria, são de importância fundamental para concretizar aquele potencial único" [o itálico é meu].[187] A implicação é que o potencial total de alguém deriva do que Rogers chama de "fluxo psicofisiológico total e contínuo" ou "experiência orgânica total", e não de qualquer aspecto ou fragmento desse fluxo – o ego, o corpo, o superego, o conceito do eu, e assim por diante. Em nossos termos, a auto-realização tem estreita relação com o nível do centauro e não está ao alcance direto dos níveis do ego da *persona*.

Rollo May, por exemplo, afirma que "nem o ego, nem o corpo nem o inconsciente podem ser 'autônomos', só podendo existir como partes de uma totalidade. E é nessa totalidade [o centauro] que a vontade e a liberdade devem necessariamente se assentar".[266] Presumivelmente, então, a autonomia real (e a auto-realização) resultaria e só poderia resultar, por definição, do *aparecimento consciente dessa totalidade* – uma espécie de deslocamento da identidade de qualquer um dos fragmentos (ego, *persona*, corpo) para sua integração mais importante e superior. Conforme o pensamento existencialista em geral, quando o eu de uma pessoa é sentido ou entendido como o ser mais importante, total, ela assume – *pode* assumir – responsabilidade por todo o seu ser-no-mundo. Ela pode, como diz Sartre, escolher. Do centauro superior, existencial, não provém relutância alguma em relação ao presente – nenhum cantinho oculto de um eu que reclama de sua existência. Assim, o indivíduo pode começar a agir no todo, como um todo – e é isso que Leslie Farber denominou a "vontade espontânea".[118]

Agrada-me particularmente a noção da "vontade espontânea", porque – à parte de seus méritos intrínsecos – ela aponta os tipos de potencial ao alcance apenas do centauro ou do ser total, em contraposição ao corpo, ao ego ou à *persona*. Rollo May explica as conclusões de Farber: "O dr. Farber demarca duas esferas de 'vontade', a primeira consistindo em uma *experiência do eu em sua totalidade*, um movimento relativamente *espontâneo* numa determinada direção. Com essa espécie de vontade, o corpo se movimenta como um todo e a experiência se caracteriza pela descontração e uma abertura imaginativa. É uma experiência de liberdade, anterior a todo o palavrório sobre liberdade política ou psicológica."[265] Observamos aqui em especial a mentalidade imaginativa e aberta, a ênfase no eu total e a noção do seu movimento ser o de um todo.

"Ao contrário, a vontade da segunda esfera, conforme o dr. Farber, é aquela na qual se intrometem alguns elementos, uma certa necessidade de tomar uma decisão com um quê de ir *contra* e ao mesmo tempo a *favor* de alguma coisa. Se usarmos a terminologia freudiana, a 'vontade do superego' pertenceria a essa esfera."[265] A vontade espontânea é a do corpo-mente total, enquanto a segunda vontade é a do ego (e superego) que se esforça e tem um propósito.

Eu gostaria agora de ressaltar que May equipara, em termos gerais, a vontade espontânea do eu total com o que é denominado *intencionalidade* pelos existencialistas, razão pela qual ele diz que a intencionalidade "é o elo que falta entre a mente e o corpo".[265] Do meu ponto de vista, a ligação é relativamente simples e apontada pelo próprio May: o corpo tende a ser "involuntário" ou "espontâneo", no sentido de que – à parte os músculos voluntários – normalmente e conscientemente não controlamos seus processos de circulação, crescimento, digestão, sensação e os milhões de variáveis espontâneas que reunidas constituem a "sabedoria natural do corpo". Supomos em geral que o ego, por outro lado, é o berço de muitas atividades voluntárias, controladas, intencionais. O eu total, então, como união superior do ego e do corpo, é uma espécie de conjunção dessas duas esferas da experiência, a voluntária e a involuntária. Daí a "vontade espontânea" – o "elo que falta entre o corpo e a mente" – a intencionalidade.

Neste capítulo e nos seguintes, vou enfatizar a noção da *intencionalidade* e, à guisa de introdução (voltaremos a esse ponto mais adiante), vamos observar que, de acordo com May, a intencionalidade "não deve ser identificada com as intenções, sendo a dimensão que as embasa... uma dimensão que atravessa e inclui o consciente e o inconsciente, a cognição e a conação".[265] Isto é, a intencionalidade inclui um desejo (conativo) e um conhecimento (cognitivo). De minha parte, chamo o aspecto cognitivo da intencionalidade de *imagem-visão* ou processo *da fantasia superior.* "Imaginação", diz May, "é a fonte da intencionalidade." Ou melhor: "A intencionalidade é uma atenção imaginativa que enfatiza nossas intenções e informa nossos atos."[265] Poderíamos dizer que o aspecto cognitivo da intencionalidade é a imagem-visão, e que o aspecto conativo da imagem-visão é a intencionalidade, ambos, creio eu, nascidos da unidade de ordem superior da mente e do corpo chamada centauro.

A intencionalidade é a vontade espontânea do centauro corpo-mente, e a imagem-visão ou fantasia superior é a sua linguagem. O próprio Rollo May diz algo semelhante: "A imaginação é a fonte da intencionalidade e a fantasia é uma de suas linguagens. Uso fantasia, aqui, não na acepção de algo irreal para onde fugimos, mas em seu sentido original de *phantasitikous*, 'capaz de representar', 'tornar visível'. *Fantasia é a linguagem do eu total.*" [o itálico é meu.][265] Da mesma forma, Perls *et al.* observam que a fantasia em sua forma mais pura é simplesmente a expressão do eu unido: "uma unidade de funções perceptivas, motores e de sentimento"[292] que, de acordo com esses autores, é uma espécie de "contato espontâneo" (muito semelhante à "vontade espontânea" de Farber).

Também Jung percebeu o papel unificador do processo da fantasia superior. "A imagem interior", diz ele, "é um fator complexo, formado pelos materiais mais diversos das mais diversas origens. Não é um conglomerado, porém, e sim um produto inteiro, com uma finalidade autônoma própria. A imagem é uma concentração da *expressão da situação psíquica total*, não simplesmente, nem mesmo principalmente, dos conteúdos inconscientes puros e simples" [itálico dele].[214] Para Jung, portanto, a imagem-complexo – o que estou chamando de fantasia superior ou imagem-visão – é uma expressão do ser total, que inclui *os aspectos conscientes e inconscientes* (lembremos que Rollo May disse que a intencionalidade é a "dimensão que atravessa e inclui o consciente e o inconsciente"). Nas palavras de Jung, "a imagem é tanto uma expressão do inconsciente como da situação consciente do momento. A interpretação do seu significado, portanto, não pode originar-se exclusivamente do inconsciente nem do consciente, mas apenas da relação entre eles".[214]

Observe-se que, ao falar de um processo de fantasia "superior", deixo implícita a existência de um processo de fantasia "inferior". Ele existe – e já o vimos: é o processo primário infantil da equivalência do todo-parte e da identidade do sujeito-predicado, o modo cognitivo do tífon mágico. E esses dois modos, por mais semelhantes que possam parecer ao leigo, absolutamente não são equivalentes.

Mas exatamente aqui estamos começando a ver o aparecimento de um princípio que será da maior importância para entender a natureza das esferas superiores do ser e da consciência, e que aparecerá repetidamente no âmbito das estruturas mais evoluídas e desenvolvidas da psique. Esse princípio se resume ao seguinte: muitas estruturas do Arco para Fora que são "pré" aparecem no Arco para Dentro como "trans". Ou seja, as estruturas profundas pré-verbais dão lugar a estruturas verbais que dão lugar a estruturas transverbais; o pré-pessoal dá lugar ao pessoal que dá lugar ao transpessoal; o pré-ego passa a ego que passa a transego; o pré-mental passa a mental que passa a transmental — e assim por diante.

Esquematizei algumas dessas principais diferenças na Fig. 3.

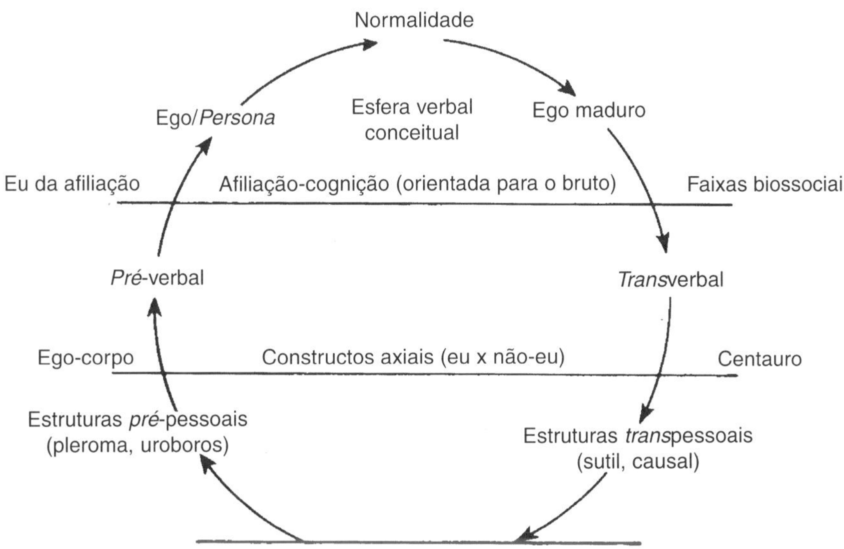

Fig. 3. Aspectos Principais do Ciclo Vital: Pré x Trans

Apesar de existirem, é claro, semelhanças superficiais entre as estruturas pré e trans, as duas simplesmente não podem ser equiparadas. Como a tendência da moderna psicologia é procurar reduzir todas as transestruturas, vou tentar explicar ao passarmos para as estruturas superiores e transestruturas da consciência — as diferenças entre esses transestados superiores e seus equivalentes do pré-estado inferior. Por exemplo:

O PROCESSO PRIMÁRIO: PRÉ-VERBAL

Podemos começar com a fantasia superior ou imagem-visão do nível do centauro — o aspecto cognitivo da intencionalidade (e, para simplificar, pode-se pensar na imagem-visão e na intencionalidade como se fossem a mesma coisa). Pois a fantasia madura do centauro é certamente anterior à linguagem, mas *não* é pré-verbal. É transverbal.

Para entender essa distinção, vamos começar com o processo primário *pré*-verbal. No ego-corpo infantil ou tífon, que é incapaz de ter uma estrutura real de linguagem e cognição de afiliação, o processo de fantasia (ou "mundo fantástico", como diz Arieti) é de fato *pré*-verbal e *pré*-conceitual, como observam os psiquiatras há mais de meio século. O processo primário pré-verbal é um desejo primitivo que prospera sem nenhum controle, sem validação consensual, sem nenhuma canalização e limitação secundárias por meio da lógica, da vontade e da linguagem — pois *nada disso* existe até então. Esse é o processo primário pré-verbal, pleno de satisfação de desejos, adualismo e cognições mágico-distorcidas.

Ademais, o processo das fases pré-verbal e infantil tem forte envolvimento e ligação com necessidades e impulsos instintivos, emocionais e vital-prânicos — com fantasias "anais", "fálicas" e do "seio", com impulsos de auto-afirmação, com desejos de poder e temas de incesto com a mãe/castração, com preocupações do chakra inferior — com todas as categorias do ego-corpo que já discutimos. Existe, pois, uma estreita associação entre o processo de fantasia pré-verbal e os impulsos instintivos — sexuais e agressivos, ritualmente repetitivos, vitais e vegetais. É por isso que, creio eu, Freud sempre associou e em geral equiparou as esferas do processo primário e dos impulsos instintivos.[135]

O processo primário, portanto, é em primeiro lugar e sobretudo ligado ao corpo — ele não só domina o nível ou níveis do corpo-eu, mas também permanece para sempre incorporado a essa estrutura de consciência. "Todas as escolas [de psicanálise] concordam em que a atividade mental consciente é acompanhada, sustentada, mantida, animada e afetada pela fantasia inconsciente, que tem início na infância, é voltada primeiramente (originalmente) para os processos e as relações biológicas, e passa por uma elaboração simbólica."[327] Mais pertinente é o resumo que Susan Isaacs faz das importantes descobertas analíticas de Klein: "(a) As fantasias são o conteúdo primário dos processos mentais inconscientes. (b) As fantasias inconscientes dizem respeito principalmente a corpos, e representam metas instintivas voltadas para objetos."[327]

Existe a fantasia inferior, o processo primário — ela "diz respeito principalmente a corpos" e "relações biológicas" e pode passar por "elaborações simbólicas". Tomando emprestado o resumo que Schafer faz das categorias do ego-corpo do bebê, o processo primário está associado e "se baseia nos órgãos (boca, ânus, genitália), em substâncias (fezes, urina, leite, sangue), movimentos (chupar, manusear, fazer força, cair) e contatos (beijar, agarrar-se, bater)".[336] O processo primário e o corpo-ego infantil caminham juntos, moldados exatamente pelas categorias relacionadas por Schafer.

Ora, tenho dito freqüentemente que o processo primário e o eu-corpo infantil serão um dia necessariamente abandonados e transformados; que a consciência precisa desprender-se do corpo vegetal e abrir-se para a esfera mental do ego; que a percepção do eu precisa deixar o corpo-ego hedonista e transformar-se no ego-mente. A não ocorrência dessa transformação em qualquer ponto deixa o indivíduo *fixado* em determinadas *zonas corporais*, preso a fantasias inconscientes de atingir a satisfação final por meio dessas áreas do corpo (oral, atingir a satisfação final sugando, engolindo ou incorporando o mundo; anal, processando e manipulando o mundo; fálica, "fazendo" o mundo ou unindo-se sexualmente a ele).

Se ocorrerem tais fixações – e isso acontece em maior ou menor grau com todas as pessoas; o que me interessa aqui são os casos mais graves – as "elaborações simbólicas" tendem a ocorrer a partir dessas fixações. Por exemplo: uma pessoa fixada no modo anal pode, por meio do processo primário, equiparar inconscientemente lama e fezes e em seguida adquirir uma fobia por sujeira e um desejo obsessivo-compulsivo de limpeza, o que a faz lavar as mãos vinte ou trinta vezes por dia.[120] "Lama", nesse caso, é um símbolo de "fezes", de modo que a "elaboração simbólica" estendeu-se de uma zona do corpo para outras áreas, não corporais. Pessoalmente, acredito que tais "elaborações simbólicas" de fato ocorram bastante de acordo com a descrição psicanalítica.

O problema, no entanto, é que a psicanálise tende em seguida a reduzir *todo* o simbolismo, e até mesmo todos os modos superiores de pensamento e ser, ao modo corporal do processo primário do bebê. Alguém disse zombeteiramente sobre a psicologia que, "de acordo com essa doutrina, o inconsciente vê um pênis em todo objeto convexo e uma vagina ou ânus em todo objeto côncavo". Ao ouvir tal observação, o grande analista Ferenczi retorquiu, impassível: "Creio que essa frase constitui uma boa descrição da realidade."[121]

Com um enfoque desse tipo, não é de surpreender que a psicanálise encontre tamanha dificuldade com os modos superior e transcendental do ser – o próprio Deus não é senão o grande Seio do Céu. Na verdade, Ferenczi tinha uma certa razão – mas não estava totalmente certo. Segundo ele, "a mente da criança (e o que sobrevive dela como tendência do inconsciente nos adultos) preocupa-se a princípio exclusivamente com seu próprio corpo, e mais tarde principalmente em satisfazer seus instintos, em obter a satisfação agradável que o ato de chupar ou comer, o contato com as regiões genitais e as funções de excreção lhe proporcionam; não surpreende, portanto, que sua atenção seja atraída sobretudo pelos objetos e processos do mundo exterior que, em função da semelhança, por mais remota que seja, evocam suas mais caras experiências".[121]

Este é o argumento de Ferenczi: "Assim surgem essas estreitas ligações, que permanecem por toda a vida, entre o corpo humano e o mundo objetivo, que denominamos *simbólicas*. Por um lado, nessa fase a criança não vê no mundo nada senão imagens de sua corporalidade; por outro lado, aprende a representar, por meio de seu corpo, toda a multiplicidade do mundo exterior."[121] A questão é que, de acordo com a psicanálise, *toda* a atividade simbólica se baseia no corpo e, em última análise, remete unicamente a ele; enquanto, para nós, isso é verdadeiro *somente* quando ocorre uma grave fixação no nível corporal que, para ser superada, exige uma elaboração simbólica (conforme explicado no Capítulo 6). Para a psicanálise, porém, *todo* o simbolismo baseia-se *apenas* no corpo. Como explica Rycroft: "A teoria psicanalítica afirma que o objeto ou a atividade simbolizada é sempre de interesse básico, instintivo ou biológico, e que a substituição ou o deslocamento ocorrem sempre a partir do corpo, i.e., facas, aviões e armas podem ser interpretados como *símbolos fálicos*, porém o pênis jamais pode ser o símbolo de uma faca."[327]

Além de não ver que isso acontece apenas nos casos de fixação, a psicanálise caiu nesse erro reducionista ao supor, com muito simplismo, que o que aparece *primeiramente* no desenvolvimento é sempre a mais básica, a mais fundamental e a mais "real" de todas as estruturas. Observe-se que Rycroft, na primeira das citações acima, equiparou *primário* e *original*: o que é mais real e "mais caro" (como disse o próprio Ferenczi) é aquilo que ocorreu *primeiro* no desenvolvimento — e no que diz respeito à atividade "mental", isso significa o processo primário e sua associação com o corpo sujeito ao princípio do prazer: as primeiras estruturas verdadeiramente substanciais da percepção do eu a surgirem na escada do desenvolvimento, como vimos. Em síntese, a psicanálise supõe que primeiro = mais real; daí que *todos* os desenvolvimentos sucessivos são *necessariamente simbólicos* das primeiras experiências, as "mais reais".

Para a filosofia perene, no entanto — e esta é a visão que estou procurando apresentar — os modos mais elevados e mais verdadeiros do ser são os *últimos* a aparecer no desenvolvimento temporal. Como os modos superiores, por definição, necessariamente recapitulam e *integram* os modos inferiores, eles só poderiam aparecer *depois* dos inferiores. Exatamente da mesma forma, o ser humano apareceu *por último* na cadeia evolucionária (por enquanto), simplesmente por representar o mais elevado modo de ser que já surgiu.

Apenas porque o processo primário — com suas categorias corporais — aparece em primeiro lugar na cadeia de desenvolvimento, a psicanálise tenta transformar todos os desenvolvimentos sucessivos em meras ramificações e símbolos do processo primário. Por exemplo, a imagem de seio do processo primário, com toda certeza, entra na consciência muito antes do conceito maduro e extremamente sofisticado da mandala (que é uma complexa figura circular usada em práticas elevadas de meditação), assim como as amebas apareceram na Terra muito antes dos seres humanos. Mas dizer — como faz a psicanálise — que a mandala é apenas um símbolo do seio equivale a dizer que o ser humano é apenas um símbolo da ameba. É precisamente a isso que se resume a teoria psicanalítica do simbolismo. Poder-se-ia igualmente dizer que as plantas são símbolos do barro, porque o barro veio primeiro. Com essa simples falácia, a psicanálise garantiu solenemente à humanidade que jamais seria capaz de entender modos superiores de ser. Reduzindo o superior ao inferior, ela vê seios em toda parte. De acordo com tal abordagem, o quartinho que abriga a privada e a Capela Sistina seriam mais ou menos a mesma coisa, já que ambos são feitos de um monte de tijolos — e, afinal, os tijolos vieram primeiro...

Imagem-visão: transverbal

O sutil debate sobre o *status* da atividade imaginativa e da fantasia é quase tão antigo quanto a própria aplicação do método científico à psicologia e à terapia: será que tudo não passa de devaneio neurótico? Ou será um modo superintuitivo de conhecimento que revela planos mais elevados da realidade? Será um fenômeno arcaico? Ou extremamente evoluído? Tem valor? Ou seria apenas escapismo e desadaptação?[93, 145, 265]

De minha parte, acredito nas duas coisas — daí os termos fantasia "superior" e "inferior". A fantasia inferior, conforme sintetizada no processo primário, provavelmente não é muito mais que um modo muito sofisticado de formação de imagens que os homens têm em comum com muitos outros primatas — os macacos são capazes de conceber "paleo-símbolos".[7] Por ser mais ou menos vinculada ao corpo, a fantasia inferior, até quando imagina outros objetos, tende a manter a consciência circunscrita a um padrão centrado no eu-corpo e, de fato, a fazer recuar a consciência para o eu-corpo narcisista. Todas essas questões foram intensamente estudadas, explicadas e documentadas pela psicanálise e pretendo evocar tudo isso quando falarmos da fantasia inferior, da fantasia do id e da cognição tifônica.[120, 123, 134, 142]

Mas o que digo é que isso só é verdadeiro no tocante à fantasia pré-verbal do bebê, e que o processo maduro de fantasia superior não aponta para os instintos que ficaram para trás, e sim para modos superiores de ser e consciência que estão acima e que transcendem a orientação do corpo bruto. Nas palavras de Robert Masters:

> A distinção entre a imaginação abstrata [imagem-visão] e a fantasia [processo primário] foi exposta de diversas formas por filósofos e místicos através dos tempos. Sem dúvida era o que Paracelso queria dizer ao advertir contra o erro de confundir a *imaginatio vera* dos alquimistas com a fantasia, "a pedra angular dos tolos". O mundo da imaginação é o mundo visionário, o mundo da teofania e de outras visões, que só se torna perceptível para nós por meio de uma imaginação cognitiva especial.[271]

Nenhum dos problemas do processo de fantasia pré-verbal que acabamos de enumerar são inerentes ao centauro maduro. O indivíduo concluiu a formação da linguagem e do pensamento conceitual; *transformou* os desejos infantis do tífon em formas mais sociais e consensuais; saiu das estruturas (pleromática e urobórica) às quais o bebê estava incorporado — tudo isso já ficou em maior ou menor grau para trás (excluindo-se, naturalmente, as fixações). O processo de fantasia agora não é um meio de regredir às fantasias pré-verbais, e sim de entrar em contato com realidades transverbais. Serve como uma *transição* (e um símbolo de transformação) da esfera existencial para a transpessoal. É um modo cognitivo extremamente importante, não apenas para o nível do centauro mas também para níveis superiores, razão por que a imaginação profunda e a visualização, porém nunca a conceitualização abstrata, são utilizadas em muitas formas de meditação transpessoal.[173] Pois esta é a fantasia *trans*verbal, que pode ser posta a serviço de fins muito diferentes dos fins do processo primário pré-verbal e pertence a uma esfera totalmente diferente.[106]

"O pensamento simbólico", escreve Mircea Eliade (em resposta à posição da psicanálise), "não é privilégio exclusivo da criança, do poeta ou da mente desequilibrada: é consubstancial à existência humana e surge antes da linguagem e da razão discursiva. O símbolo revela determinados aspectos da realidade — os mais profundos — que desafiam qualquer outro meio de conhecimento. Imagens, símbolos e mitos não são criações irresponsáveis da psique; eles respondem a uma necessidade e cumprem uma função, qual seja a de trazer à luz as modalidades mais ocultas do ser."[106]

Ora, naturalmente pode haver fixação e regressão ao processo primário pré-verbal, com fantasias patológicas infantis ou urobóricas de incesto com a mãe/castração, e uma forte ênfase nos impulsos instintivos e nas relações biológicas, sexuais, agressivas e canibais. E *pode* haver evolução progressiva para o processo de fantasia transverbal do nível do centauro maduro. Aqui não se trata de um retorno à infância, e sim da redescoberta daquela porção do ser que começa a ser transpessoal e trans-histórica, e *não pré-histórica.*

> Quando um ser historicamente condicionado — por exemplo, um ocidental de nossos dias — deixa-se invadir pela parte não histórica de si mesmo (o que lhe sucede com muito mais freqüência e de modo muito mais total do que ele imagina), trata-se não necessariamente [observe-se que Eliade diz "não necessariamente", como se admitisse que isso poderia representar tanto uma regressão quanto um progresso] de um retrocesso ao estágio animal da humanidade [os estágios do eu-corpo] ou de uma recaída nas fontes mais profundas da vida orgânica [urobórica-reptiliana]. Muitas vezes ele está reentrando, por meio de imagens e símbolos que então começam a atuar, numa fase paradisíaca da humanidade primordial... no paraíso perdido.[106]

E esse paraíso perdido não é anterior no tempo, mas anterior em profundidade. Nos capítulos sobre as esferas sutis, vamos explorar exatamente essa parcela não histórica da consciência.

O que vimos nas últimas partes é que toda a corrente existencial/humanista — juntamente com os junguianos, a tradição oriental, Mircea Eliade etc. — encara a imagem-visão, a fantasia superior e a intencionalidade não como inferior, mas sim superior de cognição, que vai além *tanto* do processo primário infantil como do processo secundário do raciocínio verbal. E atualmente até os mais respeitados psiquiatras ortodoxos começam a dizer exatamente a mesma coisa. S. Arieti, por exemplo, escreveu recentemente um livro de grande influência, intitulado *Creativity: the Magic Synthesis*, no qual argumenta convincentemente que a criatividade – um dos mais elevados e valorizados processos cognitivos dos seres humanos – é uma *síntese* do processo primário e do processo secundário, e por conseguinte vai *além* das limitações de ambos.[8] E é precisamente disso, parece-me, que estamos falando com relação à intencionalidade e à imagem-visão: a síntese mágica, a síntese de ordem superior, a integração do centauro. Assim, no fim das contas creio que em breve será comum a noção de que existe o *pré-verbal* (processo primário) e o *verbal* (processo secundário) – e de que, acima e além de ambos, como uma síntese mágica, existe o *transverbal*: intencionalidade, fantasia superior e imagem-visão.

Pré-consenso e transconsenso

Lembremos que o corpo-eu do bebê era uma fase na qual o corpo e o eu, ou o corpo e o ego, estavam indiferenciados. O centauro maduro ou corpo-mente total é o ponto no qual o corpo e o ego começam a entrar na transdiferenciação e integração de ordem superior – vale dizer, o corpo e o ego-mente, uma vez diferenciados, agora são integrados. Existem semelhanças superficiais entre o corpo-ego pré-diferenciado e o corpo-mente (ou centauro) transdiferenciado, porém os dois são totalmente diferentes em termos de estrutura. Acabamos de examinar sucintamente os processos cognitivos de cada nível – mas isso, de certo modo, é apenas o começo.

Eu gostaria de ressaltar em particular que o ego-corpo do bebê é pré-consenso, pré-afiliação, pré-social, pré-adaptação. O corpo-mente maduro ou centauro começa a se tornar transconsenso, transafiliação, transocial, transadaptação. Parece-me que os modos transocial e transconvencional de ser inspiram total desconfiança, se não terror, à psicanálise em geral (porque os confunde com os modos pré-sociais, que são, de fato, "assustadores"). A terapia existencial-humanista, por outro lado, declara – e com razão, creio eu – que a verdadeira autenticidade ocorre *apenas* quando o ser ingressa no plano transconvencional,[228] o que, para mim, é fácil de explicar: a psicanálise trata somente das esferas do ego/sombra/corpo, enquanto as terapias existencial-humanistas atravessam essas esferas (sem negar sua importância) para entrar na esfera superior do centauro – e a linha divisória, como se vê na Fig. 3, é a cognição-afiliação.

Pois bem, essa linha divisória – a fronteira geral entre o ego maduro e socialmente adaptado e o centauro *autêntico* (para usar essa palavra como os existencialistas o fazem) – é aquilo que denomino "faixas biossociais".[410] "Bio" denota "corpo" (tífon) e "social" denota "afiliação" e "conceitos de afiliação" – portanto a faixa biossocial representa o *limite* superior da cognição-afiliação e das orientações para o corpo bruto, além do que se encontram as esferas de ser que transcendem as formas convencionais, do ego, institucionais e sociais – conforme mostrado esquematicamente na Fig. 3. Do mesmo modo, as esferas do eu e do ser que jazem além das faixas biossociais também tendem ao transverbal, transconceitual e transocial. O leitor interessado encontrará uma enumeração das "faixas biossociais" nas correspondentes Tabelas e Figuras deste livro; para simplificar, contudo, não vou deter-me nesse plano de transição – o único fator que gostaria de frisar neste momento é que existe uma diferença colossal entre o ser *pré*-social e o ser *transocial*, entre aqueles que *ainda não* atingiram as fases de afiliação e aqueles que agora começam a transcendê-las e ultrapassar as esferas biossociais. Como tanto o pré-social como o transocial são *a*-sociais, ambos foram objeto de uma horrível confusão por parte da psicologia ortodoxa, a psicanálise em especial, em seu furor reducionista.

Não conheço melhor introdução geral a esse tema do pré-social e do transocial do que a obra de Schachtel, *Metamorphosis* (observe-se que "metamorfose" *significa* "transformação").[334] O interesse primordial de Schachtel reside no desenvolvimento da percepção e da atenção, e ele distingue dois modos básicos de percepção (a terminologia aqui não é tão importante – a questão principal logo se tornará evidente): 1) autocentrado, no qual a ênfase recai sobre o sujeito, as qualidades sensoriais, os sentimentos em relação à percepção, e 2) alocêntrico, no qual a ênfase recai sobre o objeto, que aparência tem, o que é. O ponto essencial da demonstração de Schachtel, conforme o excelente resumo de Loevinger, é que "a maioria dos adultos perde a abertura alocêntrica da criança ao mundo. Schachtel usa o termo percepção sóciocentrada [orientada para a afiliação] para referir-se à percepção autocentrada compartilhada. Como o autocentrismo secundário [ver o mundo por meio dos rótulos, categorias e conceitos rígidos da sociedade] e a percepção centrada na sociedade [afiliação] passam a predominar, eles interferem na percepção alocêntrica [ver as coisas como elas são] e também na percepção autocentrada adequada do nível adulto [i.e., em suas formas maduras]. Na linguagem do dia-a-dia, pensar e perceber em termos de estereótipos e rótulos interfere na percepção realista do mundo objetivo e no pleno gozo do embate sensorial com o mundo".[243]

Pois bem, esta é a grande questão: a "abertura alocêntrica" da criança e uma consciência autocentrada ou sensorial adequada podem ser "reconquistadas", por assim dizer, mas agora em um contexto totalmente diferente – tão diferente, com efeito, que é preciso falar de "tipos" diferentes ou "estruturas" diferentes. Assim, com a "*atitude alocêntrica* [madura], há interesse e foco no objeto; ela envolve todo o objeto e *todo o ser do observador* [o itálico é meu]. O interesse alocêntrico no objeto leva à percepção global desse objeto, porém trata-se de uma *espécie de globalidade diferente daquela do bebê* [o itálico é meu], que funde o sujeito e o objeto [pleromática-urobórica], ou da primeira infância, quando os aspectos distintivos do objeto não são percebidos [processo primário]".[243] Deikman expõe um ponto de vista semelhante: "Em vez de falar de um retorno à infância [percepção pré-afiliação], é mais exato dizer que o desfazimento das estruturas cognitivas e perceptivas automáticas permite um ganho de intensidade e riqueza sensorial à custa da categorização abstrata [ou a cognição de afiliação em geral]. Isso... ocorre na mente adulta, e a experiência extrai sua riqueza das memórias e funções do adulto, agora submetidas a um modo diferente de consciência [i.e., um modo que agora é o da transafiliação]."[372]

Uma vez criada a cognição da afiliação (e isso é um passo necessário e desejável), é preciso agora transcendê-la – é assim que interpreto Schachtel *et al.* No geral, essa "abertura alocêntrica" e "rica experiência sensorial" superiores (a "experiência do organismo" de Rogers) envolve aprender a ver e a sentir outra vez, acima e antes da esquematização (Schachtel), da categorização abstrata (Deikman) e das translações ego-conceituais (May) – e observe-se: essa é agora uma percepção transverbal, não pré-verbal. Nas palavras do próprio Schachtel, "É nessas experiências que transcendem os esquemas culturais [as faixas biossociais da percepção de afiliação]... que está a origem de todo novo *insight* e todo verdadeiro trabalho de arte, e o fundamento da esperança de progresso, de ampliação do âmbito do esforço humano e da vida humana".[334]

O PRESENTE IMEDIATO

Prosseguindo a discussão geral: vimos que o ego-corpo do bebê só tinha ciência do aqui e agora imediato, a que estava literalmente confinado. Escapam-lhe totalmente as seqüências temporais, os fatos simplesmente "parecem acontecer" (Sullivan – o modo paratáctico). A maioria das terapias humanistas dá ênfase exagerada ao "aqui e agora imediato",[292] o que levou quase todos os psicólogos e psiquiatras ortodoxos a concluírem que essas terapias humanistas constituem, na verdade, um retrocesso ao tífon infantil, são regressivas e nada representam senão a "atuação". Sem dúvida, algumas das terapias de cunho mais popular se resumem a isso; mas a conclusão da psiquiatria em geral erra feio ao não ver o ponto principal. No plano do centauro maduro, o presente imediato e vivo é, de fato, o modo dominante de tempo, porém o indivíduo agora dispõe também de *acesso* completo a todo o mundo convencional de realidades temporais ampliadas. Não está restrito ao presente (como o ego-corpo da criança), apenas está assentado nele. Não ignora o tempo histórico, apenas deixou de estar preso a ele (como o ego). O tífon é o tempo pré-seqüencial; o centauro é o tempo transeqüencial. O primeiro ignora o mundo do tempo linear; o segundo está começando a transcendê-lo. É natural que eles *pareçam* semelhantes – mas como é grande a diferença efetiva entre eles, como é desastroso equipará-los! Uma vez criado o tempo linear (também um passo necessário e extremamente desejável), ele *pode* ser transcendido, e isso não é regressão, é evolução.

Como o modo de tempo do nível existencial é o presente imediato, claro e vivo, muitos terapeutas do centauro usam o presente como uma das novas traduções dadas ao cliente.[291] Ou seja (em aditamento a algumas outras traduções do centauro que já discutimos, como a imagem-visão e a intencionalidade), a tradução de "ver toda a realidade como *presente*" é comumente usada (como na terapia da Gestalt – "somente o *agora* é real"). A pessoa aprende a ver os pensamentos de ontem como ocorrências *presentes*, e as prefigurações do amanhã como atividades *presentes* (aliás, essa era a teoria do tempo de Santo Agostinho: o passado era apenas memória e o futuro apenas prefiguração, sendo *ambos* fatos *presentes*). Na medida em que o indivíduo é plenamente bem-sucedido nessa tradução, ele *transforma* o tempo existencial; todo o mundo abstrato e espectral do tempo linear – agora que já cumpriu seu propósito – se desfaz na intensidade do presente. O indivíduo simplesmente prossegue com essa tradução ("trabalhar até o fim") até a transformação estar mais ou menos concluída e ele estar em geral ligado, porém não confinado, ao presente vivo.[221, 292]

A capacidade de viver integralmente no presente é uma característica fundamental do centauro conforme o descrevi, não surpreendendo que quase todos os psicólogos do desenvolvimento que estudaram personalidades "muito desenvolvidas" – e o centauro é um ser muito desenvolvido – tenham comunicado que a "tolerância à ambigüidade e a *capacidade de viver intensamente o presente* são aspectos dos mais elevados estágios [de crescimento]".[243]

E isso é regressão? Não vejo como se possa, sensatamente, sustentar tal conclusão. Mais exatamente, enquanto o presente do ego-corpo era um presente pré-seqüência, o presente do centauro é transeqüência: acima e além da seqüência temporal, o eu acompanha o fluxo de acontecimentos lineares. Ele consegue, *no presente*, ver o passado e o futuro *como* pensamentos atuais. Consegue *também ver* o passado e o futuro, lembrar-se de ontem e planejar o amanhã, mas consegue vê-los como movimentos do presente, uma percepção fantasticamente além das capacidades do tífon. O ego-corpo do bebê consegue *apenas* ver o presente; o centauro consegue ver *todo o tempo* no presente. Digam o que disserem, esses são dois modos totalmente diferentes de percepção centrada no presente.

Espontaneidade

Vimos também que o ego-corpo é dominado por sua "impulsividade", "espontaneidade não controlada" ou "descarga imediata". No centauro maduro, essa "descarga imediata" aparece como espontaneidade e expressão dos impulsos – exatamente o que examinamos como "vontade espontânea" ou intencionalidade. Também a esse respeito os estudos sobre a expressão de impulsos e a espontaneidade mostram que a criança e os adultos *mais desenvolvidos* têm esses traços em comum, o que não acontece com as pessoas que estão nas fases intermediárias (as esferas do ego normal/*persona*). Todos concordam que a criança (como ego-corpo) é espontânea e impulsiva, mas "o aumento de espontaneidade, o estar à vontade com os próprios impulsos, é [também] uma característica dos mais elevados estágios de... desenvolvimento, como confirmam muitos relatos".[243] Ora, isso significa uma de duas coisas: ou os adultos mais altamente desenvolvidos estão *regredindo* à infância e às fases anteriores ao controle do ego, ou os adultos mais desenvolvidos estão *evoluindo para além* dos controles rígidos do ego e ingressando nas fases de controle transego. Naturalmente, minha opinião é que o ego-corpo do bebê tem uma espontaneidade pré-verbal, pré-controle, pré-inibição, enquanto o centauro maduro exibe uma liberdade transverbal, transcontrole, transinibição. Mas vamos concluir essa discussão observando, com Loevinger, que esse fato "não justifica a conclusão de que seja possível passar ao largo das fases intermediárias dos rígidos controles [da afiliação e do ego]".[243]

RESUMO: O CENTAURO

Eu gostaria de fazer mais alguns comentários sobre o papel e a natureza peculiares do nível existencial ou do centauro no contexto geral do espectro de consciência. Como vimos, embora esse nível tenha *acesso* à linguagem, à cognição e afiliação, à lógica e à vontade do ego, ele pode ir e vai além disso, até a pura percepção sensorial e o fluxo psicofisiológico contínuo, e também até o processo de fantasia superior da intuição e da intencionalidade. Esse nível está acima da linguagem, da lógica, da cultura, não sendo, porém, pré-verbal e pré-cultural, mas sim transverbal e transcultural.

Eis o ponto que quero enfatizar: embora esse nível seja transverbal, ele *não* é transpessoal. Ou seja, embora ele transceda a linguagem, os conceitos brutos e o ego bruto, ele não transcende a existência, a orientação pessoal ou a consciência psicofisiológica da vigília (ver Fig. 3). É o último estágio dominado pelas formas normais de espaço e tempo — mas as formas ainda estão ali.

No entanto, a percepção sensorial em si, desembaraçada da camada de esquematização do ego e da cultura, começa a introduzir no plano da vigília uma clareza e uma riqueza que são impressionantes. A essa altura, a percepção sensorial já deixou de ser apenas "vegetal" ou "animal" ou meramente "orgânica" — é antes uma espécie de percepção supersensorial (e quase, mas não exatamente, supra-sensorial), um influxo de energias superiores, sutis e até transpessoais. Aurobindo explica: "Mediante a utilização dos sentidos internos — quer dizer, das faculdades dos sentidos, em si mesmos, em sua atividade puramente sutil — somos capazes de tomar conhecimento das experiências dos sentidos, das aparências e imagens de coisas que não as que pertencem à organização do nosso ambiente material."[306] Essa percepção "supersensorial" é relatada por muitos terapeutas do centauro (Rogers,[322] Perls,[291] etc.); é discutida por Deikman[92] e também mencionada como uma das fases *iniciais* do *insight* místico (quando a pessoa ascende ao plano do centauro e em seguida o transcende).[329]

Acredito também — e gostaria até de enfatizar — que o centauro transverbal é o ponto de origem da "intuição" de Bergson e da "visão pura" de Husserl. Não quero com isso negar que Bergson ou Husserl tenham contemplado planos além do centauro, esferas superiores; creio apenas que, em geral, a filosofia deles reflete com mais brilhantismo a realidade da intencionalidade, imagem-visão e apreensão perceptiva imediata do centauro. Husserl também é um dos poucos que entendeu claramente a enorme diferença entre a percepção sensorial e corporal (tifônica), que é incapaz de reflexão mental, e a verdadeira percepção experimental (do centauro), que *inclui* atos de reflexão mental. A percepção experimental imediata era, para Husserl, uma consciência transverbal e uma intencionalidade (que é um termo dele), não uma percepção sensorial pré-verbal — um ponto, a meu ver, que em geral passa despercebido à maioria dos modernos "terapeutas experimentais", que glorificam os excessos tifônicos. O leitor poderá encontrar uma discussão mais ampla desses temas em *Introdução à Metafísica*, de Bergson e *Idéias,* de Husserl.

Uma unidade de ordem superior, uma integração de ordem superior: transverbal, transafiliação, mas não transpessoal — esse centauro maduro é o ponto, acredito, no qual as energias superiores começam a infiltrar-se no organismo, chegando até a transfigurá-lo fisiologicamente. Todo esse nível — que é o da desidentificação do ego e uma identificação de ordem superior com o corpo-mente total — indica o mais elevado potencial que pode ser atingido na esfera existencial ou bruta. É bastante próximo do que John Lilly (acompanhando Gurdjieff) denominou "estado + 12", que é o "estado de contentamento, o amor cósmico, a recepção da graça [energias superiores], a percepção corporal intensificada [supersensorial]; a mais elevada função da consciência corporal".[242] É importante observar que Lilly situa esse nível do corpo-mente acima do nível conceitual ou nível da "absorção e transmissão de novos dados e programas; ensino e aprendizado".[242] Acima, ou seja, no processo secundário e conhecimento sintático do ego. Esse estado também é semelhante às fases iniciais do caminho de Da Free John onde, mediante a descontração do pensamento e do desejo por meio da indagação atenta, intui-se um "senso irrestrito de relação. Esse senso irrestrito de relação que, paradoxalmente, é vivenciado enquanto ainda se está ciente da percepção do mundo e da *presença do próprio corpo nele*, é a intuição da Onipresença Divina".[59]

Esta é uma das razões pelas quais, no meu entender, até os existencialistas começam a intuir realidades *transpessoais – para usar as próprias palavras deles.* Tanto Husserl como Heidegger acabaram mostrando uma inclinação por filosofias fortemente transcendentais (para não falar dos existencialistas teístas,

Marcel, Jaspers, Tillich). O próprio dr. May fala do movimento "da dimensão da consciência impessoal para transpessoal, passando pela pessoal".[265] E George Brown, um dos grandes herdeiros de Fritz Perls na terapia da Gestalt – que, segundo o próprio Perls, é uma terapia puramente existencial – descreve o que acontece quando alguém atinge a tradução do centrar-se no aqui e agora, própria do centauro, mas acaba chegando a um impasse:

> A experiência do impasse poderia ser descrita de muitas maneiras. Há energias transpessoais envolvidas. As pessoas falam de sensações instáveis, de tranqüilidade e paz. Nós não pressionamos. Dizemos "ótimo, continue contando o que está acontecendo a você". Às vezes, perguntamos se elas conseguem tocar alguma coisa onde estão; se não conseguirem, tudo bem. Se conseguirem, o que costuma acontecer é que elas começam a enxergar alguma luz [verdadeira esfera sutil]. Isso pode muito bem ser um movimento em direção ao transpessoal. Muitas vezes elas vêem a luz e vão na direção dela, vão para fora e lá estão o sol e coisas bonitas: árvores verdes, céu azul e nuvens brancas. Depois, quando terminam a experiência e abrem os olhos, elas vêem as cores com mais clareza, a visão fica mais apurada, a percepção intensificada [percepção supersensorial do centauro]. Nesse momento, eliminam os filtros [filtros do ego e da afiliação] impostos por suas fantasias e patologias.[55]

O EU DO CENTAURO

• Estilo cognitivo –	visão-imagem transverbal, fantasia superior, síntese dos processos primário e secundário: transconsensual
• Elementos afetivos –	compreensão, espontaneidade, expressão de impulsos, supersensorial, sinceridade
• Fatores conativos/ motivacionais –	intencionalidade, desejo criativo, significação, vontade espontânea, auto-realização, autonomia
• Modo temporal –	ligado ao momento presente, consciente de que o tempo linear é uma descamação do presente
• Modo do eu –	integrado, autônomo, transbiossocial, ser corpo-mente total

O centauro existencial, portanto, não é apenas a integração de ordem superior do ego, do corpo, da *persona* e da sombra; é também a grande transição para as esferas superiores, sutis e transpessoais do ser. (Observe-se que a pesquisa de Stan Grof parece dar forte respaldo a essa tese.)[166] Isso é válido tanto para a modalidade "supersensorial" do centauro como para seu processo cognitivo de intuição, intencionalidade e imagem-visão. Todos esses elementos são sugestões das esferas superiores da transcendência e da integração.

Vamos portanto, a elas – as esferas superiores.

8

As esferas sutis

Nirmanakaya: as esferas brutas

Até agora, vimos esses grandes níveis de crescente diferenciação, integração e transcendência: a fusão-unidade simples e primitiva do pleroma e da uroboros; a unidade seguinte de ordem superior, o eu-corpo biológico; depois o mental-*persona* que, se integrado à sombra, gera a unidade de ordem superior do ego total; e finalmente o centauro, que é a integração de ordem superior do ego total com todos os níveis precedentes e inferiores – uroboros, corpo, *persona* e sombra.

Mas *tudo* isso pertence àquilo que as psicologias tradicionais chamariam de "esfera bruta", além das quais se situam as esferas sutil e causal (ver Tabela A). No hinduísmo, a esfera bruta é denominada *sthula-sarira*;[94] na cabala é tudo que está abaixo do *Tiphareth*;[338] no budismo é *Nirmanakaya* (que é o termo que uso com mais freqüência, depois de "bruto").[332] A esfera bruta, a Nirmanakaya – a esfera da consciência normal da vigília – é formada por todos os níveis que têm como base, centro ou referente final o corpo físico bruto e seus constructos do espaço e tempo normais. O corpo físico ou axial em si é denominado o "nível bruto", e todos os *aspectos da psique que refletem esse nível* são denominados a "mente refletora bruta" (ou, abreviadamente, "mente bruta"). Tomados em conjunto, eles constituem a esfera bruta geral – o corpo-mente bruto do ego, corpo, *persona*, sombra e centauro.

É nessa "mente refletora bruta" que Aurobindo está pensando quando diz que a pessoa comum possui uma "*mentalidade física* obscura ou crepuscular", ou fala do "*intelecto material* comum que toma sua atual organização de consciência como o limite de suas possibilidades".[306] No estado do ego normal, "a mente, habituada apenas às informações dos sentidos e associando a realidade com o fato corporal, ou não está acostumada a usar outros meios de conhecimento ou é incapaz de estender a noção de realidade a uma experiência suprafísica".[306] E, numa frase que aprecio particularmente, ele fala da verdadeira mente sutil (em oposição à mente bruta) como "mente e sentidos não enclausurados no *ego físico*" [itálico meu].[306]

TABELA A

Grandes esferas	Níveis gerais	Cognição
NIRMANAKAYA Cinco vijnanas mais Manovijnana	Eu-corpo (axial, prânico, imagem) Eu de afiliação Ego/*persona* (adaptado ao bruto) Centauro/existencial	Sensório-motora Fantasia inferior Cognição de afiliação Intelecto Fantasia superior (imagem-visão)
SAMBHOGAKAYA Manas	Sutil inferior Sutil superior	Cognição clarividente Mente superior Intuição superior Inspiração literal Iluminação
DHARMAKAYA Alayavijnana	Causal inferior Causal superior	Iluminação final *Insight* radical Jnana/informe
SVABHAVIKAKAYA Dharmadhatu/Tathata	Último	Iluminação suprema Sahaja

Tudo isso – o corpo bruto e o ego bruto como constituintes da esfera bruta geral – está bastante de acordo com a psicologia budista comum. Diz-se que o Nirmanakaya consiste em cinco sentidos *mais o manovijnana,* e o manovijnana é "a mente envolvida com os sentidos".[332] D. T. Suzuki equipara inequivocamente o manovijnana ao ego da psicologia ocidental e ao intelecto lógico-empírico.[365] Ele também fala dessa esfera geral como a "do sentido e do pensamento", e situa todos os dados da psicologia ocidental exatamente nessa esfera – e somente nela.[362] Assim, além do corpo bruto ou físico, vemos que a esfera bruta dos seres humanos corresponde ou está inextricavelmente ligada à mente refletora bruta ou inferior, de modo que a melhor denominação que se pode dar a toda essa esfera é *esfera do corpo-mente bruto.*

Segue-se, portanto, que quase todos os dados gerados pela psicologia ocidental ortodoxa concernem apenas à esfera bruta. Huston Smith é bastante claro a esse respeito.[352] Também René Guénon: os psicólogos ocidentais "não reconhecem... quase nada a não ser a modalidade corporal [o corpo-mente bruto]". Ou seja, a psicologia ocidental visa ao que Guénon chama "individualidade corporal", muito semelhante ao "ego físico" de Aurobindo. Guénon acerta ao dizer, com rude franqueza: "Quanto à psicologia ocidental moderna, ela trata apenas de uma porção bastante restrita da individualidade humana, na qual a faculdade mental está em relação direta com a modalidade corporal; considerando-se os métodos que emprega, ela é incapaz de ir mais além."[168]

Mas *existe* "mais além"? De acordo com os místicos – e concordamos, no início deste livro, em adotá-los como modelos da evolução superior –, a resposta é sim. "O homem comum", diz Aurobindo, "vive conforme sua mente e seus sentidos [o corpo-mente bruto] são tocados por um mundo que está fora dele, fora de sua consciência. Quando a consciência se sutiliza, ele começa a entrar em contato com as coisas de um modo muito mais direto, não apenas com a forma delas e seu impacto externo, mas com o que está dentro delas, embora ainda em pequena escala. Mas a consciência também pode expandir-se e começar a entrar em contato direto com um universo de coisas do mundo, que depois vai como que abranger – diz-se que ela vê o mundo em si mesma – e com as quais vai, de certa forma, identificar-se. Ver todas as coisas no eu e o eu em todas as coisas... isso é universalização."[306] Ou seja, existem ordens cada vez mais elevadas de unidade, identidade e integração, que resultam na unidade universal e na Identidade Suprema.

Dito de forma bem simples, *a evolução pode continuar.* Ela já produziu seres humanos a partir de amebas – por que razão deveríamos pensar que, depois desse feito prodigioso que abarcou bilhões de anos, a evolução estaria esgotada e acabada? Se a relação "ameba para humano" for repetida, o resultado só pode ser Deus. Os místicos nos mostram os estágios da evolução superior que leva ao Cume. "Sem dúvida, se o corpo, a vida e a consciência ficassem limitados às possibilidades do corpo bruto que é tudo que nossos sentidos físicos e mentalidade física [ego bruto] conseguem aceitar, a evolução teria uma duração muito curta", diz Aurobindo. No entanto, de acordo com muitos sábios, "além da mentalidade da vigília existem faixas mais amplas de consciência... de que às vezes nos tornamos anormalmente cientes, [e] além do nosso ser físico bruto existem outras categorias de substância, mais sutis, sujeitas a uma lei mais apurada e com maior poder...; ao entrarmos nas faixas de consciência que pertencem a elas, [podemos] colocar essas condições de ser mais puras, mais elevadas, mais intensas no lugar da rudeza e da limitação de nossa atual vida física, de nossos impulsos e hábitos".[306] Assim, nossa "mente, vida e corpo [atuais e brutos] são uma consciência inferior e uma expressão parcial que luta por atingir, pela via da evolução diversificada, aquela expressão superior de si mesma já existente no além-mente ['além-mente' significa apenas as esferas além do corpo, da mente e do centauro]. Aquilo que está no além-mente é o ideal que ela, com os meios de que dispõe, se esforça por tornar realidade...".[306]

A primeira etapa do além-mente, das esferas além do grosseiro, é o mundo da esfera sutil.

Sambhogakaya: a esfera sutil

Para ter indicações da natureza de qualquer um dos níveis superiores de consciência, além do ego e do centauro, precisamos nos voltar para os grandes sábios místicos, orientais e ocidentais, hinduístas e budistas, cristãos e islâmicos. É até certo ponto surpreendente, mas pleno de significado, que todas essas escolas de pensamento, que divergem quanto a outros aspectos, concordem mais ou menos unanimemente acerca da natureza do "alcance mais remoto da natureza humana". Existem de fato, segundo essas tradições, níveis superiores de consciência – tão acima do ego-mente quanto este está acima do tífon. Eis como parecem ser esses níveis:

A partir do sexto chakra (para usar os termos da psicologia dos chakras da yoga), o chakra *ajna*, a consciência *começa* a tornar-se transpessoal. A consciência passa a transverbal e transpessoal. Começa a entrar na verdadeira "esfera sutil", conhecida no hinduísmo como *suksma-sarira,* e no budismo como *Sambhogakaya* (o termo técnico que adotei).[161] Esse processo se acelera e se intensifica ao se aproximar do chakra mais elevado – chamado *sahasrara* – para em seguida tornar-se supramental, ao ingressar nas sete fases superiores de consciência além do sahasrara.[350] O ajna, o sahasrara e os sete níveis superiores são, em conjunto, designados esfera sutil.

Para simplificar, contudo, falamos do "sutil inferior" e do "sutil superior". A síntese do sutil superior é o "terceiro olho" que, ao que se diz, inclui e domina os acontecimentos astrais e psíquicos. Ou seja, o sutil inferior é "composto" pelos planos astral e psíquico da consciência. Quer se acredite ou não nesses níveis, é ali que se diz que eles existem (ou melhor, que atingem a maturidade).

O EU SUTIL INFERIOR	
• Estilo cognitivo –	percepção e cognição clarividentes; extra-ego e extra-sensorial
• Elementos afetivos –	transpessoalmente sensível, supra–sensorial (estágio além do centauro supersensorial)
• Fatores motivacionais/ conativos	siddhi; impulsos paranormais e parapsicológicos
• Modo temporal –	transaxial ou transfísico; tempo do "ponto-fonte"; capaz de entender as mensagens do mundo com pré-cognição ou pós-cognição
• Modo do eu –	astral-psíquico

O plano astral inclui, basicamente, as experiências fora do corpo, algum conhecimento oculto, as auras, a magia verdadeira, a "viagem astral" etc. O plano psíquico inclui o que poderíamos chamar fenômenos "psi": PES, pré-cognição, clarividência, psicocinese etc. Muitas pessoas conseguem "sintonizar-se" ocasionalmente com esse plano e manifestar capacidades psíquicas aleatórias ou não. Mas para realmente *entrar* nesse plano é preciso ter um domínio relativo dos fenômenos psíquicos, ou pelo menos de alguns deles. Patanjali dedicou um capítulo inteiro do seu Yoga Sutras a esse plano e suas estruturas (que são siddhis, ou poderes paranormais).[370, 398] Também gostaria de mencionar que a maioria dos pesquisadores do campo da parapsicologia acha que as esferas astral e psíquica são, de fato, a mesma coisa, e por isso costumamos designar essa esfera como o astral-psíquico.[399]

O que mais importa em relação ao sutil inferior – o astral-psíquico – é que a consciência, ao diferenciar-se ainda mais da mente e do corpo, é capaz de, em alguns aspectos, *transcender* as capacidades normais do corpo-mente bruto e, portanto, *atuar* sobre o mundo e o organismo de maneiras que, aos olhos da mente comum, são muito fantásticas e artificiais. De minha parte, creio que elas são uma extensão natural da função transcendente da consciência.

O SUTIL SUPERIOR

O sutil superior começa no sahasrara e abrange sete (ou mais) níveis de transcendência, diferenciação e integração de ordem extraordinariamente elevada. Não vou apresentar uma classificação exaustiva dessa esfera – remeto o leitor, em vez disso, às obras de Kirpal Singh,[349, 350] que trata de maneira brilhante de toda essa área – da ioga nada e shabd. Quero apenas mencionar que essa esfera é sistemática e universalmente designada à esfera da alta intuição religiosa e da inspiração literal; do bijamantra; das visões simbólicas; da luz azul, dourada e branca; das iluminações audíveis e do brilho sobre o brilho; é a esfera das presenças superiores, guias, formas angelicais, ishtadevas e dhyani-Budas – formas arquetípicas elevadas do próprio ser (mesmo que, a princípio e necessariamente, pareçam ser "outro"). É a esfera do Sar Shabd, de Brahma o Controlador, dos arquétipos de Deus, e do Sat Shabd – e, ultrapassando esses quatro planos, os três níveis superiores e totalmente indescritíveis do ser. Assim cantou Dante:

> Fixei os olhos meus na Luz Eterna
> tão fundo até nela me consumir!
> Na sua profundez vi recolher-se
> Num só volume unindo com amor
> O que se desune pelo mundo todo...
> Na profunda e clara subsistência
> do Alto Lume três círculos surgiram
> de três cores e uma só abrangência
> E um ao outro, como íris para íris,
> pareciam refletir-se, e do terceiro
> emanava fogo que ambos aspiravam.

Não se deve esquecer que isso é o que Dante *viu,* literalmente, com o olho da contemplação. Ele não está apenas sendo poético; está usando a poesia e a imagem-visão para cantar o que *viu diretamente.*

O psiquiatra Dean, pioneiro do novo campo da "metapsiquiatria", relata o seguinte:

> Ocorre uma iluminação intelectual absolutamente impossível de descrever. Num clarão intuitivo, a pessoa tem consciência do sentido e da direção do universo, uma identificação e uma fusão com a criação, o infinito e a imoralidade, uma revelação após outra, cada vez mais profunda de significado – em síntese, concepção de um supereu, tão onipotente...[91]

No hinduísmo, essa esfera se chama *vijnanamayakosa;*[94] no budismo, mahayana é o *manas*[362] e, na cabala, é o *Geburah* e o *Chesed.* [338] Os aspectos da esfera sutil foram chamados "supereu" ou "supermente" – como em Aurobindo e Emerson (em Aurobindo, o termo engloba também aspectos da esfera causal).[12] A questão é simplesmente que a consciência, em rápida ascensão, está se diferenciando inteiramente da mente e do eu comuns, podendo assim ser chamada "supereu" ou "supermente" – quase como se chamássemos o ego de "supercorpo" ou "superinstintos", já que o ego-mental transcende e vai além dos simples sentimentos e percepções do tífon. A supermente apenas representa a transcendência de todas as formas mentais e revela, no auge, a intuição daquilo que está acima e antes da mente, do eu, do mundo e do corpo – algo que, como diria Aquino, todos os homens e mulheres chamariam Deus.

Mas este não é Deus como o outro ontológico, apartado do cosmos, dos seres humanos e da criação em geral. Em vez disso, é Deus como o ápice arquetípico da consciência de cada um. John Blofeld cita Edward Conze sobre o ponto de vista vajrayana: "'O vazio de tudo, que permite que aconteça a identificação – o vazio que está em nós unindo-se ao vazio que é a divindade.' Ao enxergar essa identificação, 'nós nos transformamos, verdadeiramente, na divindade. O sujeito se identifica com o objeto da fé. [Como se diz], a adoração, o adorador e o objeto de adoração não são três coisas separadas'."[43] No seu ápice, a alma se une, literalmente, à forma da divindade, ao dhyani-Buda, a Deus. A pessoa se dissolve na Divindade, *como* Divindade – aquela Divindade que, desde o início, é o próprio Eu ou arquétipo mais elevado. É somente nesse sentido que São Clemente pôde dizer que quem conhece a si mesmo conhece a Deus. Agora poderíamos dizer: quem conhece seu supereu conhece a Deus. Os dois são uma só e a mesma coisa.

As esferas sutis: resumo

Este é um capítulo curto, e fiz isso de propósito para não apresentar uma quantidade excessiva de informações sobre o que é, afinal, uma esfera um tanto desconhecida e estranha para a maioria das pessoas. Vou adotar o mesmo procedimento no próximo capítulo. Mas gostaria que o leitor considerasse

O EU SUTIL SUPERIOR	
• Estilo cognitivo –	intuição real e inspiração literal, forma arquetípica, iluminações audíveis, revelações de luz e som
• Elementos afetivos –	enlevo, contentamento, liberação extática na superconsciência
• Fatores motivacionais/ conativos –	karuna, compaixão, amor e gratidão irresistíveis
• Modo temporal –	transtemporal, caminhando para a eternidade
• Modo do eu –	divino arquetípico, supereu, supermente

— apenas isso — as implicações da possível *existência* da esfera sutil. E *se* os sábios místicos estiverem certos?

A questão toda é que na esfera sutil — e principalmente na sutil superior — está ocorrendo uma diferenciação e transcendência de ordem muito superior. Com a mediação de formas simbólicas arquetípicas superiores — as formas da divindade, iluminadas ou audíveis —, a consciência trilha um caminho de transformação ascendente que leva muito além do corpo-mente bruto. Essa transformação ascendente, como *todas* as outras que estudamos, envolve o *aparecimento* (por meio da recordação) de uma estrutura profunda de ordem superior, seguido da mudança da *identidade* para essa estrutura de ordem superior e da diferenciação ou *desidentificação* das estruturas inferiores (no caso, o ego-mente). Isso resulta na *transcendência* das estruturas de ordem inferior (a mente e o corpo brutos), o que permite que a consciência *atue* sobre todas as estruturas de ordem inferior, *integrando-as.*

Lex Hixon descreveu uma forma de estrutura profunda sutil chamada "ishtadeva".[185] A ishtadeva é apenas uma forma de divindade arquetípica elevada que é *evocada* (e assim *aparece*) em certas meditações, e é *literalmente* visualizada com a imaginação, mediante o processo de fantasia superior ou imagem-visão. Sei que algumas pessoas dirão que a ishtadeva é "apenas uma imagem mental" e não existe *de verdade* — mas isso seria rebaixar simultaneamente *todas* as produções mentais: pode-se dizer, igualmente, que a matemática é apenas uma produção mental e portanto não existe de verdade. Não, a ishtadeva é real — mais que real — é algo que emerge do território do inconsciente.

Esta é a descrição de Hixon: "A Forma ou Presença da ishtadeva [que é evocada mediante uma imagem-visão, como ele explica claramente] aparece como algo vibrantemente vivo, constituído pela radiância da Consciência. Não estamos projetando a ishtadeva. A radiância primordial que assume a forma da ishtadeva é que está, de fato, projetando a nós e a todos os fenômenos que denominamos universo." Esse símbolo arquetípico superior acaba mediando a ascensão da consciência a uma *identidade* com essa Forma: "Percebemos gradualmente que a Divina Forma ou Presença é nosso próprio arquétipo, uma imagem de nossa própria natureza essencial."[185]

Isso, no entanto, não é uma *perda*, e sim uma *intensificação* da consciência por meio do desenvolvimento de ordem superior, evolução, transcendência e *identificação*: "A ishtadeva não desaparece dentro de nós; somos nós, como indivíduos, que desaparecemos na ishtadeva, que passa a existir sozinha. No entanto, absolutamente não há perda de nosso ser individual quando nos fundimos no objeto de nossa contemplação, pois ele é, desde o início, nosso próprio arquétipo, a fonte desse reflexo fragmentado que chamamos nossa personalidade individual."

Toda a questão é que o ego bruto não se limitou a engolir a Forma Arquetípica superior: fica revelado que a *natureza* anterior do ego *é* aquela

Forma, de modo que a consciência volta à sua própria identidade anterior e superior — ou se lembra dela: "Somos agora um centro transcendental da consciência, expresso por meio da Forma ou da Presença informe da ishtadeva. Experimentamos agora a vida da ishtadeva de dentro para fora. Estamos conscientemente nos encontrando e nos transformando [via identificação superior] em nossa natureza arquetípica e eterna."[185] Esta, portanto, é uma das formas da verdadeira transformação ou evolução para a esfera sutil, a descoberta ou lembrança de uma unidade de ordem superior que agora se aproxima da Unidade — que entra na esfera transpessoal da superconsciência e desvenda apenas a Essência Arquetípica.

9

As esferas causal e final

DHARMAKAYA: A ESFERA CAUSAL

O prosseguimento do processo de transcendência e integração revela unidades de ordem ainda superior que levam, em última análise, à própria Unidade.

Além do sutil superior situa-se a região causal, conhecida por vários nomes: *alayavijnana* (budismo yogacara),[362] *ananda-mayakosa* (hinduísmo),[94] *pneuma* (misticismo cristão),[352] *karana-sarira* (vedanta),[94] *Binah* e *Chokmah* (cabala).[338] Em termos gerais do budismo mahayana, esta é a esfera dharmakaya (termo que adotarei). Para maior facilidade, dividimos essa esfera em causal inferior e causal superior e, como no capítulo anterior, serei deliberadamente sucinto.

O causal inferior, que é classicamente revelado em um estado de consciência conhecido como *savikalpa samadhi*,[309] representa o auge da consciência de Deus, a morada final e mais elevada de Ishvara, a Criadora de todas as esferas.[94] Representa a *culminação* dos acontecimentos que tiveram início no sutil superior. Vamos lembrar que, no sutil superior, o eu foi dissolvido ou reabsorvido na divindade arquetípica, *como* essa divindade – uma divindade que, desde o início, sempre foi o próprio Eu e o Arquétipo mais elevado.

Agora, no causal inferior, a própria divindade-Arquétipo se condensa e se dissolve no Deus final, visto aqui como uma luz audível extraordinariamente sutil ou bijamantra, origem do ishtadeva individual, yidam ou Arquétipo. Deus final é simplesmente a base ou essência de todas as manifestações de arquétipos e do deus menor que foram evocadas – e com as quais em seguida houve uma identificação – nas esferas sutis. No causal inferior, todas essas Formas arquetípicas são reduzidas a sua Fonte no Deus final e, assim, da mesma forma e exatamente na mesma etapa, descobre-se aqui que o Eu de cada um *é* o Deus final; a própria consciência, assim, passa a ter uma identidade de ordem superior com essa Radiância. Este, em síntese, é o causal inferior, a revelação última do Deus final em Perfeita Radiância e Liberação.

O EU DO CAUSAL INFERIOR	
• Estilo cognitivo –	iluminação final, essência de revelação audível, raiz do bijamantra, savikalpa samadhi
• Elementos afetivos –	contentamento radiante/ananda
• Fatores motivacionais/ conativos –	karuna, ou amor transcendente apenas na unidade
• Modo temporal –	absolutamente transtemporal, eterno
• Modo do eu –	Deus final, Fonte de todas as Formas Arquetípicas

O CAUSAL SUPERIOR

Depois do causal inferior, no causal superior, todas as formas manifestas são tão radicalmente transcendentes que já nem precisam aparecer ou surgir na Consciência. É a transcendência, a liberação total e absoluta na Consciência Informe, na Radiância Ilimitada. Aqui não há nenhum eu, nenhum Deus, nenhum Deus final, nenhum sujeito, nenhum objeto à parte e além da Consciência como Tal.

Observe-se a seqüência das estruturas de unidade superior: na esfera sutil, o eu se dissolve na Divindade arquetípica (como ishtadeva, yidam, dhyani-Buda etc.). No causal inferior, o Eu-Divindade, por sua vez, desaparece no Deus final, que é sua Fonte e Essência. Aqui, no causal superior, o Eu do Deus final igualmente se reduz a sua própria Base anterior: dissolve-se no Informe. Cada passo é um aumento de consciência e uma intensificação da Percepção, até que todas as formas voltem à liberação perfeita e radical no Informe.

John Blofeld faz uma bela descrição dessa seqüência, da perspectiva do budismo vajrayana: "Enquanto se desenrola o ritual, essa divindade [ishtadeva] entra no corpo do iniciado e se aloja em um disco solar sustentado por um disco lunar acima de um lótus no coração dele; nesse momento o tamanho do iniciado diminui até ele e a divindade ocuparem o mesmo espaço [início da esfera sutil] e se fundirem de modo a não haver mais distinção entre eles [*unir-se* à divindade na esfera sutil superior]. Ambos são então absorvidos pela semente-sílaba que deu origem à divindade [o causal inferior]; contraída, a sílaba se torna um único ponto [Deus final]; o ponto desvanece e a divindade e o iniciado, em perfeita união, permanecem imersos no samadhi do vazio [o causal superior]..."[43]

Já vimos Lex Hixon, representante da visão hinduísta, descrever a marcha para a esfera sutil. Mas seu relato prossegue naturalmente até o causal; depois que o ishtadeva-arquétipo surge e a pessoa se identifica com ele (na esfera sutil superior), "esse Arquétipo se dissolve em sua própria essência ou base [a esfera causal]... Ocorre então uma perfeita liberação na radiância da Consciência informe. Não existe ishtadeva, nem o que medita nem a meditação, e tampouco existe qualquer percepção dessas ausências. Tudo que existe é radiância..."[185]

É exatamente a mesma seqüência descrita nos textos zen sobre o estudo do koan.[220, 258, 364] Depois das etapas iniciais de concentração no koan (que equivale a visualizar o ishtadeva ou dhyani-Buda), atinge-se um ponto no qual o indivíduo se dissolve no koan – *une-se* ao koan numa superabundância de consciência: não uma perda, mas uma extraordinária intensificação da consciência. A isso se chama "o homem esquecido" – ou seja, a pessoa separada é esquecida na união com o koan, que agora existe *e nada mais*. Trata-se de um estado sutil. Quando esse processo se intensifica, o próprio koan é esquecido – isto é, ele se dissolve em sua base anterior do Informe. Isso se chama "o dharma (koan) esquecido" ou "homem e dharma esquecidos" – e é o causal superior do samadhi informe. Todo esse processo é descrito de modo tão coerente e semelhante por todas as tradições que atingem essa elevada esfera que podemos, agora, ter bastante certeza acerca de suas características gerais. Elas são inconfundíveis.

Observe-se que esse estado – o causal superior do "homem e dharma esquecidos" ou "sujeito e objeto esquecidos" – conhecido como *nirvikalpa samadhi* (hinduísmo),[94] *nirodh* (budismo hinayana),[160] *jnana samadhi* (vedanta)[309] – é o oitavo dos dez quadros zen do pastoreio que descrevem as etapas da suprema Iluminação.[220]

O EU DO CAUSAL SUPERIOR

• Eu cognitivo –	o que não conhece, ou ignorância perfeitamente divina em suspensão, nirvikalpa samadhi, Consciência ilimitada
• Elementos afetivos –	Radiância primordial ou informe, Êxtase perfeito
• Fatores motivacionais/ conativos –	apenas karuna, ou amor transcendente na unidade; espontaneidade total, ou *lila* e *tzu jan*
• Modo temporal –	transtemporal, eterno
• Modo do eu –	Auto-realização informe, Observador transcendente

SVABHAVIKAKAYA: A TRANSFORMAÇÃO FINAL

Ao atravessar o nirvikalpa samadhi, a Consciência desperta totalmente para sua Condição e Estado (tathata) Originais, que são, ao mesmo tempo, a condição e o estado de tudo quanto existe, bruto, sutil ou causal. Aquele que observa e aquilo que é observado são uma só e a mesma coisa. Todo o Processo do Mundo surge então, a cada momento, como o próprio Ser da pessoa, fora e antes do qual nada existe. Esse Ser está totalmente além e antes de qualquer coisa que vier a surgir, e no entanto nenhuma parte desse Ser é outra coisa senão aquilo que surge.

Portanto: assim como o centro do eu revelou ser o Arquétipo, assim como o centro do Arquétipo revelou ser o Deus final, assim como o centro do Deus final revelou ser o Informe, assim também o centro do Informe revelou ser nada mais que todo o mundo da Forma. "A Forma nada é senão o Vazio, e o Vazio nada é senão a Forma", diz o mais famoso sutra budista (chamado o "sutra do coração").[81] Nesse ponto, o extraordinário e o ordinário, o sobrenatural e o terreno são exatamente uma só e a mesma coisa. Este é o décimo quadro zen do pastoreio, que diz: "O portão de sua cabana está fechado, e nem o mais sagaz dos homens consegue encontrá-lo. Ele segue seu próprio caminho, sem fazer nenhuma tentativa de seguir os passos dos sábios que o precederam. Levando sua cuia, percorre o mercado; apoiado em seu cajado, volta para casa."[220]

Este é também o *sahaja samadhi*, o estado *Turiya*, o *Svabhavikakaya* – a Unidade última, na qual todas as coisas e fatos, embora permaneçam perfeitamente separados e isolados, são apenas Um. Portanto, não se trata de um estado à parte de outros estados; não se trata de um estado alterado; não se trata de um estado especial – trata-se antes do estado de todos os estados, da água que se forma em cada onda de experiência, como toda a experiência.[408] Ele não pode ser visto, porque é tudo que é visto; não pode ser ouvido, pois é a própria audição; não pode ser lembrado, porque apenas *é*. Da mesma forma, é uma integração absolutamente perfeita de todos os níveis anteriores – bruto, sutil e causal que, agora espontaneamente, continua a surgir a cada momento em jogo iridescente de interpenetração mútua. Esta é a diferenciação final da Consciência de todas as formas da Consciência, depois do que a Consciência como tal se libera em Perfeita Transcendência, que não é a transcendência do mundo, e sim a transcendência final como o Mundo. Daí por diante, a consciência *atua* não sobre o mundo, mas apenas como todo o Processo do Mundo, integrando e interpenetrando todos os níveis, esferas e planos, altos e baixos, sagrados ou profanos.

"Seguidores do Caminho", disse o mestre zen Rinzai, "de uma vez por todas, sentai-vos e cortai fora a cabeça do Buda Sambhogakaya e do Buda Nirmanakaya. Os que se satisfazem com a mera contemplação dos dez estágios do bodhisattva são como servos. Os que se contentam com o despertar universal e profundo não passam de homens presos a cangas e cadeias. O despertar e o Nirvana são como postes para acorrentar macacos. E por que é assim? Porque, seguidores do Caminho, deixais de ver o vazio das três grandes eras do mundo [i. e., o universo todo, passado, presente e futuro]; este é o obstáculo que vos bloqueia."[148] Mas depois de entender isso, onde estão as três esferas do ser, ou os três corpos de Buda (bruto, sutil e causal)? Rinzai responde:

> A luz pura do teu coração neste momento é o Buda Dharmakaya em tua própria casa. A luz equânime do teu coração neste momento é o Buda Sambhogakaya em tua própria casa. A luz imparcial do teu coração neste instante é o Buda Nirmanakaya em tua própria casa.[148]

Pois, acrescenta Rinzai, "Essa trindade do Corpo de Buda [bruto, sutil e causal] nada mais é que ele aqui diante dos vossos olhos, ouvindo a minha exposição sobre o dharma. E quem é esse que tudo entende? É o Um que está bem diante de vós, totalmente conhecedor, sem forma divisível, brilhando solitário. Esse Um sabe falar e sabe ouvir sobre o dharma... Os estudiosos dos sutras e tratados tomam os Três Corpos em termos absolutos. A meu ver, não é assim. Esses Três Corpos não passam de nomes, de acessórios, são apenas sombras mentais [para quem os transcende na Perfeita Liberação]. Veneráveis, vinde conhecer o Um que joga com essas sombras. Ele é a fonte original de todos os Budas. Conhecê-lo é estar em casa em qualquer lugar".[148]

Todo ser consciente, portanto, seja exatamente como for, é a perfeita incorporação e expressão do Último. O que todo indivíduo *é*, antes de ser qualquer outra coisa, é o dharmakaya – o Corpo da própria Verdade. O que ele sente, antes de sentir qualquer outra coisa, é o sambhogakaya – Corpo do Contentamento Jovial. O que ele vê, antes de ver qualquer outra coisa, é o nirmanakaya – o Corpo da vida manifesta como samadhi. Esses Três Corpos de Buda são um só como o único Coração, e essas três esferas atuam na Unidade iridescente por meio de todos os gestos eternos.

E essa é a Unidade última para onde se dirige toda a evolução, humana e cósmica. Pode-se dizer que a evolução cósmica – o padrão holístico – se completa na evolução humana e por meio da evolução humana; e esta atinge a consciência última da unidade e assim consuma a Gestalt absoluta que é o destino de toda manifestação.

Eternidade: Deus ou id?

Como já disse, ao falar sobre as esferas superiores vou tentar discutir sucintamente as diferenças entre o *pré* e o *trans*, para evitar confusão entre os dois. Discutimos as diferenças entre o *pré* e o *trans* com relação ao centauro, e agora

– com relação às esferas sutil e causal – gostaria de centrar a discussão na noção de intemporalidade: pré e trans.

Do sutil superior em diante, o próprio tempo começa a evaporar-se, por assim dizer, até que nas esferas causais exista apenas a Eternidade Intemporal, uma intemporalidade que não é falta, não é privação, não é ausência, mas sim superabundância de Radiância que não pode ser circunscrita a categorias espaciais ou temporais. Não é exatamente que o tempo em si desapareça; não é que a consciência se apague na escuridão. Em vez disso, no estado de Transcendência (sutil e causal) o tempo se desintegra no Agora Eterno e, simultaneamente, continua a fluir através dele e a partir dele. Assim como o seu olho capta ou vê os quatro cantos desta página num relance, também o olho da Eternidade vê todo o tempo em um Momento. Toda a eternidade está em cada ponto do tempo, e assim todo o tempo é Presente na Eternidade. Cada ponto do tempo permanece totalmente ele mesmo, sozinho, e se desdobra muito naturalmente – *e* cada ponto do tempo é apenas a Eternidade, momento a momento. A isso se chama o *nunc stans* – o Momento Eterno que abarca todo o tempo, sem deixar nada de fora porque "A eternidade ama os produtos do tempo".

Deparamos aqui com o problema do pré e do trans. Há muito tempo Freud afirmou que o *id é intemporal*. "Os processos mentais inconscientes são em si mesmos intemporais", disse ele. "Nada existe no id que corresponda à idéia do tempo."[57] Como o pensamento de Freud exerceu enorme influência sobre o "id intemporal", aconteceram duas coisas:

(1) Sempre que os psicanalistas depararam com um "estado intemporal de consciência", sua conclusão imediata foi que se tratava *necessariamente* de um ressurgimento do id material intemporal. A consciência eterna, assim, foi interpretada como um mero retrocesso aos modos instintivos, oceânicos e primitivos da consciência. Deus, nesse sistema, é apenas um sintoma infantil que precisa ser curado com urgência. O próprio Freud defendeu esse ponto de vista em *A civilização e os descontentes*.

(2) Muitos psicanalistas, principalmente nos últimos tempos, perceberam que as idéias de Freud a esse respeito eram ingênuas demais, que a psicanálise precisa admitir os estados transcendentais do ser intemporal. Assim, procuraram legitimar a consciência da unidade e a consciência intemporal por meio da *redefinição do id*, ou do próprio inconsciente. Norman O. Brown disse que o id era, de fato, a própria Realidade Numenal;[57] Matte Blanco afirmou que o id era, na realidade, uma configuração infinita;[39] Loewald disse que o id era alguma coisa na linha de um ser ou uma base primária.[246]

Esse segundo tipo de formulação, embora preferível ao primeiro, resulta mesmo assim em alguns meios-termos muito estranhos. Matte Blanco, por exemplo, deixa bem claro que o inconsciente – o inconsciente freudiano – é exatamente como disse Freud: o berço do processo primário, instintivo, emocional, aquele caldeirão fervente da sopa primordial. É a fonte das emoções totalmente avassaladoras e destruidoras, sendo portanto o objetivo da psicanálise *desarmar* essa configuração inconsciente, convertendo-a em processo de pensamento secundário. No entanto, como também identifica o inconsciente com a base final do ser – o Um de Parmênides, diz ele (ou, insinua, até Deus) – Blanco sem querer chega à conclusão de que a tarefa da psicanálise, já que ela precisa desarmar o inconsciente, é desarmar Deus e livrar a alma da Infinidade.

Essa conclusão existe porque não se entende claramente a diferença entre o pré e o trans. Vamos rever rapidamente os modos temporais de cada um dos grandes níveis de consciência, pois creio que assim todo o problema fica mais patente (para esse resumo, vou condensar os níveis em cinco):

No primeiro andar do prédio da consciência fica o estado pleromático e urobórico. O modo de tempo é pré-temporal é atemporal: sem passado, sem presente, sem futuro – apenas a ignorância pleromática. Este *não* é um estado transtemporal; o bebê não transcende o tempo, mas é totalmente ignorante dele.

No segundo andar fica o eu tifônico – o processo primário, o id-prana, o ser sexual-emocional. Aqui não existe tempo *linear* (sem passado e sem futuro), mas apenas um simples *presente.* O modo de tempo está incorporado nesse presente simples, que ignora o tempo linear.

No terceiro andar fica o tempo do ego – linear, histórico, sintático, com passado, presente e futuro.

No quarto andar fica o centauro. O modo de tempo é outra vez o presente imediato, porém é um presente translinear, enquanto o do tífon era um presente pré-linear. O centauro está enraizado no presente, embora *ainda consciente* do tempo linear.

No quinto andar ficam todas as esferas verdadeiramente transtemporais. É a Eternidade absoluta, que tem ciência do tempo linear e do presente imediato, mas não está ancorada em nenhum deles. Este *não* é o presente imediato passageiro, que dura apenas um ou dois segundos, e sim o presente eterno – que absolutamente não subsiste mas sustenta e abrange toda a duração.

Pois bem, o primeiro e o segundo níveis – o pleroma-uroboros e o tífon – correspondem aproximadamente ao que os psicanalistas chamam de "id". Esses níveis são mais ou menos intemporais no sentido de pré-temporais. São totalmente intemporais (como o pleroma), ou confinados ao presente sem acesso ao tempo linear (como o tífon). Assim, a psicanálise tem razão nesse aspecto: o id é, de fato, intemporal. Mas ele é intemporal por conta da *ignorância*, não da transcendência. Nele não existe tempo algum porque ele é primitivo demais, obtuso demais para captar essa noção.

Freud disse que "Nada existe no id que corresponda à idéia do tempo", e daí por diante sempre que os analistas ouviram falar em estados intemporais de consciência, julgaram estar lidando com o id. Mas a afirmação de Freud dificilmente esgota a questão: é verdade que todos os estados do id são intemporais, mas não se segue que todos os estados intemporais sejam o id. O id é apenas uma parte do universo *pré-temporal.* Nas rochas nada existe que corresponde à noção do tempo – tampouco nas plantas e nos animais inferiores. Todos os estados da evolução anterior à linguagem são basicamente intemporais (ou totalmente atemporais, como as rochas e o pleroma, ou do tempo pré-linear, como as plantas, os animais e as esferas tifônicas). Mas não existe nada especial – e certamente nada Numenal ou Último – nesses estados ou no id. Para falar com todas as letras, o id é pré-temporalmente obtuso.

Esse id pré-temporal não pode, de forma alguma, ser igualado aos estados transtemporais: a diferença é tão grande como a que existe, por exemplo, entre as rochas e os seres humanos, ou os seres humanos e os deuses; a esfera transtemporal, com toda certeza, não pode ser reduzida ao pré-temporal. A primeira escola de psicanálise (enumerada acima) comete o erro de recusar-se totalmente a admitir a existência de estados transtemporais, e dessa forma simplesmente tenta reduzir o trans ao pré. Como estão bem familiarizados com os dois primeiros andares da consciência, sempre que aparece um estado transcendente ou do nível 5, eles alegam que se trata de um retrocesso ao nível 1. Como nada sabem sobre a transtemporalidade, tudo o que fazem é classificá-la como pré-temporalidade. O nível 5 é reduzido ao nível 1 e o Mistério é dissipado. A segunda escola de psicanálise, por outro lado, procura admitir a existência de estados transtemporais, mas como eles não estão muito certos do tratamento a lhes dispensar, redefinem o id pré-temporal de modo a incluir nele todos os fenômenos intemporais. Chegam, assim, à problemática conclusão de que o mesmo id que é tão primitivo e tão agitado em sua cegueira é também a morada do próprio Deus, daquela Base de Ser primordial que se eleva acima de todas as distinções.

O id *é* intemporal – porém pré-temporal. Deus é intemporal – porém transtemporal. Minha opinião é que a psicanálise (e a psiquiatria e a psicologia ortodoxas) precisa reconhecer essa incrível diferença, deixando assim de identificar Deus e o id simplesmente por estarem ambos fora da corrente do tempo linear. Por esse raciocínio seria possível também estabelecer uma igualdade entre rochas e foguetes, já que nenhum dos dois tem hélices.

O mesmo se aplica a todas as outras características fundamentais da união mística em comparação com o estado oceânico infantil. A fusão bebê-pleroma é anterior à diferenciação sujeito/objeto, vale dizer, o bebê não é capaz de distinguir o sujeito do objeto. Mas a união mística (*sahaj samadhi*) é trans-sujeito/objeto, vale dizer, transcende o sujeito e o objeto, permanecendo ao mesmo tempo perfeitamente ciente dessa dualidade convencional, assim como a linguagem transcende a percepção sensorial sem contudo apagá-la. Dizer que o *samadhi* transdual é na realidade uma regressão ao narcisismo pré-dual é exatamente o mesmo que dizer que uma floresta é, na realidade, uma regressão a uma glande.

Em síntese, o estado infantil de fusão – o pleroma, a uroboros, o tífon, toda a região do id – é pré-temporal, pré-espacial, pré-verbal e pré-pessoal. A verdadeira união mística, por outro lado, é transtemporal, transespacial, transverbal e transpessoal. Como tanto o pré-x e o trans-x são (cada um à sua maneira) não-x, eles parecem semelhantes à primeira vista, e até aí tudo bem. Mas a segunda vista deve ser suficiente para convencer qualquer pessoa sensata das profundas e reais diferenças envolvidas. O pré e o trans só podem ser seriamente igualados por aqueles cuja investigação intelectual não vai além das impressões superficiais. Mas até esse tipo de mentalidade perder sua atração, a psiquiatria ortodoxa continuará a ver os santos como insanos e os sábios como psicóticos, revelando-se assim como um obstáculo orgulhoso e tenaz ao crescimento e à evolução da humanidade como um todo.

10

A forma do desenvolvimento

Este capítulo — o mais importante do livro — será breve e sucinto, porque eu gostaria que seus principais pontos, em si mesmos simples, ficassem destacados. O que me surpreendeu tanto, quando fiz um exame dos estágios gerais de desenvolvimento, é que embora o conteúdo das diversas fases de desenvolvimento sejam muito diferentes, sua *forma* é essencialmente semelhante. A forma do desenvolvimento, a forma da transformação — é uma constante, até onde posso saber, do útero até Deus.

O que vimos, em todas as grandes etapas de crescimento, é que o processo de desenvolvimento psicológico ocorre de maneira muito sistemática. Em cada estágio, uma estrutura de ordem superior — mais complexa e, *portanto*, mais unificada — *surge* ao se diferenciar do nível anterior, de ordem inferior. Esse surgimento de ordem superior é mediado ou auxiliado por diversos tipos de estruturas simbólicas (vimos algumas das principais: forma urobórica, forma axial, imagem, palavra-e-nome, conceito, imagem-visão, arquétipo-ishtadeva, Deus final e, por fim, o próprio Informe). Ou seja, em cada etapa a ascensão de uma forma simbólica adequada — que surge nessa etapa — transforma os modos particulares de consciência em seu sucessor de ordem superior.

Essa estrutura de ordem superior é introduzida na consciência, e por fim (isso pode ocorrer quase instantaneamente ou estender-se por um período razoavelmente longo) o eu *se identifica* com aquela estrutura emergente. Por exemplo, quando o corpo emerge da fusão pleromática com o mundo material, a consciência passa a ser, pela primeira vez, um eu-corpo: quer dizer, *identificada com o corpo*. O eu deixa de estar *ligado* à fusão pleromática, mas *está* ligado ao corpo. Quando a linguagem surge na consciência, o eu começa a passar de um eu-corpo unicamente biológico para um ego sintático — o eu que acaba identificado com a linguagem e funciona *como* um eu sintático. Nesse momento ele já não está ligado exclusivamente ao corpo, mas *está* ligado ao ego mental. Da mesma forma, na evolução avançada, o Arquétipo-divindade surge, é introduzido na consciência (na esfera sutil) e em seguida o eu se identifica com essa Divindade e atua a partir dessa identificação. O eu deixa de estar exclusivamente ligado ao ego, mas *está* ligado a seu próprio

Arquétipo. A questão é que, quando cada estrutura de ordem superior emerge, o eu acaba se identificando com essa estrutura – e isso é normal, natural e adequado.

À medida que a evolução prossegue, contudo, os diversos níveis sucessivamente se diferenciam *do* eu, que se "descasca", por assim dizer. Ou seja, o eu acaba se *desidentificando* da atual estrutura de modo a *identificar-se* com a próxima estrutura de ordem superior que emerge. Mais exatamente (e este é um ponto técnico muito importante), dizemos que o eu se desliga de sua identificação *exclusiva* com aquela estrutura inferior. Não joga fora aquela estrutura, mas simplesmente deixa de identificar-se exclusivamente com ela. O importante é que, como o eu se diferencia da estrutura inferior, ele a *transcende* (sem apagá-la de nenhum modo) e pode assim *atuar* sobre aquela estrutura inferior, usando os instrumentos da estrutura recém-surgida.

Assim, quando o ego-corpo se diferencia do ambiente material, ele pode atuar sobre o ambiente usando os instrumentos do próprio corpo (por exemplo, os músculos). Quando o ego-mente se diferencia do corpo, ele pode atuar sobre o corpo e o mundo com suas ferramentas (conceitos, sintaxe etc.). Quando o eu sutil se diferencia do ego-mente, ele pode atuar sobre a mente, o corpo e o mundo usando suas estruturas (psi, siddhi), e assim por diante.

Portanto, constatamos que em cada ponto do crescimento psicológico: 1) uma estrutura de ordem superior emerge na consciência (com o auxílio de formas simbólicas); 2) o eu se identifica com aquela estrutura superior; 3) em algum momento, surge a estrutura seguinte de ordem superior; 4) o eu se desidentifica da estrutura inferior e transfere sua identidade essencial para a estrutura superior; 5) a consciência, por conseguinte, transcende a estrutura inferior; 6) e se torna capaz de atuar sobre essa estrutura inferior, a partir do nível de ordem superior; 7) de tal forma que todos os níveis anteriores podem ser integrados na consciência e, por fim, como Consciência. Observamos que cada estrutura sucessiva de ordem superior é mais complexa, mais organizada e mais unificada – e a evolução continua até existir apenas Unidade, final em todos os sentidos, quando a força da evolução se esgota e há uma liberação perfeita de Radiância como todo o Fluxo do Mundo.

Toda vez que alguém se lembra de uma estrutura profunda de ordem superior, a estrutura de ordem inferior permanece como uma subdivisão da primeira. Ou seja, em cada ponto da evolução, o que é o *todo* de um nível se torna apenas *uma parte* do todo de ordem superior do nível seguinte. Vimos, por exemplo, que o corpo, durante as primeiras etapas do crescimento, é o *todo* da percepção do eu – ou seja, o ego-corpo. Quando a mente surge e se desenvolve, contudo, o senso de identidade passa para a mente, e o corpo passa a ser apenas um aspecto, uma parte, do eu total. De forma semelhante, quando o nível sutil emerge, a mente e o corpo – que juntos constituíram todo o sistema do eu – tornam-se apenas aspectos ou partes do novo eu, mais abrangente.

Exatamente da mesma forma, podemos dizer que, em cada ponto da evolução ou da lembrança, um *modo* do eu passa a ser apenas um *componente* do eu de ordem superior (p. ex., o corpo era *o* modo do eu antes de surgir a mente, e depois disso passa a ser apenas um componente do eu). Pode-se formular esse conceito de diversas maneiras, e cada uma delas nos diz algo importante sobre o desenvolvimento, a evolução e a transcendência: 1) o que é *todo* passa a ser uma *parte*; 2) o que é *identificação* passa a ser *desligamento*; 3) o que é *contexto* passa a ser *conteúdo* [ou seja, o contexto da cognição/experiência de um nível se torna apenas o conteúdo da experiência do seguinte]; 4) o que é *base* passa a ser *figura* [o que libera a base de ordem superior]; 5) o que é *subjetivo* passa a ser *objetivo* [até esses dois termos perderem o sentido]; 6) o que é *condição* passa a ser *elemento* [p. ex., a mente, que é uma condição *a priori* da experiência egóica, passa a ser apenas um elemento da experiência nas esferas de ordem superior; como exposto em *The Spectrum of Consciousness,** a pessoa está então olhando para essas estruturas, logo não as está usando como algo com que olhar e, portanto, distorcer o mundo].[410]

Cada um desses pontos é, de fato, uma definição da *transcendência.* No entanto, cada um é também uma definição de uma etapa de *desenvolvimento.* Segue-se que os dois são essencialmente idênticos e a evolução, como já foi dito, é na verdade a "realização do eu por meio da transcendência do eu".

A questão é que o desenvolvimento e a transcendência são duas palavras diferentes para designar exatamente o mesmo processo. Já se pensou muito em "transcendência" como algo bizarro, estranho, oculto ou até psicótico – quando, de fato, ela não tem absolutamente nada de especial. O bebê que aprende a diferenciar seu corpo do ambiente está simplesmente *transcendendo* o mundo pleromático; a criança que aprende a linguagem mental está simplesmente *transcendendo* o mundo E o simples corpo; a pessoa em meditação no corpo sutil está simplesmente transcendendo o mundo E o corpo E a mente. A alma em meditação no corpo causal está transcendendo o mundo E o corpo E a mente E a esfera sutil... A forma de cada crescimento é essencialmente a mesma, e é a forma da transcendência, a forma do desenvolvimento: ela descreve uma curva suave que vai do subconsciente, passando pela consciência do eu, até a superconsciência, lembrando mais e mais, transcendendo mais e mais, integrando mais e mais, unificando mais e mais, até haver apenas aquela Unidade que já existia desde o começo, e que permaneceu como o alfa e o ômega da jornada da alma através do tempo.

* *O Espectro da Consciência*, publicado pela Editora Cultrix, S. Paulo, 1990.

11

Tipos de inconsciente

Nos capítulos anteriores tratamos de descrever alguns dos principais estágios e níveis do crescimento da consciência; nos próximos capítulos expomos algumas das implicações desse modelo. Vamos examinar a dinâmica da evolução – que nada mais é senão o incrível projeto Atman. Vamos examinar a meditação, o inconsciente e a involução (o oposto da evolução), a esquizofrenia e o misticismo. E começamos pelos "tipos" de inconsciente.

Muitas exposições sobre "o inconsciente" partem do pressuposto de que ele existe, como processo ou como conteúdo, desde o início, e passam em seguida a descrever suas camadas, níveis, bases, modos ou conteúdos. No entanto, eu acredito que essa abordagem precisa ser complementada por questões de desenvolvimento ou evolução, de um lado, e por fatores dinâmicos, de outro.

Eis alguns exemplos do problema: a análise transacional fala da programação inconsciente (ou pré-consciente) do roteiro, que contém injunções *verbais*, tais como "sentir culpa" ou "acumular ansiedade".[33] A tarefa do analista do roteiro é descobrir essas injunções, torná-las explícitas e conscientes, para então livrar o cliente de seu poder compulsivo. Para simplificar, vou chamar esse tipo de "inconsciente do roteiro verbal".

Vamos ressaltar agora um ponto muito simples: a criança pré-verbal não pode ter um roteiro verbal inconsciente. Ao contrário, é preciso que a linguagem *apareça* no curso do desenvolvimento para depois receber injunções de roteiro e este terá, então, de mergulhar outra vez abaixo do limiar normal de consciência – e nesse momento, mas não antes, podemos falar de roteiro inconsciente. Da mesma forma, a criança da fase pré-fálica não pode ter uma fixação fálica, o bebê pré-ego não possui estrutura inconsciente de caráter do ego, e assim por diante.

Evidentemente, o que existe "no" inconsciente depende em grande medida de questões de desenvolvimento – *todo* o inconsciente, em todas as suas formas, não é um dado presente desde o início. No entanto, para prosseguir com nossa história, muitos escritores modernos parecem supor que existe um "inconsciente transpessoal" que está presente, mas reprimido, desde o início, enquanto – se se tratar de formas verbais, estrutura de caráter, capacidade mental, raciocínio abstrato e estruturas superiores em geral – ele *ainda não está reprimido* porque não teve a oportunidade de aflorar no curso do desenvolvimento. Ainda não foi banido da consciência porque, para começar, ainda nem fez tentativa alguma de surgir na consciência.

Tendo em mente essa visão desenvolvimentista e dinâmica, em oposição ao ponto de vista estático e imanente, vou descrever agora cinco tipos básicos de processos inconscientes. São *tipos* de processos inconscientes, e não *níveis* do inconsciente (embora estes também serão mencionados). Esse esboço não pretende ser exaustivo nem definitivo, mas apenas indicar aspectos que, no meu entender, a psicologia transpessoal precisa abordar.

Inconsciente base

Atribuo ao termo "base" aqui empregado uma acepção essencialmente neutra, que não deve ser confundida com "Base do Ser", "Base Aberta" ou "Base Primordial". Apesar de ser, de certa forma, um termo muito abrangente, é essencialmente um conceito de desenvolvimento. O feto "possui" o inconsciente base que é, em essência, *todas as estruturas profundas que existem como potenciais prontos a aflorar, por meio da recordação, em algum momento futuro.* Todas as estruturas profundas dadas à humanidade em conjunto – referentes a todos os níveis de consciência, do corpo à mente, alma, espírito, bruto, sutil e causal – estão dobradas ou enroladas no inconsciente base. Todas essas estruturas são inconscientes, mas *não* estão reprimidas, porque ainda não entraram na consciência (nesta vida; podemos falar de repressão desses estados superiores na psicologia involutiva ou anterior ao nascimento – a esse respeito, ver o último capítulo). O desenvolvimento, ou evolução, consiste numa série de transformações hierárquicas, ou no *desdobramento* das estruturas profundas presentes no inconsciente base, começando pela mais baixa (pleroma e corpo) e terminando com a mais elevada (Deus e Vazio). Quando e se *todo* o inconsciente base emerge, existe *apenas* consciência: tudo é consciência *como* o Todo. Aristóteles poderia ter dito: quando toda a potência é realizada, o resultado é Deus.

Observe-se que o inconsciente base é em grande parte (mas não creio que se possa dizer na totalidade) desprovido de estruturas superficiais, pois estas são essencialmente *aprendidas* durante o desdobramento (recordação) das estruturas profundas. Isso é semelhante – mas apenas semelhante – à idéia de Jung dos arquétipos como "formas desprovidas de conteúdo". Como disse Jung, um arquétipo (estrutura profunda) "só tem um conteúdo (estrutura superficial) determinado quando se torna consciente sendo, portanto, preenchido com o material da experiência consciente".[213] Todo mundo "herda" as mesmas estruturas profundas básicas e todo mundo aprende estruturas superficiais individuais, que podem ser muito semelhantes ou muito diferentes das de outras pessoas (dentro, é claro, das limitações das próprias estruturas profundas).

Finalmente, observemos que quanto mais perto de emergir está uma estrutura profunda, mais intenso é o efeito dela sobre a consciência que já emergiu. Esse é um fato de suma importância.

Pois bem, os quatro tipos de inconsciente mencionados a seguir podem ser definidos *com relação* ao inconsciente base. Isso nos dá um conceito de processos inconscientes ao mesmo tempo estrutural e dinâmico, que abrange as camadas e o desenvolvimento.

Inconsciente arcaico

Os primeiros esforços pioneiros de Freud na psicanálise levaram-no a postular dois sistemas psíquicos basicamente distintos: o sistema inconsciente, como ele dizia, e o sistema consciente. Freud acreditava que o inconsciente era *gerado* pela repressão: determinados impulsos, aos quais o sistema consciente oferecia forte resistência, eram vigorosamente expulsos da consciência. "O inconsciente" e "o material reprimido" eram basicamente uma só e a mesma coisa.[39]

Com o tempo, porém, Freud começou a falar não tanto do sistema consciente e do sistema inconsciente, mas sim do ego e do id, sem que houvesse uma sobreposição muito clara entre essas duas formulações.[140] Ou seja, o ego *não* era a mesma coisa que o sistema consciente, e o id *não* era a mesma coisa que o sistema inconsciente. Em primeiro lugar, partes do ego (o superego, as defesas e a estrutura do caráter) eram *inconscientes*; e partes do id eram inconscientes *mas* não *reprimidas*. Nas palavras de Freud: "Admitimos que o inconsciente não coincide com o material reprimido; é verdade que tudo que é reprimido está no inconsciente, mas nem tudo que é inconsciente é reprimido."[140]

Nem tudo que é inconsciente é reprimido porque, como Freud percebeu, parte do inconsciente simplesmente é inconsciente desde o início – não é primeiro uma experiência pessoal subseqüentemente reprimida, mas algo que, por assim dizer, *começa* no inconsciente. A certa altura Freud achava que os símbolos dos sonhos e fantasias poderiam ser rastreados até experiências da vida real, porém depois percebeu que muitos símbolos presentes nos sonhos e fantasias não poderiam ter origem na experiência pessoal "De onde vem a necessidade dessas fantasias e o material presente nelas?", pergunta ele. "Não pode haver dúvida sobre as origens instintivas; mas como explicar que as mesmas fantasias se formem sempre com o mesmo conteúdo? Tenho uma resposta para isso que sei que parecerá muito ousada. Acredito que essas *fantasias primordiais*... sejam um bem filogenético. Nelas, o indivíduo... se distende... até alcançar as experiências de eras passadas."[144] Essa "herança arcaica" ou filogenética abarcava, além dos instintos, "repetições abreviadas da evolução por que passou toda a raça humana através de extensos períodos desde as eras pré-históricas". Apesar de divergir profundamente de Jung acerca da natureza dessa herança arcaica, Freud afirmou estar "de pleno acordo com Jung no tocante à existência dessa herança filogenética".[145]

Para Jung, naturalmente, a "herança filogenética" consistia nos instintos e nas formas ou imagens mentais associadas aos instintos, que ele acabou denominando "arquétipos". Para Jung, o instinto e o arquétipo tinham estreita relação – eram quase a mesma coisa. Frey-Rohn explica: "A ligação entre instinto e imagem arquetípica parecia tão estreita [a Jung] que ele chegou à conclusão de que os dois estavam acoplados... Ele via a imagem primordial [o arquétipo] como o *auto-retrato do instinto* – em outras palavras, a *percepção de si mesmo do instinto.*"[145] Quanto às imagens arcaicas:

> O homem herda essas imagens de seu passado ancestral, um passado que abrange todos os seus ancestrais humanos e também os ancestrais pré-humanos ou animais. Essas imagens raciais não são herdadas no sentido de que a pessoa conscientemente se lembre ou tenha as imagens que seus ancestrais tinham. Em vez disso, são predisposições ou potencialidades de sentir o mundo e responder a ele da mesma maneira que seus ancestrais fizeram [ou seja, elas são estruturas profundas arcaicas].[175]

Assim é o inconsciente arcaico, a estrutura mais primitiva e menos desenvolvida do inconsciente base, associada ao pleroma, à uroboros e ao tífon. Essas estruturas são inicialmente inconscientes mas não reprimidas, e algumas tendem a continuar inconscientes, sem jamais desdobrar-se claramente na consciência, exceto como estruturas profundas rudimentares com pouco ou nenhum conteúdo superficial. Não há como falar em consciência auto-refletora com relação a essas estruturas, de modo que elas sempre conservam um forte viés de inconsciência, *com* ou *sem* repressão (e esse é um ponto importante). A "qualidade dominante do id", disse Freud, "é a de ser inconsciente",[143] e esta é a *natureza* do id, não algo *criado* pela repressão.

Não comungo, aliás, do entusiasmo de Jung pelas imagens arcaicas; não equiparo os arquétipos, que são estruturas altamente avançadas encontradas no sutil superior e no causal inferior, com as imagens arcaicas, que são (como disse o próprio Jung) contrapartes instintivas ou tifônicas. Concordo com quase tudo que Jung disse sobre as imagens arcaicas *enquanto* imagens arcaicas, porém não estabeleço uma igualdade entre elas e os arquétipos *per se.* Os arquétipos são padrões exemplares de manifestação, e não imagens antigas.

De qualquer forma, de acordo com Freud e Jung, podemos dizer que, em geral, o lado somático do inconsciente arcaico é o id (instintivo, límbico, tifônico, prânico); o lado psíquico é a herança da fantasia filogenética. No todo, o inconsciente arcaico não é um produto da experiência pessoal; é inicialmente inconsciente porém não reprimido; contém as estruturas mais antigas e primitivas que se desenvolvem a partir do inconsciente base e, mesmo quando desenvolvidas, tendem à inconsciência. São pré-verbais, e a maioria é subumana.

O próprio Freud acabou por perceber que era importante estabelecer uma diferença entre o inconsciente pessoal (do qual trataremos na próxima parte) e o inconsciente arcaico. Ao analisar os sintomas de um cliente, seus sonhos e fantasias, é importante distinguir os que são produto da experiência passada real ou da fantasia pessoal, e aqueles que jamais foram vividos pessoalmente nesta vida, mas que entram na consciência por meio da herança arcaica impessoal. Em minha opinião, o enfoque analítico é a melhor forma de tratar o primeiro caso e o enfoque mitológico é a melhor forma de tratar o segundo.

Inconsciente imergente

Depois que uma estrutura profunda emerge do inconsciente base e adquire algum tipo de estrutura superficial, ela pode, por diversos motivos, ser devolvida ao estado de inconsciência. Ou seja, uma estrutura profunda pode emergir e depois imergir, e designamos essas estruturas em conjunto o inconsciente imergente. O inconsciente imergente é aquilo que um dia foi consciente, durante a vida da pessoa, mas agora está afastado da consciência.

Ora, o inconsciente imergente pode incluir, em princípio, todas as estruturas que emergiram, sejam elas coletivas, pessoais, arcaicas, sutis etc. Ele pode conter elementos coletivos que emergiram de modo claro e inequívoco e foram reprimidos, ou pode conter elementos pessoais moldados na vida presente e depois reprimidos, ou pode conter ainda uma mescla de ambos. Jung escreveu muito sobre esse tema e não há necessidade de repetir aqui suas palavras.[214] Mas devemos observar que até Freud estava ciente da diferença entre o id inconsciente arcaico e o id inconsciente imergente, mesmo que às vezes fosse difícil distingui-los perfeitamente. "No decorrer desse lento desenvolvimento, alguns conteúdos do id são... levados para o ego; outros permanecem inalterados no id, como seu núcleo raramente acessível. Durante esse desenvolvimento, contudo, o jovem e frágil ego devolve ao estado inconsciente parte do material que já havia recebido, descartando-o e comportando-se do mesmo modo em relação a algumas novas impressões recebidas, de modo que esse material, tendo sido rejeitado, só pode deixar vestígios no id. Levando em conta sua origem, falamos dessa última parte do id como a *parte reprimida* [em contraposição à primeira parte, que é inconsciente desde o início: o inconsciente arcaico]."[143] Esta é a diferença, ou melhor, uma das diferenças entre o inconsciente arcaico original e o inconsciente imergente ou reprimido. Mas, como diz Freud, "Não importa muito que nem sempre possamos traçar uma linha divisória nítida entre essas duas categorias de conteúdos do id. Elas coincidem aproximadamente com a distinção entre o que está intrinsecamente presente desde a origem [o inconsciente arcaico] e o que foi adquirido no decorrer do desenvolvimento do ego [o inconsciente imergente]".[143] Observe-se que Freud chega a essas conclusões apoiado no raciocínio desenvolvimentista: "levando em conta *sua origem*..."

O inconsciente imergente *torna-se* inconsciente por diversos motivos, situados em um *continuum de inatenção.* Esse *continuum* vai do simples esquecimento, passando pelo esquecimento seletivo, até o esquecimento forçado/dinâmico (sendo somente este a repressão propriamente dita). Sobre o inconsciente imergente *pessoal*, Jung afirma:

> O inconsciente pessoal... inclui todos os conteúdos psíquicos que foram esquecidos no decorrer da vida da pessoa. Vestígios deles ficam preservados no inconsciente, mesmo que nada reste da memória consciente. Além disso, ele contém todas as impressões ou percepções subliminares cuja energia é demasiado fraca para atingir a consciência. A isso precisamos acrescentar combinações inconscientes de idéias que ainda são frágeis e indistintas demais para atravessar o limiar. Finalmente, o inconsciente pessoal abriga todos os conteúdos psíquicos que são incompatíveis com a atitude consciente.[208]

O simples esquecimento e a falta de resposta de limiar constituem o *inconsciente imergente subliminar.* O esquecimento dinâmico ou forçado, no entanto, é a repressão propriamente dita, a grande descoberta de Freud. O *inconsciente imergente reprimido* é o aspecto do inconsciente base que, depois de emergir e adquirir estruturas superficiais, é vigorosamente reprimido ou devolvido à inconsciência, devido a uma incompatibilidade com as estruturas conscientes (do que trataremos mais adiante).

O aspecto pessoal do inconsciente imergente reprimido é a *sombra.* Uma vez tornada inconsciente, a sombra pode sofrer forte influência do inconsciente arcaico (obedecendo às leis do processo primário e ao princípio do prazer, que dominam as esferas tifônicas), embora esta seja, sem dúvida, uma questão relativa. Concordo com Jung, por exemplo, no sentido de que a sombra *pode* ser verbal e altamente estruturada (de estrutura e conteúdo semelhantes ao ego/*persona*).[210] Na verdade, parece haver um *continuum* de estrutura, que vai dos componentes verbais altamente estruturados do inconsciente e desce até o caos primordial da *materia prima* não estruturada, a base pleromática do inconsciente arcaico (um argumento sustentado também por Matte Blanco, e um dos pontos de sua exposição com o qual estou francamente de acordo).[39] Desnecessário dizer que uma das principais razões para reprimir a sombra é que ela se torna um veículo do inconsciente arcaico: sua carga de impulsos instintivos é sentida como incompatível com o ego.

Inconsciente incorporado

Chegamos agora ao aspecto do inconsciente que mais intrigou Freud, sendo não obstante uma de suas maiores descobertas. Lembramos que Freud abandonou o modelo consciente-inconsciente em favor do modelo ego-id porque "admitimos que o inconsciente não coincide com o reprimido; é verdade que tudo que é reprimido é inconsciente, mas nem tudo que é inconsciente é reprimido". Além do inconsciente arcaico, que era inconsciente mas não reprimido, Freud constatou que "é certo que grande parte do ego é, ela mesma, inconsciente".[139] Ao mesmo tempo, ele começou a situar a *origem* da repressão no ego, porque "podemos dizer que a resistência do paciente nasce em seu ego...".[139]

A questão era a seguinte: a repressão *se origina* em alguma parte do ego; é algum aspecto do ego que reprime a sombra-id. Mas Freud descobriu então que parte do próprio ego era inconsciente, *sem ser, contudo, reprimida.* Bastou que ele juntasse 2 e 2 para concluir que a parte *não reprimida* do ego era a parte *repressora.* A essa parte ele denominou o superego: inconsciente, não reprimido, porém repressor. "Podemos dizer que a função desse superego é a repressão, executada por ele mesmo ou pelo ego, obedecendo a suas ordens... partes de ambos, do ego e do superego, são inconscientes."[142] Mas *não* reprimidas.

Antes de tentarmos entender essa estrutura não reprimida porém repressora, preciso recapitular sucintamente minha teoria geral da repressão, baseada nos trabalhos de Piaget,[297] Freud,[120] Sullivan,[359] Jung[214] e Loevinger.[243] Em síntese, é o seguinte: o processo de *tradução,* por sua própria natureza, tende a filtrar todas as percepções e experiências não conformes com os princípios limitadores básicos da própria tradução. Isso é normal, necessário e saudável e constitui a base dos "mecanismos de defesa necessários e normais" – é o processo que impede que o sistema do eu seja subjugado pelo ambiente, interno ou externo. É a "inatenção" normal – ao contrário da enorme quantidade de teorias que sustentam que a "filtragem" corrompe a realidade – absolutamente essencial para a obtenção do equilíbrio.

No entanto, se surgirem amarras no processo de tradução de qualquer nível, a pessoa traduz mal seu eu e seu mundo (o que significa que ela distorce ou apaga, desloca ou condensa aspectos da estrutura profunda que poderiam existir corretamente como estruturas superficiais). Isso pode ocorrer de muitas maneiras e por muitos motivos – e pode ser expresso em termos de "limiares de energia" ou "distorção de informações". O ponto essencial é que a inatenção passa a ser seletiva, ou a restrição da consciência passa a ser vigorosa. A pessoa já não se limita a traduzir seu eu e seu mundo (via "inatenção normal"), mas omite ou corta da tradução todos os aspectos do eu e do mundo que sejam ameaçadores (via inatenção *seletiva*). Essa má tradução resulta tanto num *sintoma* como num *símbolo*, e a tarefa do terapeuta (em nossa opinião) é ajudar a pessoa a retraduzir ("a interpretação") seus sintomas simbólicos para as formas originais, sugerindo "significados" para os símbolos-sintomas. ("Seus sentimentos de ansiedade são *na realidade* sentimentos de raiva mascarada.") A repressão é apenas uma forma de má tradução, porém uma má tradução que não é somente um erro, mas sim uma revisão *intencional* (mesmo que inconsciente), uma repressão dinâmica com interesses em jogo. A pessoa não esquece simplesmente: ela não quer lembrar.

Vimos que em cada nível de desenvolvimento a percepção do eu *identifica-se* com as estruturas recém-surgidas daquele nível. Quando o corpo emerge do pleroma, o eu se identifica com ele; quando surge a mente verbal, o eu se identifica com ela, e assim por diante. Ademais, faz parte da natureza da identificação exclusiva a impossibilidade de perceber essa identificação sem *romper* com ela. Em outras palavras, toda identificação exclusiva é inconsciente, por definição e de fato. No momento em que a criança percebe que *tem* um corpo, deixa de ser *apenas* o corpo: tem ciência dele, transcende-o, olha-o com a mente e, portanto, ela não pode ser mais *apenas* um corpo. Da mesma forma, no momento em que o adulto percebe que tem uma mente, deixa de ser apenas uma mente – na verdade, começa a percebê-la a partir de regiões sutis além da mente. Antes desses pontos, o eu estava mais ou menos exclusivamente identificado com essas estruturas e, portanto, *não podia perceber esse fato.* O eu não podia ver essas estruturas porque o eu *era* essas estruturas.

Em outras palavras, em cada nível do desenvolvimento é impossível ver totalmente a si mesmo. Nenhuma estrutura observadora pode observar a si mesma no ato da observação. As estruturas daquele nível são utilizadas como algo com que perceber e traduzir o mundo – mas não se pode perceber e traduzir as *próprias* estruturas, não totalmente. Isso só pode ocorrer a partir de um nível superior. A questão é que cada processo de tradução vê, mas não é visto: traduz, mas não é traduzido; e *pode reprimir, mas não é, ele mesmo, reprimido.*

O superego freudiano, com as defesas e a estrutura de caráter, são os aspectos do nível do ego com os quais o eu está inconscientemente *identificado,* a tal ponto que eles não podem ser *objetivamente* percebidos (como podem os demais aspectos do ego). Eles traduzem sem ser traduzidos – são repressores mas não reprimidos. Isso se encaixa muito bem com as idéias de Freud sobre o assunto, pois ele achava que 1) o superego é criado por uma *identificação* ("as identificações substituem as escolhas de objetos") e 2) uma das metas da terapia é tornar o superego consciente – vê-lo como um objeto e, assim, deixar de usá-lo como algo por meio do qual ver e traduzir (mal) o mundo.[46] Este é simplesmente um exemplo do processo geral de evolução que descrevemos anteriormente, no qual – uma vez que tenha havido a identificação com uma estrutura recém-surgida, o que é necessário e desejável – a pessoa se liberta daquela estrutura, desidentificando-se dela, para mais tarde integrá-la numa unidade de ordem superior. Quero mencionar de passagem que, de acordo com Freud, o superego freqüentemente é rigoroso e "masoquista" por estar contaminado pelo inconsciente arcaico.[141]

De toda forma, o superego é apenas um exemplo do que denominamos inconsciente incorporado: por estar incorporado *como* o eu, o eu não consegue vê-lo totalmente ou distintamente. Ele é inconsciente, mas *não* reprimido. É o aspecto do inconsciente base que, ao emergir, emerge *como* sistema do eu e, assim, permanece essencialmente inconsciente, possuindo o poder de enviar outros elementos para o inconsciente reprimido. Também aqui ele não é reprimido e sim repressor. Isso pode ocorrer em qualquer nível da consciência, embora as peculiaridades, é claro, variem consideravelmente, pois os instrumentos de resistência são apenas as estruturas de um dado nível, e cada nível tem estruturas muito diferentes (por exemplo, quando o ego-corpo *era* o inconsciente incorporado, ele não usava a repressão, e sim a introjeção e a projeção como modos de má tradução, porque a introjeção e a projeção fazem parte do processo primário que domina as esferas do tífon e do corpo).[225] No entanto, todo esse processo assume suas formas mais violentas, patológicas e características no nível do ego mental e das esferas do sutil inferior. Os níveis abaixo desses não são, na verdade, suficientemente fortes para sustentar uma repressão feroz (o id arcaico é originalmente não reprimido e não repressor); os níveis acima desses tornam-se tão transcendentes e integrados que a repressão — como normalmente a concebemos — começa a desaparecer gradualmente. As esferas superiores possuem, isso sim, formas próprias de resistência, mas este é um tema a ser estudado separadamente.

Inconsciente emergente

Vamos agora analisar alguém que tenha evoluído do pleroma para o eu-corpo e o ego-mente. Permanecem ainda no inconsciente base as estruturas profundas das esferas sutil e causal. Essas estruturas ainda não emergiram; via de regra, elas não podem aflorar à consciência enquanto as estruturas inferiores não o tiverem feito. Como as estruturas superiores abrangem as inferiores, as superiores são as últimas a se desdobrar. De qualquer forma, sem dúvida é ridículo falar em compreender o transpessoal enquanto o pessoal não se formou. As esferas transpessoais (sutil e causal) ainda não estão reprimidas — ainda não foram filtradas, peneiradas da consciência —, elas simplesmente ainda não tiveram oportunidade de emergir. Não dizemos que uma criança de 2 anos de idade está resistindo a aprender geometria, porque a mente dela ainda não se desenvolveu a ponto de aprender nem mesmo a matemática. Assim como não acusamos a criança de reprimir a matemática, não a acusamos de reprimir o transpessoal... ou melhor, ainda não.

Em qualquer ponto do ciclo de desenvolvimento, essas estruturas profundas que ainda não se desligaram do inconsciente base são designadas o inconsciente emergente. Para alguém que esteja no nível do ego (ou do centauro), o sutil inferior, o sutil superior, o causal inferior e o causal superior são o inconsciente emergente. São estruturas inconscientes *mas não reprimidas.*

Observe-se que o inconsciente emergente sutil/causal tem várias características em comum com o inconsciente arcaico, a saber: ambos nunca (ou ainda não) foram conscientes na vida atual da pessoa, e portanto não são reprimidos, mas encontram-se no inconsciente desde o início. A diferença, além do importante fato de que um é inferior e primitivo e o outro é superior e transcendente, é que o inconsciente arcaico é o passado da humanidade; o inconsciente emergente é o futuro da humanidade. Mas o inconsciente futuro é determinado apenas no que diz respeito às estruturas profundas, pois as superficiais ainda não foram fixadas. O inconsciente passado, por outro lado, contém estruturas profundas e também estruturas superficiais (como a sombra), porque ambas já emergiram e foram determinadas pela consciência.

Suponhamos, agora, que o desenvolvimento não se detenha na esfera do ego-centauro – o que normalmente é o caso nesse ponto da história – e a vontade sutil comece a emergir por conta própria do inconsciente base. Não é possível estabelecer cronogramas para essas esferas e etapas superiores, porque a humanidade coletivamente só evoluiu até o nível do ego, e portanto só foi determinado o surgimento dos níveis que conduzem até esse ponto. Em geral, no entanto, o sutil *pode* começar a surgir após a adolescência, mas raramente antes disso. Por diversos motivos, pode haver resistência ao surgimento do sutil e até, de certo modo, repressão. O ego é suficientemente forte para reprimir não apenas as esferas inferiores, mas também as superiores – ele é capaz de isolar hermeticamente tanto o superconsciente como o subconsciente.

A parte do inconsciente base que é objeto de repressão ou resistência designamos, como seria de esperar, inconsciente reprimido emergente. É a parte do inconsciente base que – *excluindo-se o caso de parada do desenvolvimento* – permanece inconsciente *depois* do ponto no qual ela poderia muito bem tornar-se consciente. Justifica-se, assim, a busca das razões desse não surgimento, e vamos encontrá-las em toda uma série de defesas reais, contra a transcendência. Elas incluem a racionalização ("a transcendência é impossível ou patológica"), o isolamento ou a evitação do relacionamento ("o limite da minha consciência é minha pele"), o pavor da morte ("tenho medo de morrer para o meu ego, o que me restaria?"), a dessacralização (termo de Maslow para recusar-se a ver valores transcendentes onde quer que seja), a substituição (uma estrutura inferior substitui a estrutura superior intuída, com a desculpa de que a inferior *é* superior), a contração (em formas de conhecimento ou experiência inferior). Qualquer uma dessas desculpas, ou todas elas, passam a fazer parte dos processos de tradução do ego, de tal forma que o ego continua meramente a traduzir quando devia, de fato, começar a transformar.

Como a psicanálise e a psicologia ortodoxa jamais entenderam de fato a natureza do inconsciente emergente em suas formas superiores, assim que o sutil ou o causal começam a aflorar à consciência – talvez como experiência de pico ou como luz sutil e sensação de bem-aventurança – elas vão até o limite de suas possibilidades para explicar o fenômeno como o irrompimento de algum material arcaico ou de algum impulso reprimido. Como elas não conhecem o inconsciente emergente, procuram explicá-lo em termos de inconsciente *imergente*. Acreditam que o sutil, por exemplo, não é uma estrutura superior emergente, mas uma inferior reemergente; não o transpessoal que desce, mas o pré-temporal que sobe. E assim fazem o samadhi remontar à união do bebê com o seio; reduzem a unidade transpessoal à fusão pré-pessoal no pleroma; reduzem Deus a um mamilo e todos se parabenizam por ter desvendado o Mistério. Todo esse edifício está começando a ruir, abatido por seu próprio peso, em função do número ridículo de coisas que a psicanálise é obrigada a atribuir aos primeiros quatro meses de vida do bebê para poder explicar tudo o que aflora posteriormente.

De qualquer forma, tendo entendido esses seis tipos de inconsciente (inconsciente base, inconsciente arcaico, inconsciente imergente, inconsciente incorporado, inconsciente emergente e inconsciente emergente reprimido), bem como a tradução/transformação e as etapas de desenvolvimento apresentadas na primeira parte deste livro, podemos agora passar para um breve estudo da meditação e do inconsciente.

12

Meditação e inconsciente

A maioria das exposições sobre a meditação e o inconsciente apresenta uma falha, que é não levar em conta o ponto de vista do desenvolvimento ou evolução. Elas tendem a partir da premissa de que o inconsciente é *apenas* o inconsciente imergente (subliminar, filtrado, peneirado, reprimido ou automatizado), e por conseguinte encaram a meditação como um meio de *inverter* um deplorável estado de coisas criado nesta vida: um meio de entrar à força no inconsciente. A meditação é concebida como um meio de banir a repressão, deter a filtragem, desautomatizar a automação ou desfocalizar a focalização. Acredito que essas questões, conquanto significativas, constituem os aspectos mais secundários de todos os tipos de meditação.

A meditação é, isso sim, um caminho constante de transcendência. E desde que, como vimos, transcendência e desenvolvimento são sinônimos, segue-se que a meditação é simplesmente crescimento ou *desenvolvimento constante.* Não é basicamente um meio de inverter um estado de coisas, e sim de fazê-lo avançar. É o desdobramento natural e ordenado de unidades de ordem sucessivamente superior, até existir apenas a Unidade, até toda a potência ser ato, até todo o inconsciente base se abrir como Consciência. É o que uma pessoa, no atual estágio da evolução humana, precisa fazer para superar esse estágio e avançar em direção ao único Deus que é a meta de toda a criação.

A meditação, assim, se realiza do mesmo modo que todos os outros crescimentos/afloramentos: uma tradução perde o ímpeto e deixa de dominar a consciência com exclusividade, e ocorre a transformação em uma tradução de ordem superior (uma estrutura profunda de ordem superior é lembrada e passa a embasar e criar novas estruturas superficiais). Existe diferenciação, desidentificação, transcendência e integração. A meditação *é* evolução, *é* transformação – não tem nada de verdadeiramente especial. Para o ego, ela parece ser muito misteriosa e retorcida, pois é um desenvolvimento que ultrapassa o ego. A meditação é para o ego o que este é para o tífon: mais avançada do ponto de vista do desenvolvimento. Mas o mesmo processo de *crescimento* e afloramento percorre toda a seqüência – o modo como passamos do tífon para o ego é o mesmo modo como passamos do ego para Deus. Crescemos, não voltamos atrás.

O primeiro ponto que quero abordar é que a maioria das exposições sobre a meditação supõe que as esferas transpessoais – sutil e causal – são partes do inconsciente imergente ou inconsciente imergente reprimido, e que meditar significa eliminar a repressão. Minha proposta é que as esferas transpessoais são, na realidade, parte do inconsciente emergente, e que a meditação apenas agiliza o afloramento.

No entanto, quando alguém – uma jovem, por exemplo – passa a meditar, começam a acontecer fenômenos dos mais variados, dos quais alguns só têm relação acidental ou remota com o verdadeiro processo de crescimento e transcendência, e isso complica muito o quadro geral da meditação. Com esse problema em mente, gostaria de discutir primeiramente a natureza da postura de meditação e, em seguida, seu curso geral e completo.

Para começar, observamos que toda transformação de desenvolvimento exige o abandono da tradução atual (ou melhor, da exclusividade dessa tradução). No caso da pessoa comum que já evoluiu do pleroma para o tífon e para o ego, a transformação para entrar nas esferas sutil ou causal requer que a tradução do ego seja desativada e abandonada (mas não destruída). Essas traduções do ego normalmente se compõem de pensamentos e conceitos verbais (e reações emocionais a esses pensamentos).[378] Portanto a meditação consiste, *no início*, em um meio de *interromper a tradução conceitual* a fim de abrir caminho para a transformação no nível sutil.[59, 333, 345, 374]

Em síntese, isso significa *frustrar* a tradução atual e incentivar a nova transformação. Como foi explicado em *No Boundary*,[426] a frustração/incentivo é mediada por *condições especiais* – tais como preceitos morais, controle de dieta, votos, ambiente de prece, cânticos e meditação.

A essência das condições especiais é uma atividade que incorpora qualquer uma das principais características da esfera superior desejada. Ou seja, ensina-se a pessoa a começar a traduzir sua realidade de acordo com uma das principais características da esfera superior visada. Ela vai usar *símbolos* e não signos, e assim ficar preparada para a *transformação* no lugar da simples tradução. Por exemplo, o yidam (ou ishtadeva): mostra-se à pessoa um símbolo da divindade yidam, um símbolo que, exatamente por ser símbolo, não corresponde a nada de sua realidade atual. A pessoa forma ou traduz esse símbolo em sua própria consciência, até o yidam-sutil efetivamente *emergir* do inconsciente base e ficar totalmente consciente. A pessoa *identifica-se* (como explicamos em relação a *todo* desenvolvimento) com essa estrutura superior, que interrompe a tradução inferior como ego e a eleva a uma estrutura superior. Em seguida, ela *vê* (traduz) a realidade a partir do ponto de vista superior da Divindade: o sutil superior aflorou nesse caso porque ela o evocou, do inconsciente base, como um processo de crescimento e transcendência.

O Mestre (guru, roshi etc.) continua a frustrar as velhas traduções, a minar as velhas resistências e a incentivar a nova transformação, pondo em prática as condições especiais. Isso se aplica a *todas* as formas de meditação – de concentração ou recepção, de mantra ou silêncio. Na meditação de concentração, a condição especial tem uma forma definida; na meditação receptiva, ela é "informe" – no entanto ambas são condições especiais, e a pessoa que perde a percepção informe ou desfocada é castigada com tanto rigor quanto aquela que perde o koan.

Em princípio, isso não difere em nada do pedido feito a uma criança para dizer em palavras algo que ela preferiria traduzir em atos, à maneira do tífon. Estamos pedindo que o ego dê mais um passo à frente e coloque em formas sutis aquilo que ele preferiria pensar conceitualmente. O crescimento ocorre mediante a adoção das traduções superiores, até a pessoa ser de fato capaz de transformar-se atingindo aquela esfera superior. Como algumas das principais características das esferas superiores são a intemporalidade transtemporal,[111] o amor,[215] a não evitação ou o desligamento,[59] a aceitação total[71] e a unidade sujeito-objeto,[365] essas são na maioria dos casos as condições especiais da meditação ("permanecer sempre no Agora;[345] reconhecer o que se evita;[60] ser apenas amor em todas as situações; [268] identificar-se com a meditação e com o mundo;[220] aceitar tudo, pois tudo é Buda"[43] etc.) Nossos pais nos ajudam a passar do primeiro para o quinto andar impondo-nos condições especiais de linguagem e autocontrole do ego. Da mesma forma, o Mestre nos ajuda a passar do quinto para o décimo andar impondo-nos, pela prática, as condições especiais do décimo.

No fundo, não importa se as condições especiais utilizam o modo de meditação de concentração-absorção ou de recepção-desfocamento. O primeiro destrói a tradução inferior do ego interrompendo-a; o segundo faz a mesma coisa por meio da observação. Ambos têm em comum o que é essencial e eficaz para os dois: só se pode obstruir uma tradução pela concentração, ou observar uma tradução por meio do desfocamento a partir do próximo nível superior. Os dois modos atingem o mesmo objetivo, ou seja, romper uma tradução de ordem inferior. Ambos também são processos intensamente *ativos*. Mesmo a "receptividade passiva" é, como disse Benoit, uma atividade em plano superior.[27] (Isso não significa, porém, que o modo de recepção-desfocamento e o modo de concentração-absorção sejam idênticos, ou que gerem os mesmos resultados secundários. Isso ficará claro quando descrevermos o curso de uma meditação típica.)

Antes de discutir o que aflora na meditação, no entanto, é importante entender que nem todas as escolas de meditação visam à mesma esfera geral sutil de consciência. Ao contrário, como já indicamos nos capítulos anteriores, as esferas transpessoal e superconsciente na verdade se dividem em vários níveis (sutil inferior e superior, causal inferior e superior etc.). Muito poucas religiões estão cientes de todas essas distinções, e por isso muitas delas, até certo ponto, se "especializaram" em algum nível. Portanto, as práticas de meditação se dividem em geral em três grandes classes (cf. Bubba Free John).[59]

A primeira é a classe Nirmanakaya, que trata das energias corporais ou tifônicas e sua transmutação na região do sutil inferior, culminando no sahasrara.

Ela inclui hatha yoga, kundalini yoga, kriya yoga, pranayama e em especial todas as formas de yoga tântrica. A meta da classe Nirmanakaya, como disse, é o sahasrara, o chakra da coroa, e é exemplificada por Patanjali.[270, 329, 370]

A segunda classe é a Sambhogakaya, que trata das regiões do sutil superior e tem por meta as sete (ou dez) esferas interiores de contentamento e percepção audível ocultas no sahasrara e além dele. Inclui a yoga Nada e a yoga Shabd e é exemplificada por Kirpal Singh.[348, 349, 350]

A terceira classe é a Dharmakaya, que trata das esferas causais. Ela não opera por manipulação de energia tântrica nem absorção sutil de luz e som, mas sim pela investigação do campo causal da própria consciência, investigação da percepção e da consciência de separação, passando mesmo pelo Observador Transcendente da região causal, até serem erradicadas todas as formas de dualismo sujeito-objeto. Essa classe é exemplificada por Sri Ramana Maharshi,[308] Da Free John,[60] zen-budismo[364] e hinduísmo vedanta,[94] entre outros. No ponto final de cada caminho, *é possível* cair no Estado anterior a todas as esferas, o Svabhavikakaya, embora isso seja tanto mais fácil e mais provável quanto mais elevado for o caminho inicialmente trilhado.

Vamos supor agora que um jovem inicie a prática do zen, na forma de concentração-koan ou de recepção-shikan-taza. Ambas são práticas Dharmakaya, se corretamente empregadas, e portanto é de esperar o aparecimento de todos os tipos de manifestações do nível inferior nas etapas intermediárias.

A princípio, a prática da meditação começa a romper a atual tradução do ego, interrompendo-a (koan) ou observando-a (shikan). Washburn fez um belo relato de algumas das particularidades desse processo (sua "redução do limiar de intensidade" e "imobilização das operações psíquicas" são duas maneiras de descrever a desativação das traduções de um nível, condição preliminar da eliminação da repressão do nível inferior e da transformação para cima).[388] À medida que a atual tradução do ego começa a se enfraquecer, a pessoa é exposta primeiramente ao inconsciente subliminar imergente (o inconsciente imergente não reprimido em geral) que inclui, entre outras coisas, os "inúmeros aspectos não notados das experiências, que passavam despercebidos por hábito, condicionamento ou exigências da situação".[388] Memórias acidentais de todo tipo vêm à tona: memórias filtradas, memórias insignificantes, memórias que não são reprimidas, mas apenas esquecidas ou pré-conscientes. Pode-se passar meses nesse "cinema" observando o inconsciente imergente subliminar reemergir na consciência e dançar diante do olho interior.

À medida que a meditação avança, contudo, os aspectos mais resistentes da tradução do ego são lentamente minados e sua exclusividade é destruída. Ou seja, o inconsciente incorporado é libertado da identificação inconsciente com o eu, e assim tende a emergir como um objeto real de percepção ou, pelo menos, perde o controle que tinha sobre a percepção. Washburn afirma que a imobilização psíquica (a interrupção da tradução do ego) "traz à consciência as operações psíquicas, ao interferir no seu funcionamento normal", de modo que "pode-se começar a olhar *para* elas, em vez de simplesmente olhar *através* delas, como acontecia até esse momento".[388] Creio que este é um bom argumento, mas gostaria de acrescentar que ele se aplica basicamente ao inconsciente incorporado; por exemplo, não trazemos o inconsciente causal emergente à percepção ao "interferir nele", mas sim ao permitir que ele aflore, assim como não tornamos a matemática consciente ao interferir nela, mas sim ao aprendê-la.

De qualquer forma, o inconsciente incorporado, quando se "interfere nele", começa a perder seu controle habitual. Vamos lembrar que as traduções do inconsciente incorporado eram os aspectos não repressivos e repressores do sistema do eu em um dado nível. Naturalmente, quando o repressor relaxa, o reprimido tende a aflorar. Ou seja, o inconsciente imergente reprimido agora tende a aflorar — ou às vezes irromper — na consciência. A pessoa confronta sua sombra (e, ocasionalmente, fantasias primitivas ou arcaicas originárias do inconsciente arcaico). Pode-se passar meses e até anos lutando com a sombra, e é nesse ponto que a terapia ortodoxa pode, sem dúvida, complementar a meditação. (Aliás, observe-se que o que é liberado aqui é o inconsciente imergente reprimido, e não *necessariamente* o inconsciente imergente causal ou sutil, a menos que estes façam parte do inconsciente emergente reprimido filtrado pelas *mesmas* defesas armadas contra a sombra. Isso é de fato possível e até certo ponto provável, mas em geral as defesas contra a sombra reprimida e contra o Deus emergente são de ordem diferente.)

O que aconteceu, até essa etapa da meditação, é que a pessoa — mediante o enfraquecimento da tradução do ego e do inconsciente incorporado — "revive" sua vida até aquele momento. Ela se abre para todos os traumas, fixações, complexos, imagens e sombras de todos os níveis anteriores de consciência que ocorreram em sua vida até aquele momento - o pleromático, o urobórico, o tifônico, o verbal e o mental do ego. Tudo isso, de certa forma, está pronto para ser revisto — em especial os "pontos doloridos", as fixações e repressões que houve nos primeiros cinco andares desse ser. Até esse ponto da meditação, a pessoa viu seu passado, e talvez o passado da humanidade. Daqui por diante, ela vê seu futuro — e também o futuro da humanidade.

Washburn, aliás, sugeriu que somente a meditação receptiva leva direta e imediatamente ao inconsciente, enquanto a meditação de absorção "fica tão imersa em seu objeto que a consciência não tem acesso a nada mais, incluindo as mensagens do inconsciente; por esse motivo, a confrontação do inconsciente só pode ser feita depois que o objeto for descartado, ou depois que a prática for concluída".[388] Creio que isso também é muito verdadeiro, mas se aplica apenas a alguns aspectos do inconsciente em desenvolvimento, em particular o inconsciente arcaico, o imergente e o incorporado. Enquanto a prática de concentração está em pleno curso, nenhum desses aspectos do inconsciente consegue se infiltrar. No entanto, essa noção não se aplica, por exemplo, ao inconsciente emergente sutil, pois nesse estado de absorção sutil no yidam, mantra ou nada, a pessoa fica em contato direto com esse estado anteriormente inconsciente. Mesmo que não o reconheça como um objeto – e não o faz –, a pessoa continua intuitivamente alerta para o sutil, enquanto sutil. O caminho de concentração *revela* esse aspecto da esfera sutil do inconsciente emergente de um modo absolutamente direto e imediato, *durante* a prática.

Mas enquanto a pessoa está no sutil, concentradamente absorta, é verdade que *nenhum outro* objeto costuma aflorar à consciência, e isso inclui, por exemplo, a sombra. No entanto, a meditação sutil não ajuda a romper a tradução do ego, de forma que, quando cessa a absorção sutil, a pessoa fica aberta para o influxo da sombra, exatamente como Washburn descreve. Na meditação receptiva, naturalmente, a pessoa fica aberta para qualquer coisa que aflore em qualquer momento, e por isso "vê" a sombra assim que esta deixa de ser reprimida. O argumento de Washburn, em minha opinião, aplica-se em grande medida à sombra, mas não ao inconsciente emergente.

Quando o sutil emerge do inconsciente base para a consciência, ocorrem várias visões, sons e iluminações de arquétipos elevados. Não é preciso descrever a esfera sutil agora, pois já o fiz anteriormente. A questão é que emergem traduções cada vez mais sutis, que acabam sendo minadas, e ocorre a transformação para novas traduções mais sutis. Isso nada mais é que *desenvolvimento* na esfera sutil. Esta é uma versão desse fenômeno:

> Os impulsos mais fortes são os primeiros a ser afetados e, quando eles se enfraquecem, o meditador começa a discernir impulsos mais sutis – exatamente como o pôr-do-sol realça as estrelas. Mas esses impulsos mais sutis também declinam, o que permite distinguir impulsos ainda mais sutis. É interessante que esse processo absolutamente não é contínuo, pois durante a meditação sentada ocorrem intervalos de silêncio virtual nos quais, assim parece, a pessoa passa por uma espécie de "membrana" psíquica que divide o nível atual do nível seguinte, mais sutil. Depois de atravessar essa fronteira, a atividade psicomental recomeça... mas seu caráter é agora muito mais delicado e rarefeito.[388]

As "membranas" são apenas processos de tradução dos diversos níveis, que filtram os outros níveis e separam o nível atual dos demais; "atravessar essa fronteira" é a transformação para uma tradução mais elevada, mais sutil e "mais rarefeita". "O novo limiar [a nova tradução] assim instituído pode ser reduzido [transformado] mediante meditação contínua, e esse novo também, e assim por diante. Em cada caso, um novo espectro de objetos de menor intensidade e mais sutileza tornam-se acessíveis à visão interior do meditador." [388]

Embora esses sons e luzes sutis sejam a meta dos Sambhogakayas, todos eles são encarados como makyo (ou produções inferiores) pelos Dharmakayas. Assim, se a meditação prosseguir até a esfera causal, todos os objetos anteriores, sutis ou brutos, são reduzidos a gestos de Consciência como Tal, até que mesmo o Observador ou identidade transcendente da esfera causal se destrói na Grande Morte do Vazio, e volta à memória o estado de sahaj, ímpar e evidente. Isso se chama *anuttara samyak sambodhi.* Não há como voltar. Nessa transformação final, deixam de existir traduções exclusivas em qualquer parte, porque o tradutor já morreu. O espelho e seus reflexos são uma só e a mesma coisa.

E assim avança a meditação, que é simplesmente desenvolvimento superior, apenas evolução superior – uma transformação de unidade em unidade até haver simplesmente Unidade, quando Brahma, na comoção – que ninguém vê – de reconhecimento e recordação final, sorri silenciosamente para si mesmo, fecha os olhos, respira fundo e se lança ao mundo exterior pela milionésima vez, perdendo-se em todas as suas manifestações, porque isso é divertido, porque isso é interessante. E então a evolução começa de novo, transformação por transformação, recordações e mais recordações, até toda alma recordar Buda, como Buda, em Buda – e depois não há mais Buda, não há mais alma. E essa é a transformação final. Quando o mestre zen Fa-ch'ang estava morrendo, ouviu-se o guinchar de um esquilo no teto. "É só isso", disse ele, "e nada mais."

13

O projeto Atman

Vimos que o desenvolvimento psicológico dos seres humanos tem o mesmo objetivo da evolução natural: a produção de unidades sempre superiores. E como a Unidade final é Buda, Deus ou Atman (uso esses termos na acepção mais ampla de "realidade final"), segue-se que o crescimento psicológico tem por meta Atman. E isso é parte daquilo que chamamos o projeto Atman.

Também vimos que todo ser contém em seu interior, desde o início, todas as estruturas profundas da consciência enoveladas e dobradas. Em particular, ele contém a consciência de Atman anterior, ou participa dela – *desde o início.* O bebê não é um iluminado, evidentemente. Mas também é evidente que existe Atman no bebê. "Todos os seres vivos", diz o Nirvana Sutra, "possuem a Natureza de Buda".[364] "Onde existe consciência", declara o Livro Tibetano dos Mortos, "existe Dharmakaya."[110] *Anima naturaliter christiana*, afirmou Tertuliano, querendo com isso dizer que, desde o início, "a alma é dotada do conhecimento de Deus e tudo o que Deus comunica dessa maneira pode no máximo ser obscurecido, mas jamais totalmente apagado". [307] Da mesma forma, "Isso é o que o midrash judaico quer dizer quando atribui conhecimento ao bebê dentro do útero, afirmando que acima de sua cabeça brilha uma luz na qual ele vê os confins do mundo".[279] Desde o início, a alma intui essa natureza de Atman e, desde o início, procura *concretizá-la* como uma realidade e não apenas como um potencial enovelado. Esse impulso para concretizar Atman faz parte do projeto Atman.

No entanto, é apenas uma parte, porque – embora cada etapa do crescimento psicológico seja um passo em direção a Deus – cada etapa *continua* sendo apenas uma etapa. Ou seja, cada etapa em direção a Deus ainda não é o próprio Deus. Cada etapa é uma busca de Deus, realizada em condições que ficam aquém de Deus. A alma deve buscar a Unidade apesar das restrições da etapa atual, que ainda não é a Unidade. E *esse* é o outro lado do projeto Atman: toda pessoa quer apenas Atman, porém quer em condições que o impedem. É somente no fim do crescimento psicológico que existe iluminação e liberação final em Deus e como Deus, embora essa fosse a *única* coisa desejada desde o início. Mas observe-se que, como em toda etapa do crescimento a alma quer apenas a Unidade ou Atman, mas como cada etapa é menos que Atman, cada etapa acaba se tornando, de fato, uma concessão e um *substituto* de Atman – e isso ocorre consciente ou inconscientemente. Ocorre em todos os níveis, do mais baixo ao mais elevado, como um simples reflexo da manifestação.

A questão é que cada etapa ou nível de crescimento busca a Unidade absoluta, porém de tal forma ou em meio a tais restrições que impedem necessariamente a consecução do objetivo e só deixam lugar para concessões: unidades substitutas e recompensas substitutas. Quanto mais primitivo o nível, mais primitiva a unidade substituta. Cada etapa sucessiva atinge uma unidade de ordem superior, e isso prossegue até existir *apenas* Unidade. O projeto Atman vai até existir apenas Atman. Essa é a dinâmica e essa é a meta da evolução e do desenvolvimento.

Se considerarmos cuidadosamente essa definição do projeto Atman, veremos que ela tem três vertentes. "Cada etapa ou nível de crescimento busca a Unidade absoluta" – a isso chamamos tendência Atman ou telos Atman. "Mas de formas e em condições que necessariamente impedem a consecução do objetivo" – a isso chamamos restrição Atman, ou negação ou contração Atman. "Dar espaço apenas para unidades substitutas e recompensas substitutas" – este é o projeto Atman propriamente dito, uma solução conciliatória entre a tendência Atman e a restrição Atman. Como não quero ser excessivamente técnico a esse respeito, normalmente me refiro a todo o conjunto como o projeto Atman. O leitor interessado poderá discernir, em função do contexto, a que vertente estou me referindo.

Versões do projeto Atman

Nesta parte, eu gostaria apenas de descrever a natureza do projeto Atman de vários ângulos, de maneira abstrata, para podermos captar melhor sua estrutura geral. Nos capítulos seguintes, vamos examinar as formas do projeto Atman peculiares a cada estágio, que aparecem ao longo de todo o desenvolvimento.

De acordo com a filosofia perene, a natureza final da realidade é *sunyata* ou *nirguna*,[364] traduzidas em geral como "vazio", "vácuo" ou "nada". Mas sunyata *não* significa espaço em branco ou ausência. Como observou R. H. Blyth, "vazio" não significa sem características, mas *sem costuras* – "o manto sem costuras do universo", nas palavras de Whitehead. Sunyata significa simplesmente que, assim como os braços, as pernas e os dedos são entidades muito diferentes mas também partes do corpo, todas as coisas e fatos do universo são aspectos de um Todo fundamental, a fonte e o estado que são o próprio Real.[426] Isso, é claro, se aplica tanto aos homens como às mulheres. A psicologia final é uma psicologia da Totalidade fundamental, ou do Tudo superconsciente. De qualquer forma, vamos observar apenas que essa Totalidade, de acordo com a psicologia perene, é *aquilo* que é real e *tudo* que é real. Entidades totalmente separadas, isoladas e limitadas não existem em parte alguma.[389] Não há costuras no mundo, nas coisas, nas pessoas ou em Deus.

Segue-se, portanto, que o fato de estabelecer fronteiras ou barreiras para o eu e abrigar um sentimento de identidade separada *oposta* à Totalidade anterior não envolve apenas *ilusão*: exige um constante dispêndio de energia, uma perpétua atividade de *contração* ou restrição. Isso, naturalmente, obscurece a Totalidade anterior e constitui – como já observei em outra parte – a repressão primordial.[410] É a repressão ilusória da consciência universal e sua projeção em eu interior oposto a mundo exterior, sujeito oposto a objeto.

Vamos observar, pois, que a noção de sujeito separado ou identidade do eu, tal como a maioria das pessoas normais possui, baseia-se na imposição de uma *fronteira* ilusória à Totalidade anterior. Essa Totalidade anterior, então, *aparece* como um sujeito aqui dentro em oposição a um mundo lá fora. Existe uma fronteira; portanto, existe um sujeito que se opõe a um objeto – e se essa fronteira for excludente, ela obscurece (mas não destrói) a Totalidade anterior de Atman.

De acordo com a filosofia perene, a redescoberta dessa Totalidade infinita e eterna é a maior necessidade e desejo de todos os homens e mulheres.[193] Atman é a natureza básica de todas as almas, e cada alma ou cada pessoa sabe ou intui que é assim. Todo indivíduo – todo ser consciente – intui constantemente que sua Natureza anterior *é* o infinito e eterno, Tudo e o Todo – ou seja, ele possui uma intuição verdadeira de Atman. *Anima naturaliter christiana.*

Mas, ao mesmo tempo, a transcendência real apavora as pessoas, pois a transcendência acarreta a "morte" da percepção do eu separado e isolado. A pessoa só pode encontrar o Todo anterior ao abandonar a *fronteira* entre sujeito e objeto – ou seja, mediante a morte como sujeito excludente. E o sujeito, como é natural, fica apavorado com isso. Como ele não pode ou não quer soltar-se e morrer para o eu separado, não consegue chegar à verdadeira e real transcendência, não consegue encontrar a satisfação maior como o Todo. Ao agarrar-se a si mesmo, à sua subjetividade, ele deixa Atman de fora; ao captar apenas seu ego, ele nega o resto de Tudo.

No entanto, é preciso observar que os homens e as mulheres enfrentam um dilema verdadeiramente fundamental: acima de tudo, toda pessoa deseja a verdadeira consciência, a consciência de Atman, o Todo; mas, acima de tudo, toda pessoa teme a perda do eu separado, a "morte" do ego ou sujeito isolado. Tudo o que ela quer é a Totalidade, mas tudo que ela faz é temer e resistir a isso (que acarretaria a morte do eu separado). Telos Atman contra restrição Atman. E aí está o dilema sem saída face à eternidade, o problema final no coração do eu separado.

Como as pessoas desejam a verdadeira transcendência acima de todas as coisas, mas como não podem ou não querem aceitar a morte necessária da percepção do eu separado, elas buscam a transcendência de formas ou por meio de estruturas que *efetivamente a impedem* e *impõem forçosamente substitutos simbólicos*. Há substitutos de todo tipo: sexo, comida, dinheiro, fama, conhecimento, poder – tudo isso é, em última análise, recompensa substituta, simples substitutos da verdadeira liberação na Totalidade. Como diz Gilson, "Mesmo entregue aos mais baixos prazeres, o mais devasso dos sibaritas está em busca de Deus". Agora isso pode ser dito com absoluta certeza. E é por isso que o desejo humano é insaciável, que todas as alegrias anseiam pelo infinito – tudo o que a pessoa deseja é Atman; tudo o que encontra são substitutos simbólicos. Essa tentativa de reconquistar a consciência de Atman de formas ou em condições que a impedem e impõem substitutos simbólicos – esse é o projeto Atman.

A VERTENTE SUBJETIVA

Até o sentimento de ser um eu separado, isolado e limitado é um mero substituto da verdadeira Natureza do ser, um substituto do Eu transcendente do Todo final. Toda pessoa intui *corretamente* que sua natureza é a mesma de Atman, mas *distorce* essa intuição, aplicando-a a seu eu separado. Ela acredita que seu eu separado é imortal, abrange tudo, é o centro do cosmos importantíssimo. Ou seja, ela *substitui* Atman pelo seu ego. Depois, em vez de encontrar a totalidade real e intemporal, ela meramente coloca em seu lugar o desejo de viver para sempre; em vez de unir-se ao cosmos, coloca em seu lugar o desejo de possuir o cosmos; em vez de unir-se a Deus, procura ocupar o lugar de Deus.

A isso denominamos a *vertente subjetiva* do projeto Atman. Como o projeto Atman é decorrente da divisão entre sujeito e objeto, ele pode ser posto em prática pela manipulação do lado subjetivo e do lado objetivo da consciência (vamos tratar em breve da vertente objetiva). A vertente subjetiva do projeto Atman é o desejo *impossível* do eu individual de ser imortal, cosmocêntrico e mais importante que tudo, porém com base na intuição *correta* de que a verdadeira Natureza de cada um é, de fato, infinita e eterna. Não que essa natureza mais profunda *já* seja Deus, mas que seu ego *deve* ser Deus – imortal, cosmocêntrico, que desafia a morte e é todo-poderoso – aí está o projeto Atman. Ou existe Atman ou existe o projeto Atman.

Hubert Benoit faz uma primorosa descrição da natureza da vertente subjetiva do projeto Atman. "É preciso perguntar a si mesmo", começa ele, "como isso pode ser, de que modo [qualquer pessoa] pode chegar a acreditar que aceita o seu estado temporal, esse estado limitado e mortal [de ser apenas um eu separado e não o Todo] que é, na realidade, inaceitável do ponto de vista afetivo; como é possível viver assim?" Ou seja, como é possível viver sem Atman? A resposta, é claro, é a criação de substitutos desse Estado: a criação de um projeto Atman, fazendo (consciente ou inconscientemente) o eu separado *parecer* semelhante a Atman – cosmocêntrico, imortal, divinizado, o centro de tudo quanto existe e o primeiro móvel de tudo quanto existe. E assim, diz Benoit, de que forma essa alma consegue viver com essa situação inaceitável que é a não concretização de Atman? "Ela consegue basicamente por meio da força de sua imaginação, da faculdade que sua mente possui de recriar um *mundo subjetivo* cujo único princípio motor, dessa vez, é ela. O homem jamais resignar-se-ia a não ser a força motriz única do universo real [i.e., resignar-se-ia a não ser Atman] se não possuísse essa faculdade consoladora de criar um universo para si mesmo, um universo que ele cria totalmente sozinho."[27] Essa é uma parte, a parte subjetiva, do projeto Atman.

Vida e morte

Depois de criada a percepção do eu separado, individual e falso, fora da Totalidade anterior, esse eu depara com duas grandes pulsões: perpetuar sua existência (Eros) e evitar tudo o que ameaça destruí-lo (Tânatos). Esse eu voltado para dentro, isolado, esse pseudo-eu defende-se pertinazmente da morte, da desintegração e da transcendência (Tânatos), por um lado, e por outro aspira a ser e faz de conta que é o centro do cosmos, onipotente e imortal (Eros). Esses são *o lado positivo e o lado negativo* do projeto Atman: Vida e Morte, Eros e Tânatos, Vishnu e Shiva.

Assim, surgidos em função da divisão entre sujeito e objeto, encontramos os dois grandes fatores dinâmicos: Eros e Tânatos, Vida e Morte. Eros, em última análise, é o desejo de reconquistar aquela Totalidade anterior obscurecida quando se construiu a fronteira entre o eu e o outro. Mas para alcançar de fato uma verdadeira união entre sujeito e objeto, o eu e o outro, é preciso que ocorra a morte e a desintegração do eu excludente e separado – e é exatamente a isso que se resiste. Assim, Eros não consegue alcançar a verdadeira união, a Totalidade real, sendo em vez disso levado a procurar substitutos simbólicos do Todo perdido; para funcionar, esses substitutos precisam *representar* o desejo da Unidade anterior *como se esse desejo tivesse sido satisfeito.* Eros, portanto, é a força que está por trás de uma série de atos – buscar, possuir, desejar, perpetuar, amar, viver, querer, e assim por diante. Mas Eros *nunca* se satisfaz, pois só encontra substitutos. Eros é a fome ontológica.

Chegamos, então, a Tânatos – a morte e o medo da morte. Tem sido muito difícil para a psicologia ocidental entender que existem pelo menos duas grandes formas, muito diferentes entre si, de medo e ansiedade. Uma é o terror patológico ou neurótico: pode-se, legitimamente, fazer remontar qualquer tipo de ansiedade a uma "doença mental", a mecanismos patológicos de defesa ou a culpa neurótica. Mas a outra forma de terror não se deve a uma aberração mental ou doença neurótica, e sim à percepção da verdade – é um terror fundamental, inevitável, inescapável *inerente* à percepção do eu separado. A Natureza anterior do homem é o Todo, mas depois que ele divide a Natureza em eu separado em oposição ao outro externo, esse eu separado enfrenta necessariamente a consciência e o terror da morte. É existencial, dado, inerente (desde que exista uma fronteira entre sujeito e objeto) – e a percepção desse terror é uma percepção da situação verdadeira, e não uma percepção de doença mental.

O Upanishad traz uma bela descrição desse fato: "Onde existe o outro, existe medo."[191] Isso é absolutamente evidente para o Oriente há pelo menos 3.000 anos. Felizmente, porém, os psicólogos existencialistas do Ocidente – depois de décadas de tentativas da psiquiatria ortodoxa de reduzir o medo existencial a culpa neurótica – finalmente expuseram e explicaram esse ponto essencial com tamanha clareza que quem deixar de vê-lo estará assinando um atestado da própria ignorância. "A arquiansiedade (ansiedade primordial) essencial e básica", escreveu o grande psicólogo existencialista Boss, é *"inata a todas as formas isoladas e individuais de existência humana.* Quando existe a ansiedade básica, o ser humano tem medo e sente ansiedade por 'ser-no-mundo'."[25] A maioria das pessoas, naturalmente, não tem ciência direta desse medo primordial por trás do ego do dia-a-dia, mas Zilboorg explica a razão:

> Se esse medo fosse constantemente consciente, não seríamos capazes de funcionar normalmente. Ele precisa ser devidamente reprimido para podermos continuar vivendo com um mínimo de bem-estar. ... Podemos considerar certo que o medo da morte está sempre presente em nossa mente. ... Ninguém está livre do medo da morte.[436]

O terror da morte é *inerente* à percepção do eu separado, ao sujeito separado, e surge de uma forma ou outra sempre que existem fronteiras. E quando a marca da morte se aviva só há duas coisas que podem ser feitas. Ou seja, os homens e as mulheres só têm duas escolhas diante da morte e Tânatos: podem negá-la e reprimi-la, ou podem transcendê-la no Tudo superconsciente. Enquanto a pessoa se agarrar à percepção do eu separado, ela precisa necessariamente reprimir a morte e o terror que a acompanha. Para transcender o terror da morte, é preciso transcender o eu. Ou seja, não há *nada* que o eu separado possa fazer para *efetivamente* livrar-se do terror da morte, já que o eu separado *é* o terror da morte – eles começam a existir juntos e só desaparecem juntos. A única coisa que o eu separado pode fazer com a morte é negá-la, reprimi-la, diluí-la, ou então escondê-la. Somente no Tudo superconsciente, na verdadeira transcendência, é que o terror da morte é erradicado, porque o eu separado também é erradicado. Mas até esse momento – para usar a frase de Becker – "*a consciência da morte*, e não a sexualidade, é a repressão primordial".[25]

O terror da morte, o reflexo contra Tânatos. Mas qual exatamente é a natureza de Tânatos? O que, afinal, ele significa? Talvez possamos dar uma resposta simples desta forma:

Vimos que não há *nenhuma* entidade radicalmente separada em parte alguma – que a fronteira entre o sujeito e o objeto é, em última análise, ilusória. Assim, a fronteira entre o sujeito e o objeto, o eu e o outro, precisa ser constante e incessantemente recriada a cada momento – e pelo simples motivo de que, para começar, ela não é real. Ao mesmo tempo, a simples força da realidade, o "puxão" do Todo, age a cada momento no sentido de desintegrar aquela fronteira. *Essa força é Tânatos.* Assim como a pessoa, a cada momento, recria suas fronteiras ilusórias, assim também a realidade, a cada momento, conspira para deitá-las abaixo.

Assim é Tânatos, e seu verdadeiro significado é transcendência. Tânatos não é uma força que busca reduzir a vida a matéria inorgânica (essa, como veremos, é a força da "involução"), ou a uma compulsão repetida, ou a um princípio homeostático, ou a um desejo suicida. Tânatos é a força de sunyata – a força e o impulso de transcender as fronteiras ilusórias – mas *parece ser,* ao eu que não quer ou não pode abrir mão de suas fronteiras (em qualquer nível), uma ameaça de morte literal e mortalidade física.

A questão é esta: sempre que existe uma fronteira, o Tânatos da Natureza profunda de cada um atua, constantemente, no sentido da destruição ou do sacrifício. Enquanto existe uma fronteira, existe Tânatos. É possível submeter-se a Tânatos, ao sacrifício e à transcendência, ou então *é preciso dar outro destino a esse desejo de* morte, esse impulso para o auto-sacrifício. Ou seja, é preciso encontrar *sacrifícios substitutos.* Como procurei mostrar em *Up from Eden,*[427] tudo que os assuntos humanos têm de perverso, tudo que caracteriza o homem como o mais traiçoeiro dos animais, tudo que o marca como assassino em massa e vitimizador, se enquadra na categoria de *sacrifícios substitutos.* Isso foi perfeitamente explicado na formulação de Otto Rank, uma brilhante síntese de tudo que poderíamos dizer sobre esse assunto: "O medo da morte do ego é atenuado pela matança, pelo sacrifício do outro; matar o outro é como livrar a si mesmo da pena de morte, escapar de ser morto."[25] Freud disse que "o desejo de matar substitui o desejo de morrer", e Becker sintetizou esse pensamento como "oferecer o corpo do outro para livrar-se da própria morte".[26]

Pois bem, peço que o leitor atente para o seguinte: negar a morte (e encontrar sacrifícios substitutos) faz parte do projeto Atman – dizemos que esse é o *lado negativo,* o lado "negativo" da tentativa de reconquistar a consciência de Atman. Vimos que, depois de criado o eu fora da Totalidade anterior, ele enfrenta duas grandes pulsões: a perpetuação de sua própria existência ilusória (Eros) e a evitação de tudo que ameaça desintegrá-lo (Tânatos). Do *lado positivo* (e isso não quer dizer "do lado bom", mas simplesmente do lado de Eros, como o pólo positivo de um ímã), ele busca *recompensas substitutas* de todas as espécies que aparentam satisfazer seu desejo de ser infinito, cosmocêntrico, todo-poderoso, heróico, semelhante a Deus. Do *lado negativo* (o lado de Tânatos), ele filtra ou reprime tudo que contém uma ameaça de morte, desintegração, transcendência, abandono – e então cria *sacrifícios subs-*

titutos. Vimos como esses dois impulsos – a recompensa substituta e o sacrifício substituto – são formas do projeto Atman, porque ambos são, no fundo, resultado de uma intuição correta: o ser é de fato infinito e eterno. Mas a intuição é distorcida quando aplicada à percepção do eu separado, que é absolutamente finito e mortal.

Assim, Eros – o desejo de ter mais vida, o desejo de ter tudo, de ser o centro do universo – é norteado pela intuição correta de que, na realidade, o um é Tudo. Mas, quando aplicada ao eu separado, a intuição de que o um *é* Tudo é degradada no desejo de *possuir* Tudo. Em vez de *ser* tudo, a pessoa deseja apenas *ter* tudo. Esta é a base de todas as recompensas substitutas, é a sede insaciável presente na alma de todos os eus separados. É o lado positivo do projeto Atman, subjugado apenas por Atman.

Da mesma forma, a *negação da morte* (o lado negativo ou de Tânatos do projeto Atman) baseia-se na intuição correta de que a Natureza anterior da pessoa *é* efetivamente intemporal, eterna, imortal além de todas as formas. Mas quando essa intuição da intemporalidade é aplicada ao eu separado, ela se degrada no desejo de simplesmente viver para sempre, de continuar existindo, de evitar a morte para sempre. O simples desejo de viver para sempre substitui a intemporalidade na transcendência. A negação da morte, a luta pela imortalidade e os sacrifícios substitutos são colocados no lugar da eternidade. Esse também é o lado negativo do projeto Atman: a imortalidade rançosa da negação da morte.

A percepção do eu separado, portanto, está sob a influência do projeto Atman, na tentativa de reconquistar a Totalidade anterior de formas que a impedem e impõem substitutos simbólicos. Em vez de encontrar a verdadeira Totalidade, o eu é assim motivado por preocupações com sua mera existência: Eros leva-o a prosseguir na pseudo-separação, e Tânatos envolve-o na morte e no medo da morte. A batalha da Vida contra a Morte, de Eros contra Tânatos, é a arquibatalha, a ansiedade básica e o dilema *inerentes* a todos os eus separados – um modo primitivo de medo que somente a verdadeira transcendência na Totalidade pode extinguir.

Vertente objetiva

Isso nos leva ao último grande aspecto do projeto Atman: o eu separado, apesar de aspirar à imortalidade e ao cosmocentrismo, vê seu intento necessariamente malogrado, em maior ou menor grau. Não consegue fazer acontecer por completo essa empulhação de ser estável, permanente, duradouro e imortal. James diz que o temível pano de fundo da morte existe para que se pense nele, e que a caveira vai mostrar os dentes no banquete.[198] Depois que o eu separado emerge, ele é acompanhado constantemente pela atmosfera nebulosa da morte. Não há quantidade de recompensas, ou defesas, ou repressão suficiente para eliminar de uma vez por todas esse cenário temível. Ou seja, nada que o eu interior possa fazer irá apagar para sempre essa horrível visão, e por isso entram em cena os apoios "externos" ou "objetivos" para ajudar a sustentar o projeto Atman, para ajudar a minorar o terror da morte e apresentar o eu como imortal.

Esses apoios externos podem ser positivos ou negativos; podem estar a serviço de Eros ou Tânatos. A pessoa cria ou se agarra a um grande número de vontades, desejos, propriedades e posses, bens e materiais externos e objetivos; procura obter riqueza, fama, poder e conhecimento, pois costuma considerar todos esses elementos infinitamente valiosos ou infinitamente desejáveis. Mas como é *exatamente* o infinito o que os homens e as mulheres querem de fato, todos esses objetos externos, objetivos e finitos são, também nesse caso, meras recompensas substitutas. São *objetos substitutos,* assim como o eu separado é um *sujeito substituto.*

Também a esse respeito Hubert Benoit faz uma exposição brilhante e precisa da natureza do projeto Atman em geral e dos objetos substitutos em particular: "O homem procura divinizar-se na esfera temporal unicamente porque ignora sua verdadeira essência divina [Atman]. O homem nasce como filho de Deus, participando totalmente da natureza do Princípio Supremo do Universo; mas ele esquece sua origem, pois acredita numa ilusão, ou seja, que é apenas esse corpo limitado e mortal que seus sentidos percebem. Amnésico e iludido, ele sofre porque se julga abandonado por Deus (quando na realidade ele mesmo é Deus), e se exaspera no mundo temporal em busca de afirmações de apoio à sua natureza divina, que ele não conseguirá encontrar ali..."[27] Como o homem se esquece de Deus e até o nega, embora continue intuindo Deus, ele "se exaspera no mundo temporal" em busca de *objetos substitutos* e ao mesmo tempo procura divinizar-se internamente (o sujeito substituto). Essas duas manobras são o resultado inevitável da perda da Unidade radical, completa em si mesma.

Portanto, o projeto Atman tem duas vertentes — a subjetiva e a objetiva — e dois lados — o positivo e o negativo, Eros e Tânatos (e esses quatro aspectos são totalmente mesclados: pode-se ter um sujeito Eros e um objeto Eros, um sujeito Tânatos e um objeto Tânatos). Mas todos são apenas produto e função da fronteira: sempre que se cria uma fronteira com a Totalidade anterior, essa Totalidade aparece como sujeito em oposição ao objeto, eu em oposição ao outro. Esse eu subjetivo, então, quer recuperar a Totalidade anterior (usando Eros), mas teme sua própria desintegração (Tânatos). Como solução conciliatória, cria o projeto Atman: aplica *ao sujeito* as características intuídas do Todo, procurando assim fazer a parte parecer o Todo — cosmocêntrico, imortal, que desafia a morte. O sujeito substituto no encalço de objetos substitutos — e tudo por falta de Deus.

A FORMA DA MORTE E A RECORDAÇÃO

O projeto Atman assume formas de todos os tipos: ele aparece sempre que Atman *parece* estar faltando. Ou seja, ele aparece em toda a esfera manifesta. É, na verdade, outra denominação para *maya.* A forma que expus acima é apenas a forma que ele assume com mais freqüência nos seres humanos, apenas a forma mais geral. Ele assume estruturas e formas de todas as espécies no desenvolvimento humano, do mais baixo ao mais elevado, do pleroma até o limiar do final. Ele aparece até no útero, mas naturalmente sob a forma mais primitiva e débil. Não acusamos o bebê de negar Deus conscientemente – a percepção real de Atman ainda não teve (nesta vida) a oportunidade de *emergir* (o que ocorre, normalmente, na segunda metade da vida, no Arco para dentro). Dizemos, contudo, que *todas* as pessoas são tocadas por Deus, e que os entes conscientes intuem Deus; é só isso que mantém o cosmos unido. Os seres conscientes – de qualquer idade e qualquer situação – intuem sua própria essência como Atman, e lutam por essa essência, não importando quais sejam as condições, as restrições e o potencial de seu nível específico de adaptação. E aplicam Atman a seu próprio nível até o ponto em que intuem Atman.

Mas observe-se que *parte* do projeto Atman é, de fato, a *busca* de Atman ("telos Atman"). Desde o início, todas as criaturas intuem Deus. Desde o início, homens e mulheres intuem sua natureza Atman anterior, e isso funciona por assim dizer como um imenso ímã inconsciente, atraindo-os para a frente e para cima, rumo à liberação perfeita no Tudo superconsciente. Mas isso também os obriga, como medida temporária e terapêutica, a criar substitutos de toda sorte para Atman – sujeitos substitutos, objetos substitutos, recompensas substitutas, sacrifícios substitutos, projetos de imortalidade, intenções cosmocêntricas, sinais de transcendência.

Devido a essa pressão, estruturas sucessivas de consciência são criadas e depois abandonadas, moldadas e depois transcendidas, construídas e depois ignoradas. *Elas são criadas como um substituto de Atman, e abandonadas quando esses substitutos malogram.* A evolução se faz mediante uma série dessas tentativas abortadas de atingir a consciência de Atman – faz-se por meio do projeto Atman, onde cada passo, por assim dizer, chega um pouco mais perto.

É verdade, portanto, que estruturas sucessivamente mais elevadas emergem no decorrer da evolução e do desenvolvimento, mas elas emergem *como* recompensas substitutas, e apenas quando os substitutos inferiores acabam sendo abandonados, apenas quando as formas inferiores da cobiça de Eros perdem a força, é que novas estruturas mais elevadas recebem atenção, cada vez mais sutil, *até todos os substitutos da Unidade serem postos à prova, mostrando que deixam a desejar, e restar apenas a própria Unidade.*

Depois que um novo nível de evoluçao – um eu substituto novo, de ordem superior – é criado mediante uma transformação vertical da estrutura profunda do nível anterior, o Eros do novo nível passa a integrar, por meio de traduções horizontais, as estruturas superficiais daquela etapa, forjando uma espécie de totalidade de ordem superior. Como ele não pode ter a União verdadeira e real, pelo menos tenta (como um substituto) unir a si mesmo. Essas traduções de Eros começam a organizar e desenvolver as características emergentes e as estruturas superficiais do novo nível, a estabilizar e preservar aquele nível mediante a *integração* dos novos e mais elevados substitutos simbólicos. Esse processo geral de tradução prossegue até que, por diversos motivos, esse tipo de tradução mostra ser inadequado. O que ocorre então? A tradução falha em essência e segue-se uma transformação.

Os motivos do malogro da tradução são muitos, e diferem de nível para nível do espectro. Em geral, porém, podemos dizer que sempre que Eros (daquele nível) suplanta Tânatos (daquele nível), a tradução prossegue e ocorre a estabilização. O elemento pesquisador e cobiçoso daquele nível fica contente com suas recompensas substitutas, que aparentam satisfazer seu desejo de Unidade. Quando Tânatos suplanta Eros, porém, a tradução em questão perde força e acaba sendo abandonada, seguindo-se a transformação para um modo diferente de eu e um tipo diferente de tradução: volta à lembrança uma nova estrutura profunda, possibilitando o aprendizado de novas estruturas superficiais.

Em essência, isso significa que a consciência abandona sua identificação exclusiva com a estrutura inferior — *"morre" para ela*; aceita Tânatos daquele nível inferior, morre para aquele nível, e assim se *desidentifica* daquela estrutura inferior. Ao *aceitar a morte* do nível inferior, ela *transcende* aquele nível.

Quando surge o nível de ordem superior, o eu, como vimos, *identifica-se* com essa estrutura superior. Cria assim um *novo* modo de eu — com novas formas de busca de Eros. E esse novo modo do eu enfrenta *um novo tipo* de pavor da morte ou de ser tomado pela morte. O novo tipo de terror é aquele gerado pelas tentativas do eu de defender-se de sua nova forma de identidade: novo eu, novo outro, e portanto novas tomadas pela morte *e* novas negações da morte. A nova tradução vai continuar enquanto o Eros desse nível suplantar Tânatos — enquanto a apreensão suplantar o vazio (sunyata), enquanto a nova estrutura servir como recompensa substituta e o desejo não perder a graça. Mas uma vez que isso aconteça, uma vez que Tânatos supere Eros, o eu aceita a "morte" daquele nível, desidentifica-se dele — transcendendo aquele nível inferior — e desse modo transfere sua identidade para a nova estrutura emergente superior, que também possui novas formas de Eros, e enfrenta novas tomadas de Tânatos e da morte.

Vamos examinar tudo isso nos próximos capítulos, mas darei alguns breves exemplos agora.

Vimos que na fase do ego-corpo o eu está quase que exclusivamente identificado com as emoções simples e os instintos do corpo. Sua busca de Eros é fome instintiva, biológica, visceral, e se esses instintos forem traumaticamente *frustrados* (por exemplo, a fome do bebê pelo seio da mãe), essa perturbação é vivida como uma tomada pela morte — perturbar o instinto é perturbar o eu, porque nessa fase eles são idênticos.

Quando surge a mente verbal, contudo, o eu se diferencia dos instintos ou deixa de identificar-se *exclusivamente* com eles, e transfere sua identidade essencial para o eu verbal (vamos dizer a *persona*). Agora ele consegue aceitar — dentro de limites óbvios — a frustração do instinto de comer: já não "morre" quando não recebe imediatamente o alimento, apenas fica faminto. Mas agora ele tem um novo eu, e esse novo eu tem *novas vontades* e *enfrenta novas formas de tomadas pela morte.* A humilhação, por exemplo, é uma tomada da *persona* pela morte. O eu — que agora está identificado com a *persona* — é literalmente tomado pela morte se a *persona* for desmoralizada, sofrer uma grande humilhação, cair no ridículo etc. A *persona* diz "quase morri de vergonha!" Isso ocorre, e vai ocorrer, *enquanto o eu continuar identificado com a persona* (enquanto seu Eros suplantar Tânatos) — e só vai terminar quando e se o eu se desidentificar da *persona, aceitar sua morte,* transcendê-la e passar para uma estrutura do eu mais elevada e mais abrangente. Como veremos, *esse tipo de processo se repete em todas as etapas do desenvolvimento.* Quando tiver ocorrido a desidentificação de todas as estruturas e quando todas forem transcendidas, existirá apenas o Ilimitado; quando todas as mortes tiverem sido morridas, existirá apenas Deus.

É claro que tudo isso soa um pouco abstrato. O que faremos nos próximos capítulos, portanto, é examinar as formas do projeto Atman que aparecem nos diversos níveis da consciência. Veremos cada nível lutando, consciente ou inconscientemente, pela Unidade (telos Atman), mas em condições que necessariamente a impedem (restrição Atman) e impõem unidades substitutas (projeto Atman). Quando esses substitutos deixam de ser satisfatórios, aquele nível inferior é abandonado (mediante a aceitação da morte), e cria-se um novo nível de ordem superior — que ainda é um substituto, embora mais próximo do Real — até existir apenas o Real e a alma aportar naquele Tudo superconsciente, como é seu primeiro, último e único desejo.

14

A evolução através dos níveis inferiores

INCESTO E CASTRAÇÃO URÓBÓRICOS

A forma mais simples, mais primitiva e mais crua do projeto Atman é a do estado pleromático. Vimos que o eu, nessa fase é autista, não dual, em grande parte não diferenciado. Ademais, o eu pleromático não se distingue do ambiente. Como disse Piaget, o eu é *material.* O eu ainda não é corporal, ainda não é mental, ainda não é sutil – é quase literalmente material, unido à *materia prima* e à *virgo mater.* A unidade dessa fase é puramente física; é uma unidade pré-diferenciação, uma unidade que já está dada. Em seu paraíso de ignorância, é a mais primitiva das unidades.

O paraíso primordial e primitivo não prevalece por muito tempo, contudo, porque assim que as formas urobóricas começam a emergir do inconsciente base, a consciência material e pleromática se transforma. A massa indiferenciada da fase pleromática desfaz-se gradualmente em duas vagas compreensões, que nomeamos e explicamos anteriormente: o eu urobórico em oposição ao outro urobórico. O neonato começa a perceber que ele mesmo e o ambiente não são uma só e a mesma coisa. O bebê começa a reconhecer que existe algo separado dele, e a essa "alguma coisa global" denominamos "o outro urobórico". Estou sendo propositadamente vago com relação a esses termos, pois todos concordam que este é um estado de consciência extremamente vago, e não quero exagerar na interpretação do que o bebê de fato sente. Mesmo assim, existem algumas excelentes exposições sobre essas fases iniciais, feitas por Margaret Mahler e Louise Kaplan,[218] Piaget,[295] Klein[225] e Erich Neumann[279] (a que escolhi para discutir aqui).

Neumann, em sua exaustiva obra *History and Origins of Consciousness,** fez uma exposição muito detalhada do que, na opinião dele, são as três principais

* *História da Origem da Consciência*, publicado pela Editora Cultrix, S. Paulo, 1990.

fases (ao lado de várias outras menos importantes) da evolução do eu: a urobórica, a maternal e a paternal (discutiremos todas elas mais adiante). Neumann examina essa primeira fase – pleromática e urobórica – e conclui que o eu, nesse nível, é movido pelo que ele chama *incesto/castração urobóricos.*

Quero ressaltar que Neumann usa os termos "incesto" e "castração" em uma acepção muito geral: como "desejo" (incesto) e "ruptura dolorosa" (castração). Quando ele quer dar a esses termos uma conotação puramente sexual, ele assim o indica. Com algumas ressalvas, vou seguir o exemplo dele, porque "incesto" e "castração" se assemelham muito a Eros e Tânatos, sendo porém muito mais vívidos, de impacto mais forte. É preciso dizer também que a palavra "castração", quando corretamente usada, não é sexista. No dicionário Webster encontramos três definições: 1) extrair os testículos, emascular, capar; 2) extrair os ovários, castrar um animal (fêmea); 3) privar do vigor ou significado essencial mediante a mutilação, expurgação ou subjugação. A não ser quando indicado em contrário, é a essa terceira acepção, naturalmente, que vou me referir.

O que dizer, então, do incesto/castração urobóricos? De acordo com Neumann, o incesto urobórico é a tendência de voltar aos estados embrionário e pleromático – poderíamos dizer o desejo de unir-se ao outro urobórico e mergulhar de novo no esquecimento pré-diferenciação. "Enquanto a consciência... do bebê é fraca e sente a tensão de sua própria existência como algo pesado e opressivo, enquanto o torpor e o sono são sentidos como prazeres deliciosos, ela ainda não descobriu sua própria realidade e singularidade. Enquanto isso persiste, a uroboros [e o pleroma, se pudermos considerá-los em conjunto] reina como a grande roda da vida, onde tudo que ainda não é individual [pré-pessoal] está submerso na união [pré-diferenciação] dos opostos."[279] Assim, "no incesto urobórico [Eros], a ênfase sobre o prazer [sexual] e o amor não é de forma alguma ativa, sendo mais um desejo de dissolver-se e ser absorvido; passivamente, a pessoa deixa-se levar, mergulha no pleroma, desmancha-se..." .

Em outras palavras, o incesto urobórico é apenas a forma mais primitiva de Eros, a forma mais arcaica e menos desenvolvida do projeto Atman. O incesto urobórico é a tendência de buscar aquela *unidade de nível inferior a* todas as outras – a simples incorporação material, onde todas as formas de consciência se dissolvem outra vez na escuridão absoluta da *prima materia.* Mas deve-se observar que este *é* um impulso em direção à unidade; é apenas a forma mais baixa que se pode imaginar desse impulso, a forma mais baixa, poderíamos dizer, do projeto Atman.

Ora, enquanto o sistema do eu está preso ao incesto urobórico ou é movido por ele, está exposto, exatamente por esse motivo, à castração urobórica (tomada pela morte). Enquanto o eu deseja a fusão pleromática, ele é passível de ser inundado pelo pleroma primordial – pode ser "castrado" ou coberto pelo outro urobórico e pelo pleroma. É por isso, creio eu, que Neumann fala com freqüência do "incesto urobórico mortal, no qual o [eu] embrionário se dissolve como sal na água".[279] Essa "dissolução" é a castração urobórica: o eu urobórico simples é subjugado e dissolvido pelo pleroma. O argumento de Neumann, embora possa parecer vago a princípio, é que, enquanto o eu está envolvido no incesto urobórico, ele é passível de castração urobórica. *Enquanto a vida* (Eros) *está orientada para aquele nível, a morte* (Tânatos) *também está orientada para aquele nível.* Eis aí o projeto Atman urobórico.

É preciso observar, contudo, que Tânatos e castração não são exatamente a mesma coisa. Embora às vezes eu use indiferentemente um termo ou o outro – pois não quero introduzir definições demais a essa altura – a castração é na realidade Tânatos *a que se resistiu.* Enquanto o eu não pode morrer para o incesto urobórico-Eros, ele pode sofrer a castração urobórica. Como não pode abrir mão do incesto urobórico-Eros, porque não pode morrer para esse desejo, porque Eros suplanta Tânatos, *então* Tânatos aparece como castração, como uma ameaça. Em vez de transcender o eu urobórico, subindo para as esferas tifônicas, o eu é simplesmente castrado, dissolvido, destruído e devolvido à incorporação no pleroma. Tudo isso vai ficar mais claro, creio, no decorrer desta discussão.

A tradução urobórica continua enquanto o Eros urobórico suplanta Tânatos, enquanto não há renúncia à busca, ao desejo e ao incesto urobóricos. Mas assim que o eu adquire força suficiente para aceitar a morte da uroboros, assim que o eu pode renunciar ou morrer para o incesto exclusivamente urobórico, nesse momento Tânatos suplanta Eros, cessa a tradução urobórica e segue-se a transformação para cima.

Se tal transformação para cima não for totalmente "limpa" ou se for incompleta, aspectos da consciência continuarão "atolados" ou fixados no incesto urobórico; ou seja, a pessoa terá um prazer secreto na autodissolução, no abandono da consciência em atividades pré-pessoais. Mas se tudo correr bem, haverá a renúncia ao incesto urobórico – de qualquer forma ele é apenas uma recompensa substituta, e depois que se provar dele, descobrir que deixa a desejar e abandoná-lo, podem surgir substitutos superiores do inconsciente base. Observe-se que, uma vez abandonado o incesto urobórico, transcende-se a castração urobórica.

A questão toda é que, em termos poéticos, o eu percebe (corretamente) que não tem mais futuro nenhum nessa fase, que a Unidade não está ali, e assim leva seu projeto Atman para a próxima etapa da evolução.

O projeto Atman nas esferas tifônicas

Ao longo de toda a etapa urobórica alimentar, a consciência do bebê flutua no estado oceânico, e a diferenciação se resume a uma linha divisória muito vaga entre o eu urobórico e o outro urobórico. Mas à medida que o organismo começa a amadurecer fisiologicamente, e principalmente na capacidade de conceber imagens, o sentimento do eu urobórico primitivo começa a deslocar-se para o eu-corpo individual, e o outro urobórico começa a entrar em foco como a "figura maternal". O bebê começa assim a superar a esfera puramente pré-pessoal e urobórica e ingressa no plano tifônico de existência, onde enfrentará a batalha existencial do ser contra o nada, batalha que gira em torno da figura – ora amorosa, ora aterradora, ora benevolente, ora devoradora – da Grande Mãe.

A figura maternal não é inicialmente uma simples guardiã, e sim o foco literal de todo o mundo da criança. "A mãe pré-edipiana é a mãe que, em conseqüência da base biológica da família, torna-se necessariamente a totalidade do mundo da criança."[57] Quando o bebê inicia o processo de transcendência e começa a dividir seu narcisismo pleromático-urobórico por um lado em mundo interior, e por outro lado em mundo exterior, a figura maternal fica inteiramente nesse mundo exterior. A relação do bebê com a figura maternal deixa de ser uma relação entre o que alimenta e o que é alimentado, ou o que suga e o que é sugado, e passa a uma relação entre ser e não-ser, eu e existência. É por isso que todas as escolas de psiquiatria dão tanta ênfase à fase inicial do desenvolvimento – sua influência é profunda. A relação do bebê com a figura maternal é de fato uma relação com a existência *per se*, a existência como um todo. Portanto, a melhor forma de conceber a figura maternal, nessa qualidade, é como a Grande Mãe mitológica – o Grande Entorno, o Grande Ambiente, a Grande Base. A Grande Mãe é a primeira coisa que o eu vê ao despertar do sono pleromático-urobórico – e imagine-se o impacto que causa!

Como nessa fase a percepção de si mesmo está apenas começando a emergir, o eu não consegue, a princípio, diferenciar-se da Grande Mãe. Ou seja, o bebê – *como todos dizem – e a Grande Mãe são uma só coisa.*[46, 97, 214] Mas à medida que começa a amadurecer a diferenciação entre o corpo e o ambiente – diferenciação que, de forma muito vaga, havia começado no estado urobórico –, à medida que tal diferenciação amadurece, novas formas superiores do eu e do outro passam a existir. O corpo começa a destacar-se do mundo material que o rodeia; o mundo interior do organismo começa a diferenciar-se da Grande Mãe. Assim, a pequena escaramuça iniciada entre o eu urobórico e o outro urobórico desabrocha agora plenamente como o drama entre o eu-corpo e a Grande Mãe. A identidade do eu, tão efêmera no estado urobórico, começa então a estabilizar-se, e dessa forma os fatores vida-morte entram vigorosamente em ação nesse nível tifônico.

No estado pleromático, o eu do bebê estava disperso como simples unidade material – a forma mais rudimentar do projeto Atman; na fase urobórica, fez tentativas vagas e desconexas de buscar a unidade com o outro urobórico (incesto urobórico). Na fase do corpo, o bebê descobre um novo tipo de projeto Atman, um novo tipo de eu substituto. Mas é preciso lembrar a situação do eu substituto: ele precisa fingir preencher o desejo de unidade de Atman, o desejo de ser o centro do cosmos, o centro do universo. A simples noção de que o bebê luta por atingir a UNIDADE torna até os mais bizarros aspectos da teoria psicanalítica muito óbvios e fáceis de compreender.

Um exemplo: de acordo com a psicanálise, o bebê dessa fase traduz sua situação *(em imagens)* de forma a colocar-se como o centro do universo para, como diz a psicanálise, "incorporar" ou "engolir" o mundo (a Grande Mãe, ou a princípio apenas "o seio") em forma de imagem. O bebê procura trazer o mundo todo, em forma de imagem, para dentro de seu eu separado! Procura trazer o mundo todo para dentro de si e, assim, transformar seu eu separado no mundo todo. "Melanie Klein mostrou [que] o ego 'se baseia na libido do objeto reinvestida no corpo'; o eu é um *substituto* do outro perdido, um substituto que finge ser o outro perdido; assim, ao abarcar a nós mesmos, pensamos abarcar nossa mãe [o mundo todo]. [A estrutura do eu] resulta do desejo de [alcançar] união com a mãe, mediante o estratagema de fingir tê-la engolido, i.e., tê-la incorporado."[58] É, de fato, um substituto cosmocêntrico! Se não podemos *ser* o mundo, então vamos tentar engolir o mundo. Depois da dispersão pleromática-urobórica, esta é provavelmente a forma mais primitiva do projeto Atman que vamos encontrar.

Esta é uma forma do projeto Atman simples, movido pela luta de Eros para encontrar seu verdadeiro mundo e seu Eu Real; é o seu "incesto", o seu desejo de descobrir algum tipo de consciência de unidade, porém levado a efeito em condições que o impedem e impõem imagens substitutas do verdadeiro Mundo e da união com ele.

Assim, o bebê começa a traduzir seu eu e seu mundo, na tentativa de conquistar algum tipo de Unidade anterior. É assim que podemos considerar o fenômeno tantas vezes tratado pela psicanálise, o bebê que chupa o polegar. Em função do processo primário mágico que, como vimos, domina esse nível corporal, o bebê consegue *traduzir* o Grande Ambiente ou a Grande Mãe para a imagem do seio e para a imagem do polegar e, ao chupar o polegar, consegue fingir que está unido a seu mundo. Ou seja, ele consegue traduzir a si mesmo para o mundo todo e vice-versa. É uma união substituta muito engenhosa, mas evidentemente só funciona em imagens, ou seja, somente na fantasia e na imaginação. Não se trata de uma União real; é uma *união substituta.*

Tudo o que expusemos é apenas parte do incesto-Eros tifônico, o desejo de encontrar alguma espécie de unidade mediante a fusão com a Grande Mãe, que é incorporada ou engolida. Quando a psicanálise fala de "erotismo oral", está falando de Eros oral, de busca oral – a tentativa de encontrar a Unidade por meio da boca, de ser a mesma coisa que o mundo comendo o mundo. Vimos que nessa fase (fase tifônico-oral) a principal ligação do bebê com o mundo é a boca: nada mais natural, então, que ele busque a Unidade real com o mundo por meio da ligação oral! A fase psicanalítica do "erotismo oral" é simplesmente isso – o projeto Atman gira em torno da boca. Nessa fase, diz Fenichel, "A idéia de comer um objeto ou ser comido por um objeto [é] o meio pelo qual se pensa inconscientemente em efetuar a união com os objetos".[120] Para encontrar Atman, para encontrar a Unidade, o bebê come o mundo, a Grande Mãe. Pessoalmente, acredito que a psicanálise esteja absolutamente correta em sua avaliação dessa fase (o que, naturalmente, não exclui as contribuições de outros pesquisadores, como Piaget; estou usando a teoria psicanalítica apenas como um exemplo do projeto Atman).

No entanto, é claro que, se existe incesto oral, existe castração oral. Fenichel diz: "Em correspondência às metas específicas do erotismo oral... encontramos medos orais específicos, em especial o medo de ser comido."[120] Esses medos orais remontam, como vimos, à uroboros alimentar, mas a questão geral é muito clara: vida tifônica em oposição a morte tifônica, Eros tifônico em oposição a Tânatos tifônico — enquanto o eu deseja engolir o mundo, comer o mundo, ele é passível de ser engolido e comido — castrado — por esse mesmo mundo. A Grande Mãe é o primeiro alimento — e o primeiro Destruidor...

Assim, como o bebê está incestuosamente envolvido com a Grande Mãe — como o bebê quer fundir-se com a Mãe, engolir e incorporar a Mãe — ele está exposto à terrível possibilidade de ser tomado pela morte e castrado pela Grande Mãe. "A criança, que no seio da mãe conhece um modo novo e intenso de união [incesto de Eros]... precisa necessariamente conhecer um novo e mais intenso modo de separação... e morte. É por amar tanto a mãe [ou estar tão ligado a ela] que a criança sente a separação da mãe como uma morte."[57]

A criança *de fato* sente a separação da Grande Mãe como uma morte — *porque a Grande Mãe outrora fez parte do sistema do eu da criança.* O eu teve outrora uma *identificação* literal com a Grande Mãe, e portanto a separação ou diferenciação em relação à Grande Mãe é, a princípio, ser tomado pela morte. Observe-se que enquanto o eu deseja essa fusão material, enquanto ele conserva o incesto oral, a separação da Grande Mãe é ser tomado pela morte, uma ansiedade primordial.

Mas o eu inevitavelmente acaba aceitando a morte do seu incesto oral; mais cedo ou mais tarde, acaba aceitando a morte do estado de fusão com a mãe, de modo que consegue *diferenciar-se* da Mãe e, assim, *transcender* a incorporação primitiva na mãe. Isso só pode acontecer quando o incesto oral perde a força e quando é aceita a *morte* do incesto oral.

Observe-se que se a morte ou Tânatos deste nível não acabar sendo aceita, o eu continuará a experimentar o incesto oral e, *por conseguinte,* a castração oral. Como ele não pode renunciar a esse nível, como continua a identificar-se exclusivamente com esse nível, ele continua a sofrer uma castração sempre que acontece alguma coisa nesse nível. O bebê não é capaz de interromper o incesto oral; não é capaz de interromper sua fusão com a Grande Mãe (permanece como "o menino de sua mãe"); portanto, continua a sentir a separação da Mãe como ser tomado pela morte. Pois essa "ansiedade de separação" primordial não é, como Otto Rank explicou claramente, senão o pavor da morte.[25] Como esse pavor da morte é esmagador, o eu em questão deixa de diferenciar-se e separar-se (pois isso é demasiadamente doloroso, exige um esforço mortal). Ou seja, ele deixa de desenvolver-se e transcender. *Como não pode aceitar a morte desse nível, não pode transcender esse nível.*

A psicanálise coloca a questão à sua maneira: "a concentração especial de libido [busca de Eros] na boca na primeira infância, a hipercatexia do ato de chupar resulta da incapacidade de aceitar a separação da mãe e representa um resíduo da incapacidade humana de aceitar a morte... E seu efeito é dificultar o projeto [Atman] de união amorosa com o mundo devido ao projeto irreal de transformar a si mesmo na totalidade do mundo."[57] Não vejo como nossa argumentação poderia ser exposta de forma mais simples. Se o eu não consegue aceitar a morte do velho incesto ou fusão com a Mãe, se o eu não consegue aceitar a separação e a diferenciação da Mãe, ele fica preso a esse estado de unidade primitiva, a essa forma primitiva do projeto Atman, na qual tenta alcançar a Unidade real engolindo o mundo e transformando a si mesmo no mundo.

A questão é que a *ansiedade de separação* é, na realidade, a *ansiedade da diferenciação* – que é, na realidade, a ansiedade da *transcendência.* A ansiedade da separação ocorre em todas as etapas do desenvolvimento, porque a diferenciação e a transcendência ocorrem em todas as etapas do desenvolvimento – como vimos no Capítulo 10. Essa ansiedade de separação perdura até ser aceita a *morte* daquela etapa, depois do que o eu pode diferenciar-se daquela etapa e, assim, transcendê-la. A ansiedade de separação em qualquer nível é a incapacidade de aceitar a morte daquele nível e, se essa incapacidade persiste, o desenvolvimento *se detém* exatamente ali.

Mas se o desenvolvimento prosseguir mais ou menos normalmente, em algum momento, para voltar ao nível tifônico, o incesto oral perde a força: Tânatos suplanta Eros e ocorre a transformação para cima. Renuncia-se à maior parte dessa forma inferior do projeto Atman (cosmocentrismo de imagem apenas, "onipotência das imagens" de Freud, "onipotência mediante gestos mágicos" de Ferenczi, incesto oral e engolir o mundo etc.), renúncia que permite a emergência de recompensas mais elevadas, embora ainda substitutas, do inconsciente base para a consciência. Por outro lado, a não renúncia a essas formas iniciais e arcaicas do projeto Atman resulta em fixação: parte da própria consciência é impedida de continuar sua transformação para cima, sua ascensão em direção a Atman, permanecendo em vez disso situada nessas esferas inferiores. Desse ponto de fixação irradiam-se *símbolos* para a consciência, e provavelmente também sintomas. A alma permanece incestuosamente envolvida com essas esferas inferiores, e recebe inconscientemente uma simulação de sentimentos de Atman por meio de um envolvimento erótico com o passado inferior, com as raízes primitivas.

A fase anal/de afiliação do projeto Atman

Nas partes anteriores vimos que o eu começou a emergir do subconsciente. O eu tifônico atingiu um estado de diferenciação razoavelmente estável entre o eu e o outro, e pôde assim transcender o velho estado de fusão pleromática-urobórica. Como o eu havia emergido tentativamente como entidade separada, é natural que tenha adquirido algumas formas de busca do Eros (autopreservação, incesto oral, onipotência mágica) e que estivesse exposto a algumas formas de vulnerabilidade à morte (castração materna, castração oral, dissolução). Assim, já existiam algumas formas muito rudimentares do projeto Atman. Pelo lado de Eros, o eu já queria se expandir, se enriquecer, elevar-se à posição de centro do cosmos — até o ponto de querer engolir o mundo todo! Pelo lado negativo — o lado de Tânatos — o eu já ensaiava formas rudimentares de negação da morte, tentando proteger-se do pavor da aniquilação e do pavor do isolamento, da separação e do afloramento. "A grande simplificação científica da psicanálise", escreveu Becker, "é o conceito de que a totalidade da experiência inicial é uma tentativa da criança de negar a ansiedade de seu afloramento."[25] Ou seja, a ansiedade do afloramento da separação, da morte... e isso começa assim que existe *qualquer* tipo de afloramento — recuando até a uroboros.

No fim das contas, há uma renúncia mais ou menos completa a esses incestos de ordem inferior e, assim também, uma atenuação do pavor da castração e da morte. Mas o que não se atenua, nem pode se atenuar, é o projeto Atman: ele é apenas transformado no nível seguinte de ordem superior. Um novo modo superior de eu emerge e enfrenta novos tipos de outro, portanto tem novos desejos e novos impulsos de Eros, e igualmente sofre novas tomadas pela morte e cria novas negações da morte. O embate vida contra morte é transferido para um nível superior, e o projeto Atman entra em ação em novo plano. Há novos crescimentos, novos potenciais... e novos medos.

A essa altura de nossa história, estamos no limiar da etapa verbal-de-associação (cujo início normalmente coincide com a fase anal psicossexual — vou discutir as duas em conjunto, sem contudo confundi-las). Essa etapa geral, lembramos, assinala o ponto em que a mente verbal está *começando* a emergir do inconsciente base e a diferenciar-se do corpo. Ou seja, o ego-corpo tifônico está *começando* a diferenciar-se naturalmente em ego mental e em corpo físico; a mente verbal, assim, *começa* a transcender o simples corpo. No estágio anterior, vimos que o corpo se diferenciou do ambiente (e da Grande Mãe). Na fase atual, vemos o começo da próxima diferenciação de ordem superior, do ego em relação ao próprio corpo.

Nas etapas anteriores, a "ação" de desenvolvimento — Eros e Tânatos, incesto e castração — ocorria *ao longo* da fronteira entre o eu-corpo e o Grande Ambiente (já que este era a grande fronteira de diferenciação). Aqui, a ação de desenvolvimento ocorre predominantemente ao longo da fronteira entre o corpo e o ego emergente (já que este é agora o ponto onde aumenta a diferenciação). Assim, o drama da separação – o drama da vida e da morte, de Eros e Tânatos, todo o projeto Atman – deixa de desenrolar-se entre o corpo e o ambiente e passa a desenrolar-se entre o ego e o corpo.

O eu verbal é o novo eu superior, mas ainda substituto. É capaz de alcançar unidades de ordem superior porque é capaz de ideação. Com a mente verbal, a consciência começa a crescer e, por assim dizer, extravasa os confins do ser físico. A consciência deixa de estar vinculada ao presente ingênuo. Por meio da linguagem, pode-se antever o futuro, planejá-lo e, assim, orientar as atividades atuais em função do amanhã. Por meio da linguagem e suas estruturas simbólicas, temporalizadas, pode-se adiar as descargas imediatas dos impulsos biológicos simples. Ficou para trás o domínio total das exigências dos instintos que podem, até certo ponto, ser transcendidas. Por meio da cognição de afiliação, o eu pode participar da unidade de ordem superior de comunicação verbal, uma comunicação que transcende em muito as percepções simples e imediatas do corpo físico. A criança, então, começa a *traduzir* seu mundo e seu eu em termos das formas de ordem superior das idéias verbais e dos símbolos de afiliação; sua realidade é uma realidade de representação.

Contudo, exatamente porque o eu verbal está *começando* a se diferenciar do corpo, este começa a tornar-se um foco especial e *objetivo* de interesse – um centro especial para o incesto e uma concentração especial para a morte. E isso, muito simplesmente, é parte integrante de todo o "problema da analidade" da psicanálise.

Sei que o conceito de "analidade" não desfruta de muito prestígio nos dias de hoje, principalmente entre os psicólogos humanistas e transpessoais. Mas creio que o conceito da analidade – colocado no contexto do espectro completo da consciência – é uma expressão perfeita, brilhante mesmo, de verdadeiras preocupações humanistas e até transpessoais. É de fato um problema de vida, morte e transcendência – tudo focalizado no corpo. Que a psicanálise faça uso freqüente desse conceito de modo reducionista não é razão para desprezar o próprio conceito, mas apenas o reducionismo. Em minha opinião, pensadores como Becker,[25] Brown[57] e Rank[311] reformularam esse conceito psicanalítico de forma tão brilhante que ele não só se torna aceitável para a psicologia humanista e transpessoal, como também indispensável. Com efeito, "analidade" é apenas uma palavra-código para o projeto Atman nesse nível.

Para começar, quero fazer uma breve síntese dos trabalhos de Ernest Becker sobre psicologia do desenvolvimento.[25] Becker reformulou conceitos psicanalíticos em termos *existenciais/humanistas,* e assim preservou e sintetizou o melhor da psicanálise e da psicologia existencial. Portanto, reformular Becker em termos *transpessoais* é resguardar o melhor dessas três importantes escolas de pensamento – psicanalítica, existencial/humanista e transpessoal/mística. Minha opinião é que, se cada uma dessas três escolas puder dar uma pequena contribuição, chegaremos a uma exposição notavelmente fiel do que de fato ocorre no desenvolvimento como um todo.

Becker parte daquilo que veio a ser uma antiga e muito meritória tarefa da psicologia: procurar imaginar o que os homens e as mulheres *de fato* querem. Becker faz um levantamento de toda a literatura sobre esse tema e conclui que é o *heroísmo*: "O que procurei fazer", conclui, "é sugerir que o heroísmo é o problema fundamental da vida humana, que ele tem raízes mais fundas na natureza humana do que qualquer outra coisa." Se examinarmos atentamente a natureza do heroísmo, diz Becker, "teremos forçosamente de admitir que se trata do problema humano universal".[25]

E o heroísmo? A vontade de ser heróico? O que é isso? De acordo com Becker, nada mais é que o impulso para atingir "aquilo que poderíamos chamar 'significância cósmica'. Essa expressão é para ser entendida com todo o seu peso, porque é para onde nossa discussão se encaminha. [Para dar um exemplo] As pessoas falam despreocupadamente da 'rivalidade entre irmãos', como se se tratasse de uma espécie de subproduto do crescimento, um pouquinho de competitividade e egoísmo de crianças mimadas, que ainda não cresceram o suficiente para adquirir uma natureza social generosa. Mas essa rivalidade é absorvente demais, implacável demais para ser uma aberração, ela expressa o cerne da criatura: o desejo de se destacar, de ser *único* na criação. Quando se combina o narcisismo natural com a necessidade básica de auto-estima, o resultado é uma criatura que precisa sentir-se como um objeto de valor fundamental: o primeiro do universo, representando toda a vida em si mesmo".[25] Becker deixa claro que o heroísmo significa simplesmente o desejo de ser o centro do universo, de ser semelhante a Deus, de ser o princípio, o fim e o máximo de todo o mundo. Usando a nossa terminologia, é o desejo de ser *cosmocêntrico.*

Ao mesmo tempo, o heroísmo também significa evitar qualquer coisa que diminua o cosmocentrismo de cada um. Como a morte é a diminuição final, a morte é o pavor final. Becker diz: "O heroísmo é, em primeiro lugar e acima de tudo, um reflexo do pavor da morte." *De forma semelhante*, a "repressão da morte é a repressão primordial".[25] O heroísmo, portanto, também é um reflexo contra a morte e Tânatos — ele representa o desejo de ser imortal, imune à morte e ao sangue, para sempre triunfante.

Em síntese, o heroísmo é o desejo de ser semelhante a Deus, cosmocêntrico, imortal. O heroísmo, evidentemente, é o projeto Atman: o desejo de ser Atman, intemporal, ilimitado, infinito, o Tudo, o Um e o Todo. O lado positivo ou cosmocêntrico e o lado negativo ou de negação da morte do heroísmo de Becker são apenas os lados Eros e Tânatos do projeto Atman.

Becker também trata das vertentes subjetiva e objetiva do projeto Atman heróico. O lado subjetivo é o que ele denomina a "mentira vital" do caráter — o fato de que o eu separado é essencialmente uma mentira, uma mentira vital, sobre as possibilidades do heroísmo. O caráter é o projeto Atman "para dentro", o lado de dentro do heroísmo. O lado objetivo do projeto Atman heróico é, para Becker, todo o mundo da cultura, já que toda a cultura é em essência um "sistema codificado de heroísmo" que promete a imortalidade e a negação da morte. Todas as culturas, disse Otto Rank, baseiam-se em "símbolos de imortalidade". A humanidade ergue monumentos de pedra, ouro e aço que não se deterioram nem morrem, o que é um meio de aplacar o medo da não permanência e da não substancialidade.[26] A cultura é o que os homens e mulheres fazem com a morte...

No geral, as palavras de Becker se aplicam às vertentes subjetiva e objetiva, aos lados Eros e Tânatos do projeto Atman heróico – a tentativa da criatura de ser Infinita, de ser Tudo, de ser Atman. E até esse ponto, Becker e eu estamos de perfeito acordo. Mas Becker acredita que os homens e as mulheres querem ser Deus porque são mentirosos sem caráter, enquanto eu sustento que eles querem ser Deus porque seu potencial final é Deus. Para Becker – usando a minha terminologia – o projeto Atman é uma mentira fundamental sobre Atman. O indivíduo, heroicamente, deseja a eternidade e o infinito, mas como (de acordo com Becker) não existe nenhuma eternidade e nenhum infinito, o impulso heróico – o projeto Atman – não passa de uma mentira, pura e simplesmente. E o eu é uma mentira, a cultura é uma mentira, e a religião é uma mentira (ao que Huston Smith respondeu: fiz muitas generalizações, mas "nenhuma, com certeza, tão irresponsável quanto esta").[352]

Quanto a mim, creio que o projeto Atman não é uma mentira sobre Atman, mas um *substituto* de Atman. O projeto Atman é somente em parte uma mentira – e em parte também uma verdade. Homens e mulheres são, em última análise, Atman, e o impulso deles para o heroísmo é um substituto desse Atman. O heroísmo não é *apenas* uma mentira vital (embora isso faça parte dele), mas também uma verdade vital; e essa combinação, essa conciliação, é o projeto Atman.

Para Becker, o desenvolvimento é o desdobramento da mentira vital do caráter – o desdobramento do heroísmo. Para mim, é o desdobramento de Atman, norteado pelo projeto Atman. A análise do desenvolvimento de Becker continua sendo válida, creio eu, mas unicamente se colocarmos o heroísmo no verdadeiro contexto do projeto Atman.

Com isso em mente, o que Becker procura demonstrar, usando conceitos existenciais e psicanalíticos, é que o heroísmo (o projeto Atman) remonta até os primeiros estágios do desenvolvimento e é fundamental para toda a noção do próprio desenvolvimento. Desde o início, diz ele, a criança está envolvida no cosmocentrismo (narcisismo-Eros) e na negação da morte (Tânatos). "A criança tem uma idéia da morte por volta dos 3 anos de idade, mas muito antes disso já começa a trabalhar para se fortalecer contra a vulnerabilidade. Esse processo começa naturalmente nos primeiros estágios da vida do bebê – naquela que é chamada a fase 'oral' [urobórica e tifônica]. É a etapa anterior à diferenciação total da criança em relação a sua mãe [a Grande Mãe], antes de ela estar totalmente consciente de seu corpo e suas funções – ou, como dizemos tecnicamente, antes de seu corpo ter-se tornado um objeto em seu campo fenomenológico."[25] Ou seja, o corpo *é* o eu na etapa tifônica, e assim não é percebido *pelo* eu – o corpo seria, nessa fase, o inconsciente incorporado.

O argumento de Becker sobre a fase oral-tifônica é simplesmente que "a mãe, nessa época, representa praticamente todo o mundo e toda a vida da criança. Durante esses períodos, os esforços dela visam satisfazer os desejos da criança, aliviar-lhe automaticamente as tensões e dores. A criança, nessa época, está apenas 'cheia de si mesma', é uma manipuladora rematada e uma defensora de seu mundo. Vive impregnada de sua própria onipotência e controla magicamente tudo de que precisa para alimentar essa onipotência... Seu corpo é seu projeto narcisista, que ela usa para tentar 'engolir o mundo'".[25] Essa, como vimos, era uma das primeiras e mais rudimentares formas do projeto Atman.

Chegamos então à fase anal – o principal tópico deste capítulo. (Vou discutir sucintamente a interpretação de Becker desta fase e depois passar para a discussão da fase em geral; vamos retomar os pensamentos de Becker no próximo capítulo.) "A 'fase anal'", diz Becker, "é outro modo de falar do período em que a criança começa a voltar sua atenção para o próprio corpo como objeto de seu campo fenomenológico."[25] Ou seja, o período em que o eu, como mente verbal, começa a diferenciar-se do corpo físico, de modo que o corpo se torna um objeto do eu – o corpo deixa de estar no inconsciente incorporado. "Seu projeto [Atman] narcisista passa então a ser o domínio e a posse do mundo por meio do autocontrole."[25] Ou seja, o problema do heroísmo – a tentativa de ser cosmocêntrico e imortal – começa agora a deslocar seu foco para o corpo. O corpo passa a ser o foco da vida e da morte.

E que foco extraordinário. A psicanálise ortodoxa fez um excelente trabalho de detalhamento de todos os desejos – e todos os medos – da fase anal do desenvolvimento. Jamais esquecerei a discussão de Erick Erikson sobre Peter, um menino de 4 anos de idade: "Disseram-me que Peter estava prendendo o intestino, das primeiras vezes durante alguns dias, mas nos últimos tempos durante até uma semana. Chamaram-me às pressas quando o menino recebeu e reteve em seu pequeno organismo de 4 anos um enema que se juntou à matéria fecal de uma semana. Peter estava com aspecto lamentável e, quando achou que ninguém o estava observando, encostou-se a uma parede para apoiar o ventre intumescido."[108]

Por meio de uma série de perguntas bem pensadas, Erikson descobriu que Peter ficara impressionado com a história infantil "A pequena locomotiva que podia", porque numa página dessa história ilustrada a pequena locomotiva, soltando fumaça, entrava num túnel – mas na página seguinte ela saía sem soltar fumaça. "Está vendo", Peter disse a Erikson, "o trem entrou no túnel e no túnel escuro ele morreu!" "Uma coisa viva", comentou Erickson, "entrou numa passagem escura e saiu morta."[108] Já falamos muitas vezes sobre o processo primário e o raciocínio paleológico que dominam essas etapas iniciais, e pode-se começar a ver agora por que eles são tão importantes. A paleologia confunde o todo e a parte e equipara todos os sujeitos que tenham predicados semelhantes; assim, o túnel e os intestinos de Peter foram "equiparados" (ambos são longos, ocos, escuros etc.); a mesma equiparação foi feita entre "locomotiva fumegante viva" e alimento, e "locomotiva não fumegante morta" e fezes. Assim, Peter acreditava que, se eliminasse as fezes, algo que estava vivo poderia sair ferido ou morto – e conseqüentemente fez o possível para salvar sua vida. Em termos simples, a batalha da vida contra a morte – Eros contra Tânatos – ocorreu dentro do intestino de Peter e o menino, tomado de angústia existencial, ficou paralisado de medo.

Mas esse é apenas um caso um tanto exagerado do medo normal presente nessa fase. Diz Becker: "A solução básica do problema da analidade é que ele reflete o dualismo [agora em fase de germinação e desenvolvimento] da condição humana – o eu e seu corpo. A analidade e seus problemas surgem na infância porque o corpo é estranho e falível e tem clara ascendência sobre o homem... A tragédia do dualismo do homem [nesse caso, a crescente diferenciação entre ego e corpo], sua situação absurda, tornam-se demasiadamente reais. O ânus e seu produto incompreensível e repulsivo representam não apenas o determinismo e o confinamento físicos, mas também o destino de tudo que é físico: decadência e morte."[25] A analidade é, de fato, a introdução da criança a *anicca* (não permanência, um dos três sinais da existência de Buda). Estas foram as últimas palavras de Buda: "Tudo que é composto se decompõe. Tratem de salvar-se." A criança descobre essa decomposição – e imagine que coisa horrível e incrível: aquilo que está se decompondo é literalmente parte dela mesma! E ainda esperam que ela suma com aquilo apertando o botão da descarga. Não surpreende que toda criança, nessa fase, desperte aos gritos de seus terrores noturnos. Não surpreende que todos nós reprimamos as lembranças para reforçar nossa pretensa permanência e substancialidade. Mas a criança, temerosa e apreensiva, descobre essa decomposição inerente – aquilo que o pobre Peter não conseguia "eliminar", o que ele não suportava confrontar, era o mau cheiro da morte, a caveira que mostra os dentes no banquete. "O que fazer com as fezes?" é na verdade "O que fazer com um corpo mortal e mutável, quando no fundo do coração sei que sou imortal (Atman)?" Aí está, creio eu, o ponto crucial da analidade. Como veremos, toda essa tendência do terror corporal (junto com seu correlato, o incesto corporal) atinge um clímax extraordinário na fase psicossexual seguinte, anunciada por Eletra e Édipo.

Fenichel ressalta que toda essa fase anal é atravessada com "medos fantásticos de dano corporal".[120] Voltaremos em breve a isso, mas o ponto essencial está bastante claro – o medo avassalador de dano corporal é simplesmente uma nova forma de *ansiedade de separação*. O eu está começando a diferenciar-se ou *separar-se* do corpo físico, e enquanto esse processo não for concluído o eu pode sofrer a ansiedade de separação do corpo. O eu estava outrora *totalmente* identificado com o corpo, e enquanto persistir tal identificação exclusiva, o eu fica passível de castração corporal, que o aterroriza, que provoca "medos fantásticos de dano corporal". Na fase anterior, o bebê sentia ansiedade de separação sempre que a Grande Mãe se afastava, e isso acontecia simplesmente porque o eu estava outrora totalmente identificado com a Mãe e ainda não havia concluído a diferenciação necessária. Da mesma forma, o eu sente agora ansiedade de separação com respeito ao corpo físico ou seus apêndices ou representantes (como as fezes). Peter não queria "separar-se" de suas fezes porque elas representavam seu corpo e sua vida. Ele sentia a ansiedade de separação e não queria diferenciar-se.

Mas em meio a todos esses pavores da morte e medos da castração, a criança tem seus desejos secretos, seu Eros, seus incestos. Ela continua querendo ser o Herói, ser Atman, clama por imortalidade, reivindica onipotência. A psicanálise chama de "erotismo anal" as vontades e desejos desse período. Mas o que está por trás desses desejos? "O erotismo anal é sustentado pela fantasia infantil de um corpo mágico que poderia satisfazer o desejo [Atman] narcisista de uma imortalidade auto-suficiente e auto-reabastecida."[57] Imortalidade – a negação da morte: as fezes ameaçavam o projeto de imortalidade de Peter. "A analidade infantil... é uma mescla ambivalente de Eros e da morte, envolvendo a ligação da zona anal a... fantasias de união com a [Grande] mãe e fantasias narcisistas de ser ao mesmo tempo Eu e o Outro."[57] É, diz Brown, o impulso da "retenção simbólica, domínio, posse do mundo", e baseia-se em "fantasias de narcisismo humano fugindo da morte".[57]

A questão é simplesmente que a criança busca algum tipo de Unidade – união com a Mãe, tentando ser ao *mesmo tempo* o Eu e o Outro – mediante a manipulação simbólica do corpo. A própria busca, e seu contexto, é simplesmente a busca da Unidade que é a base de todas as bases. Consciente ou inconscientemente, todos os seres são atraídos para esse Estado. E assim faz a criança, à sua moda simples e mesmo rudimentar. A essa altura, ela procura alguns tipos de união simbólica substituta pela manipulação do corpo, e também pela manipulação da linguagem (o lado de afiliação dessa fase). É por essa razão que Ferenczi e Freud falaram da "onipotência das palavras e pensamentos" que floresce nesse nível,[121] que Sullivan falou do poder peculiar da "linguagem autista", uma linguagem que exerce um poder imenso, embora imaginário;[359] e que Lacan falou da "linguagem esquecida da infância" enraizada em anseios oceânicos [Atman primitivo] e exigências egoístas.[269] Tudo isso é simplesmente parte do Eros da criança, de seu incesto, seu projeto Atman de luta, seu desejo de ser Herói, Deus e, sobretudo, Um.

Como seria melhor encarar essa fase, que os alemães denominam fase da teimosia e Erikson chama de foco da autonomia?[108] Ser *autônomo!* Herói! Isto sem dúvida faz parte dos mais profundos anseios da criança. Ser autônomo – a mola propulsora de seu mundo, o "único princípio motor!". A criança grita "Não!" e "Eu faço sozinha!"[243] Ela é birrenta da maneira mais exageradamente obstinada; flexiona os músculos da resistência e ousa desafiar o mundo todo para poder desfrutar de autonomia absoluta, ser uma espécie de miniatura de Primeira Causa de si e de seu mundo. Opõe sua vontade à recalcitrante alteridade do não-eu e exige o triunfo absoluto. É uma batalha feroz, essa colisão entre um pretenso Deus e um mundo que não entende sua tentativa mágica e não cede a ela. Mas a tentativa é feita, o gesto categórico é feito, e cresce o desejo de, pela mágica, coagir e por fim possuir o mundo como um Zeus, um Thor, uma Ísis.

Mas é fatal: a criança já não pode ser o mundo todo, ser o Tudo, ser Atman, manipulando a palavra e o corpo como não pôde, por exemplo, chupando o dedo. No fim das contas, o novo eu substituto não é o motor primeiro e autônomo do eu e do outro. A forma infantil do projeto Atman é aparada por todos os lados de modo que, finalmente, pode emergir o próximo substituto de ordem superior, mais próximo do verdadeiro Atman. É somente dessa forma que são criados eus cada vez mais sutis; é somente dessa forma que o projeto Atman abre caminho para Atman. Por outro lado, se o eu se recusar a renunciar a essa forma inferior de incesto, ele continuará exposto à forma inferior correspondente de castração e pavor da morte; não poderá superar a ansiedade de separação do corpo, e assim continuará sendo vítima de suas próprias fundações.

15

A evolução através dos níveis do ego

Vimos que a etapa do ego testemunha o afloramento, ou em muitos casos a consolidação, de um número extraordinário de fatores de desenvolvimento. Mas se fosse resumir em poucas palavras essa etapa em geral, eu diria que ela assinala a diferenciação final entre o ego-mente e o corpo físico. Vou ater-me a esse aspecto no presente capítulo, começando com os aspectos corporais e passando em seguida aos mentais.

Com relação ao corpo, o ponto essencial é que os impulsos oral e anal acabam cedendo lugar ao impulso genital (falo-clitóris), e todo esse processo culmina no tristemente famoso complexo de Édipo/Eletra.

Ora, de acordo com a teoria analítica tradicional (com algumas modificações, que vou expor mais adiante), durante a fase edipiana do desenvolvimento, todo menino normal – e, como é de hábito por uma simples questão de praticidade, vamos limitar a discussão ao sexo masculino – procura, pelo menos por meio de palavras, símbolos e fantasias, *possuir sexualmente sua mãe.* A masturbação é muito comum, e a análise das fantasias que a acompanham mostra sem dúvida que a mãe é o primeiro objeto de amor genital, por mais evidentemente instável e imatura que seja a sexualidade. A teoria analítica sustenta ainda que a criança passa a ter raiva invejosa do pai, pelo simples motivo de que este é visto agora como o grande rival pelo afeto da mãe: ele é o obstáculo, o que frustra, o verme no interior de uma fantasia suculenta. Mais cedo ou mais tarde, porém, a criança imagina, à sua maneira fantástica, que se o pai descobrir seus desejos secretos, ele a punirá severamente, cortando fora o órgão ofensor. É o chamado complexo de castração, que esmaga os desejos edipianos. Para evitar a catástrofe, a criança alinha-se com o pai, internaliza as proibições e os tabus paternos, na forma do superego, e assim abandona ou reprime os desejos incestuosos. Complexo de Édipo e de castração – o que fazer com eles?

Quanto ao complexo de Édipo: já vimos que em cada etapa anterior a criança traduz seu mundo para evitar Tânatos e colocar-se como centro do cosmos, e para implementar esse projeto Atman ela adquire um enfoque narcisista, gratificações substitutas, resistências, compensações e defesas especiais.

Recapitulando, vimos que no nível do ego-corpo ela traduzia de modo a tornar-se ao mesmo tempo o eu e o outro, de modo a fazer dela mesma o seu mundo, "engolindo o mundo"; na etapa de afiliação, ela procurava atingir a unidade dominando o mundo da afiliação e tentando possuí-lo de todas as formas, provando ser autônoma e cosmocêntrica.

Agora, no início da fase do ego-sintática, ela imagina que pode unir-se *fisicamente* à Grande Mãe e, assim, conquistar uma espécie de unidade anterior. Unir-se com a figura maternal, que para todos efeitos representava até então todo o mundo da criança, é literalmente um desejo de união com o Tudo, ou pelo menos um substituto muito bom desse desejo. O que poderia ser mais natural? Por trás de tudo está o desejo de reconquistar Atman, o estado ilimitado e verdadeiro de todo ser e de toda consciência. *Unir-se por meio de Eros-corpo à Grande Mãe* – essa é a forma atraente do incesto. "A finalidade do ato sexual pode ser nada mais que uma tentativa de voltar ao útero materno." Ferenczi chegou perto – o que se deseja é o retorno verdadeiro e absoluto a Atman, e apenas secundariamente os elementos efetivamente regressivos entram em cena. Mas o ato sexual, seja fantasiado ou consumado, não leva a essa união *direta e duradoura* (deixando Tantra de lado por enquanto), já que por mais que pratique o ato sexual, a pessoa continua sendo ela mesma. Ela não é o Tudo, que é a meta e o desejo ocultos da relação sexual. Assim, a sexualidade genital é uma recompensa substituta. O sexo é um símbolo, um símbolo de Atman.

E ainda há mais. Unir-se à Grande Mãe – a Grande Mãe de cada um – é literalmente *conceber a si mesmo,* ser o pai de si mesmo... o deus de si mesmo. Lembramos a declaração de Norman O. Brown: "A essência do complexo de Édipo é o desígnio de tornar-se Deus – na formulação de Spinoza, *causa sui;* na de Sartre, *entre-en-soi-pour-soi.* ... O desígnio de Édipo é a luta para vencer a morte tornando-se o pai de si mesmo."[57] E Freud: "Todos os instintos, de amor, gratidão, sensualidade, rebeldia, auto-afirmação e independência – todos são recompensados no desejo de ser o pai de si mesmo."[57] E Becker: "O desígnio de Édipo é a fuga da passividade, do esquecimento, da contingência: a criança deseja vencer a morte tornando-se *pai de si mesma,* criadora e sustentadora de sua própria vida."[25]

O desígnio de tornar-se Deus – ou melhor, *o desígnio de ir em direção à consciência de Deus,* a consciência da unidade, a consciência de Atman – é exatamente o que está por trás do complexo de Édipo: o complexo de Édipo não passa de outra forma, embora muito baixa, do projeto do Atman imortal – o desejo de unir-se ao Tudo, desafiar a morte, ser onipotente, eterno – e que se expressa, nesse caso, por meio de impulsos genitais. Os aspectos genitais do projeto são, assim, secundários – a criança simplesmente tem um novo órgão com o qual colocar em prática sua eterna busca. Ela pode manipular e traduzir o falo, assim como fez com as fezes – em última análise, são atos motivados pelo projeto Atman.

Agora vem chocar-se contra o incesto-Eros o complexo de castração genital, do qual se diz que elimina o incesto. Mas como esse incesto é na realidade uma forma do projeto Atman, o que devemos fazer com o complexo de castração? Vamos começar com Becker: "O horror da castração não é o horror da punição pela sexualidade incestuosa, a ameaça do complexo de Édipo; é antes a ansiedade existencial da vida e da morte que encontra um foco no corpo animal... Percebemos hoje que tudo que se falou sobre sangue e excremento, sexo e culpa, é verdadeiro... porque todas essas coisas refletem o horror do homem à sua própria condição animal essencial, uma condição que ele não pode – principalmente enquanto criança – entender... Esse, finalmente, é o terror irremediável do complexo de castração..."[25] O complexo de castração é a percepção final e forçada da Primeira Nobre Verdade de Buda: o que é composto sofre e depois se decompõe.

A partir desse ponto, no entanto, divergimos dos existencialistas e de Becker (e também da psicanálise ortodoxa), porque – depois de humanizar admiravelmente o complexo de castração – eles deixam a questão toda solta no ar. Becker acredita que o projeto Atman é *totalmente* impossível – não existe nenhum Deus, nenhum Atman, apenas mentiras vitais sobre Deus e Atman. Ele acredita, portanto, ter provado que o complexo de castração "destrona" inteiramente qualquer chance de existir um paraíso, destrói inteiramente o projeto Atman: "Ele expressa a percepção da criança de que esse é um projeto *impossível.* Que a busca do *casui sui* [projeto Atman] em que se envolveu *não pode ser consumada por meios físico-sexuais.* ... É o destronamento trágico da criança, a expulsão do paraíso representada pelo complexo de castração."[25]

No entanto, ele apenas demonstrou que o projeto Atman heróico – para usar as palavras dele – "não pode ser consumado por meios *físico-sexuais*". E não pode mesmo! Mas *pode* ser consumado por meios superiores, e um dos primeiros passos (embora seja *um único passo)* é abandonar a forma físico-sexual, de modo a ser capaz de dar início à transformação para esferas superiores (mental, depois sutil, depois causal). Toda a questão do complexo de castração é que, ao ajudar a diferenciar e a transcender o incesto físico-sexual, ele abre o eu à transformação para cima, para as esferas mentais – essa é toda a questão da "sublimação", e a razão pela qual a psicanálise insiste que a sublimação é o *único* "mecanismo de defesa" bem-sucedido.[46, 120] (Na verdade, a sublimação não é nem mesmo um mecanismo de defesa – é outro termo para transformação para cima ou evolução, mas a questão está bastante clara: transformar-se *do* corpo *para* a mente: *sublimar.*) O complexo de castração é, de fato, o fim da forma *exclusiva* de incesto físico-sexual do projeto Atman, mas não o fim do projeto Atman. O complexo de castração não destrói o projeto Atman, mas apenas a forma infantil e corporal do projeto Atman.

Em síntese, o complexo de castração "bem-sucedido" ajuda a ressaltar a total impossibilidade de atingir Atman – de atingir a verdadeira Unidade por meio do corpo exclusivamente tifônico. Esta é a essência do complexo de castração. Naturalmente, o complexo de castração pode ser grave demais e resultar na repressão ou dissociação do corpo, e não em sua simples diferenciação (ver mais adiante). Sem dúvida não estou recomendando ansiedades traumáticas de castração, nem que os pais ameacem os filhos de 5 anos de idade com a castração física. Evidentemente, estou usando o "complexo de castração" na acepção genérica, cobrindo todos os seus aspectos, os bons e os maus. A questão é que o incesto *exclusivamente* corporal-genital precisa ser abandonado, e esse abandono recebe tradicionalmente o nome de "complexo de castração" ou "desintegração do complexo de castração". O eu precisa morrer para o desejo de unir o ego-corpo ao mundo de um modo exclusivamente sexual. Depois da fusão pleromática (incesto urobórico) e da fome (incesto tifônico), a união sexual é a mais baixa de todas as formas possíveis de unidade: é a unidade simples e primitiva apenas de dois corpos por apenas breves momentos. É uma união muito pobre em comparação com aquela Unidade absoluta na qual *todos os* corpos, superiores ou inferiores, são o perfeito Um Eterno. Essa é a Unidade de Atman, da qual a descarga sexual não passa de um breve vislumbre, e o orgasmo uma recompensa substituta. Mas para que surja qualquer uma das unidades superiores (mental, depois sutil, depois causal, depois Atman), é essencial que se abandone a exclusividade dessas unidades e incestos inferiores e se transforme suas metas. O eu precisa *morrer* para o desejo de encontrar a Unidade por meio do sexo. *A morte desse incesto significa que o complexo de castração foi vencido,* que Tânatos foi aceito nesse nível, e que a transformação para cima pode ocorrer: a sublimação.

Por outro lado, se esse incesto não for transformado, a pessoa continua exposta à "castração" na acepção negativa do termo – Tânatos não aceito. Quando os psicanalistas dizem que "o menino na fase fálica *identifica-se com o seu pênis*",[120] querem dizer que esse é o último momento em que o eu está mais ou menos identificado com o corpo. Depois dessa etapa, o ego e o corpo finalmente *se diferenciam.* Mas exatamente porque o eu está identificado com o corpo emocional-sexual nessa fase, os órgãos genitais passam a ser uma espécie de bem valorizado (se o leitor achar que isso é um pouco estranho, pense nas pessoas que conhece – homens ou mulheres que jamais superaram essa fase. Mas vamos voltar à criança). Como o menino "identifica-se com o pênis",[120] ele sofre de ansiedade de castração genital. Fenichel expõe isso com muita clareza,[120] e creio que ele está muito certo (isso não é tudo – existe o desenvolvimento cognitivo e moral etc., mas essa é uma parte legítima da história).

"O medo de que possa acontecer alguma coisa a esse órgão sensível e valorizado denomina-se ansiedade de castração."[120] Pois bem, acredito ser muito evidente que a ansiedade de castração puramente genital é apenas uma das novas formas de *ansiedade de separação.* É por isso que "suas antecessoras [são] a ansiedade oral e anal, relativas à perda do seio ou das fezes".[120] Fenichel diz que as fezes, o seio da mãe, a mamadeira e a própria mãe – "foram outrora [o eu], mas agora são objetos"[120] – e, como vimos, exatamente por isso ser verdade, houve uma *ansiedade de separação* associada a cada um deles, e essa ansiedade perdurou até estar concluída a diferenciação ou a desidentificação. Da mesma forma, enquanto o eu não se diferenciar do corpo genital, ele terá *ansiedade de separação genital,* conhecida como a clássica ansiedade de castração genital – Tânatos em sua forma mórbida, Tânatos a que se resiste, concentrada no corpo. "A ansiedade de castração no menino, na fase fálica, pode ser comparada ao medo de ser comido no período oral, ou ao medo de ser privado do conteúdo do corpo no período anal: ela representa o auge dos medos fantásticos do dano corporal."[120] Tudo isso ocorre *por causa* da *identificação* fantástica/exclusiva com o corpo, manifestada por meio de uma de suas ligações com o mundo: oral, anal, genital. O incesto corporal traz a castração corporal – e este é o resumo da história.

Por outro lado, abandonar a exclusividade desse incesto emocional-sexual, aceitar sua *morte,* diferenciar-se ou desidentificar-se dele, é "desintegrar o complexo de castração" e abrir-se à sublimação nas esferas mentais (pela identificação mental com o complexo ego/superego, como veremos). Assim, quando Tânatos suplanta Eros, quando essa tradução inferior é abandonada, a pessoa mais uma vez transforma seu modo do eu e a forma de sua busca (o sujeito substituto e o objeto substituto). Ela finalmente se diferencia do corpo tifônico ou emocional-sexual e transfere sua identidade central para o ego. E põe seu projeto Atman nas mãos desse novo e mais elevado eu substituto.

Fusão, diferenciação e dissociação

Vou interromper nossa história da evolução através das esferas do ego para discutir sucintamente um ponto muito importante sobre o desenvolvimento em geral, que é – como indica o subtítulo desta parte – a diferença entre fusão, diferenciação e dissociação, porque essa "escolha" está, em maior ou menor grau, presente em todas as etapas de desenvolvimento. E as conseqüências da "decisão" são fatais.

Não pode haver dúvida alguma – começando nossa discussão com essa etapa do ego – de que é necessário e desejável que a mente e o corpo se *diferenciem;* somente assim o eu pode superar o fato de estar limitado a simples sensações, percepções e impulsos (o eu-corpo geral). Quando a mente e o corpo se diferenciam, o eu pode expandir-se através do mundo da mente em vez de se deter nas proximidades do corpo preso ao presente. Assim como era desejável que o corpo e o ambiente se diferenciassem, é desejável agora que o ego e o corpo se diferenciem. A psicanálise relata muito claramente os tristes resultados do eu que permanece fixado aos modos meramente corporais (oral, anal, fálico), que não consegue superar os simples erotismos corporais, que se detém nas categorias infantis da manipulação corporal. Vimos, por exemplo, que o eu que deixa de diferenciar-se completamente do corpo procurará encontrar a unidade de Atman *através* dos orifícios corporais: talvez mediante a superalimentação compulsiva (fixação oral: tentativa de unir-se ao mundo comendo o mundo), ou manipulação sádica (fixação anal: tentativa de unir-se ao mundo possuindo o mundo), ou surtos histéricos (fixação fálica: tentativa de unir-se ao mundo "fazendo sexualmente" o mundo). Esse é o terrível resultado do projeto Atman que fica *parado* – em estado de *fusão* – nos níveis do eu-corpo.

Por outro lado, existe uma diferença entre *diferenciação* e *dissociação*. É necessário e desejável que o ego e o corpo se diferenciem – é desastroso se eles se dissociam ou se fragmentam. Em geral, sempre que ocorre a diferenciação, a dissociação *pode* ocorrer. O desenvolvimento bem-sucedido significa uma série de diferenciações limpas, com pouca ou nenhuma dissociação – mas isso, naturalmente, é raro. A dissociação significa apenas que é uma estrutura exilada no inconsciente-imergente, não sua transcendência, mas sua repressão.

Temos, assim, um *continuum* que vai de 1) fusão para 2) diferenciação para 3) dissociação. Em geral, em qualquer nível do desenvolvimento, a *fusão – ou a total não diferenciação* – ocorre quando o incesto-Eros não é abandonado ou transformado. A pessoa aceita as recompensas substitutas daquele nível e recusa-se a continuar se desenvolvendo, diferenciando ou transcendendo. É o que a psicanálise quer dizer ao afirmar: "A conseqüência de ter satisfações excessivas [incesto-Eros demais] em um dado nível é que só se renuncia a esse nível com relutância; e se ocorrerem infortúnios mais tarde, sempre existirá um anseio pela satisfação desfrutada anteriormente."[120] *E isso ocorre em todos os níveis do desenvolvimento.* Todos nós conhecemos alguma criança de 3 anos que ainda chupa o dedo porque a situação atual é estressante e a união anterior com o seio, na fusão pleromática, era demasiadamente satisfatória. Mas terá ficado claro que esse mesmo *tipo* de fenômeno pode ocorrer em todas as etapas do desenvolvimento, mesmo na esfera causal? Um racionalista encontra satisfação na atividade conceitual, e assim tende a recusar-se a diferenciar-se e desidentificar-se do nível mental – recusa-se dessa forma a ingressar no sutil, porque tem medo de deixar de chupar o dedo da razão. Também há algumas formas de meditação do sutil superior tão sublimes que a pessoa em questão pode ficar parada (em *fusão*) naquele nível por um período prolongado, renunciando a deixar de chupar o dedo do nível sutil e, assim, recusando-se a ingressar na esfera causal. Em todos esses casos, o incesto-Eros daquele nível não é abandonado, e portanto o eu *deixa* de continuar se diferenciando – permanece em *fusão* com aquele nível e toma como reais suas recompensas substitutas.

Pois bem, se o excesso de incesto-Eros leva à fusão, o excesso de castração-Tânatos leva à *dissociação*. Esse excesso de castração-Tânatos pode tomar a forma de frustração excessiva (de modo que Eros diminui) ou terror e trauma em si (de modo que Tânatos cresce). Em termos psicanalíticos, "Se a frustração tiver levado à repressão [porque Tânatos cresceu demais], os impulsos em questão são *isolados do restante da personalidade* [são dissociados]; eles não participam do amadurecimento posterior e enviam seus perturbadores derivados do inconsciente para o consciente".[120] Já falamos bastante da natureza desses "derivados perturbadores"; eles são *símbolos* e *sintomas,* originários do inconsciente imergente-reprimido (os aspectos *dissociados* do eu).

Devo dizer que, em minha opinião, ninguém escapa de alguma forma de dissociação do corpo/mente nessa etapa do ego. O ego é, de fato, uma transcendência do corpo – mas não muito. O ego conserva uma associação muito estreita com o corpo exclusivo (o que Aurobindo denominava o "ego físico") e assim tende a sentir pavor excessivo do próprio corpo. Somente na fase do centauro, quando a consciência começa a diferenciar-se do ego, é que o ego e o corpo podem ser integrados de modo amplo e firme. Antes disso, podemos apenas procurar *reduzir* o grau de dissociação corpo/mente – mas jamais erradicá-la. Na maioria dos casos normais, portanto, podemos apenas dizer (e esperar) que a *fusão* da mente e do corpo não é exagerada, que a *dissociação* da mente e do corpo não é exagerada – e que a *diferenciação* da mente e do corpo prossegue mais ou menos no tempo certo. E esse é um procedimento que vamos reencontrar em todos os grandes níveis de desenvolvimento, porque sempre que existe diferenciação, *pode* haver dissociação.

Incesto/castração materna

Como neste livro estou procurando pontos de contato com todas as grandes escolas de psicologia, gostaria de fazer agora uma associação com a visão junguiana, representada por Erich Neumann. Mas não se trata de um desvio, porque os pensamentos de Neumann têm ligação direta com toda a nossa discussao. Por exemplo:

Na opinião de Neumann, o movimento do corpo tifônico para o ego mental é um movimento do "incesto materno" para o "incesto paterno" (explicaremos este último termo na próxima parte). Esse desenvolvimento, de acordo com Neumann, compreende várias subetapas (a rendição, os lutadores, os assassinos, a luta com o dragão) mas no geral é apenas o movimento, a transformação dos desejos ligados ao corpo para os modos e conceitos mentais.[279]

A "esfera materna", como Neumann usa essa expressão, é a esfera da "mãe natureza" – instintiva, emocional, biológica – e gira em torno das regiões oral, anal e genital do corpo. O "incesto materno" pode ocorrer por intermédio de qualquer uma dessas áreas, mas chega ao fim na fase genital. Observe-se que estamos usando alguns termos em uma acepção muito ampla; por exemplo, o "eu-corpo". O corpo tifônico começa a ter influência de modo muito rudimentar com a uroboros, passa a ser o modo do eu dominante nos níveis axial e de corpo-imagem, estende-se pela fase de afiliação/anal e termina no início da etapa do ego. Em sentido muito genérico, portanto, podemos nos referir a *todos* esses níveis como "esferas do corpo", embora muitos outros processos estejam ocorrendo simultaneamente (desenvolvimento cognitivo, desenvolvimento verbal etc.). O mesmo acontece com as "esferas maternas": a Grande Mãe começa a exercer influência na etapa urobórica, adquire importância fundamental na etapa axial, estende-se pela etapa anal/de afiliação e termina no início da etapa do ego/fálica. Portanto, Neumann utiliza indiferentemente as expressões "incesto materno" e "incesto corporal" . Ele quer dizer (usando meus próprios termos) que as "esferas do corpo" e as "esferas da Grande Mãe" são aproximadamente iguais, e que *ambas* se estendem dos primórdios na uroboros até o auge de sua influência nas etapas axial/corpo imagem, passando pelas etapas anal/de afiliação, para terminar nas etapas fálica/do ego inicial. Se se pensar nas primeiras etapas do desenvolvimento como *dominadas* pelo corpo (as "esferas tifônicas") e pela Mãe ("incesto materno": a criança busca a união por meio da "figura maternal"), os argumentos de Neumann passam a se encaixar. Nesta parte, vou usar todos esses termos de forma muito flexível e genérica, simplesmente para concordar com as conclusões extremamente importantes de Neumann sobre essa transformação geral: corpo/materno para ego/paterno.

O argumento de Neumann é que, enquanto ocorre o incesto sexual-corporal (oral, anal ou fálico – todas as "esferas do corpo"), o eu está exposto à "castração materna" – castração, dissolução ou ruptura traumática pela Grande Mãe, que domina as esferas tifônica/do corpo. Pois a Grande Mãe "ameaça o ego com o perigo da ruína, da perda de si mesmo – em outras palavras, com a morte e a castração".[274] Aqui estamos em terreno conhecido. "Vimos", prossegue ele, "que a natureza narcisista do adolescente obcecado pelo falo constelava uma ligação entre a sexualidade e o medo da castração."[279] De novo o terreno é familiar. "A morte do falo na fêmea é simbolicamente equiparada à castração pela Grande Mãe, e em termos psicológicos isso significa a dissolução do [incipiente] ego no inconsciente."[279] Expondo mais ou menos a mesma idéia, o psicanalista Fenichel afirma que nessa etapa materna "a masculinidade e o ego do herói... se identificam com o falo e a sexualidade".[279] Assim, a ameaça da "castração [materna] *pende sobre o ego que ainda não rompeu os laços com a Grande Mãe*".[279] Essa castração pode assumir a forma específica (somente nessa fase) dos medos de castração *genital* real (bem como a forma mais genérica de castração-dissolução do ego-mente nos "acessos de raiva" irracionais, no hiperemocionalismo, nos impulsos hedonistas). Essas palavras são minhas, mas as idéias são de Neumann: ser castrado pela Grande Mãe/esferas do corpo é ser arrastado das esferas mentais recém-surgidas de volta às esferas tifônicas-prânicas-corporais; essa interpretação é exatamente o que Neumann tem em mente.[279]

Sugeri que, para que o desenvolvimento prossiga além dessa fase, o eu precisa morrer para sua identificação com o corpo, para esse incesto materno. É por isso que, acredito, Neumann afirma que "chegamos então à luta com a Grande Mãe e à derrota dela. O caráter imponente desse dragão reside essencialmente em seu poder de seduzir o ego e em seguida castrá-lo e destruí-lo no incesto matriarcal. ... Mas quando o ego deixa de estar disposto a permanecer [nessa etapa], ele precisa vencer o medo... e fazer exatamente aquilo que mais temia. Ele precisa expor-se à força aniquiladora da... Mãe Dragão, sem se deixar destruir".[279] Ele precisa passar pela morte (Tânatos) e pela separação dos níveis maternos sem regredir, dissolver-se ou reprimir-se — ele precisa interromper a fusão (incesto) e começar a diferenciar-se, sem dissociar-se. Se esse processo tiver êxito, "o ego do herói deixa de estar identificado com o falo e a sexualidade. Nesse [novo nível superior], outra parte do corpo eleva-se simbolicamente como a... 'masculinidade superior': a cabeça, símbolo da consciência, tendo o olho como órgão dominante — e essa é a nova identificação do eu".[279]

Observe-se outra vez: a aceitação da morte/separação de um nível inferior, a diferenciação ou desidentificação em relação a esse nível, a emergência do nível superior seguinte e a identificação com ele. Isso ocorre apenas depois de superada e deixada para trás a ansiedade de separação ("luta com o dragão", de Neumann), e anuncia um modo superior de transcendência. Por esse meio, diz Neumann, "a supremacia da Grande Mãe, o controle que ela exercia pelo poder instintivo do corpo [tífon] é substituído pela relativa autonomia do ego, do [eu] superior que tem vontade própria e obedece a sua razão".[279]

Além disso, essa nova esfera, mental do ego, é caracterizada por sua diferenciação do corpo, de acordo com Neumann. Nas palavras dele: "O desenvolvimento da consciência do ego segue paralelamente a uma tendência a tornar-se independente do corpo", pois o ego é "o mundo da luz e da consciência, ao contrário do mundo terreno, preso ao corpo, do inconsciente. ... O ego e a consciência vivem sua própria realidade ao se distinguirem do corpo. Esse é um dos fatos fundamentais da mente humana."[279] Observe-se também que, embora não afirme isso explicitamente, Neumann está ciente da diferença entre dissociação e diferenciação: "O desenvolvimento que ocasionou a divisão dos dois sistemas [mente e corpo] está de acordo com um processo necessário de diferenciação psíquica, mas, como toda diferenciação, ele corre o risco de tornar-se excessivamente diferenciado e maléfico."[279] Isso é a dissociação.

De qualquer forma, essa nova etapa mental do ego é o mundo dos conceitos, da vontade, da razão, da lógica e da moral. Ela é regida, inicialmente, pela "castração-incesto paterno", ou o que seria melhor designar por "castração-incesto paterno ou cultural": os desejos da pessoa, seus medos, estão menos concentrados no corpo e mais na *persona* sócio-cultural e suas *idéias*. Agora é por esse meio que o eu, oscilando entre os dois braços do projeto Atman, realiza seus novos incestos e sofre suas novas mortes.

INCESTO/CASTRAÇÃO PATERNA

Vimos que o ego mental normal aceitou a diferenciação, a morte ou a transcendência dos níveis inferiores: pleromático, urobórico, tifônico e de afiliação (ou as "esferas do corpo" em geral). Mas agora o eu está identificado com o ego mental, e assim opõe forte resistência à morte dessa nova estrutura. A batalha da vida contra a morte, de Eros contra Tânatos, *transfere-se* para esse nível mental, e o projeto Atman começa a manifestar-se por meio dessa estrutura. O projeto Atman já não é mais sexual-corporal, mas sim mental-do-ego. Já não é manifestado com fezes e falos, mas com o ego e a *persona*.

Vimos no Capítulo 5 que um aspecto característico do ego-mente é a diferenciação *interna* – a diferenciação do ego em várias subpersonalidades ou *personae* (necessárias e úteis), sendo as mais dominantes o Pai/Superego/Mandachuva, a Criança/Infra-ego/Oprimido, o Adulto/Calculador, o ego ideal e a consciência. Qualquer uma dessas sub*personae pode,* depois de emergir, ser *dissociada* (e não diferenciada) e, assim, tornada inconsciente-imergente (elas se transformam na sombra, ou "personalidades inconscientes", implacavelmente misturadas com o inconsciente arcaico). Da mesma forma, qualquer uma dessas subpersonalidades pode emergir — e freqüentemente emerge — do inconsciente base *como* o inconsciente incorporado (isso se aplica particularmente ao superego), um processo que é – dentro dos seus limites – natural, normal e saudável.

Como admiro o trabalho da Análise Transacional, costumo referir-me com freqüência a toda a esfera do ego-mente (ou pelo menos aos seus estados inicial e intermediário) como o ego P-A-C. Essa também é uma forma fácil de lembrar a diferenciação interna do ego e três de suas mais importantes *personae* (P de Pai, A de Adulto e C de Criança. Aliás, quando por exemplo "Pai" aparece com maiúscula, significa o "pai internalizado", e não o pai real, externo). No entanto — e isso é bastante importante — vou *restringir a maior parte da discussão do restante deste capítulo ao superego (Pai).* Gostaria que essa restrição da discussão não fosse tomada como uma restrição da importância dos demais aspectos do ego. Acontece que o superego é uma das mais importantes de todas as sub*personae*, e portanto a maioria dos nossos argumentos teóricos pode ser exposta com referência apenas ao superego (o leitor interessado pode aplicá-los às outras sub*personae*, conforme necessário).

Nos termos mais genéricos, o superego é parte integrante da *identificação de nível superior* do eu mental do ego. O superego significa, em especial, que a criança se identificou *com os pais* – internalizou *mentalmente* os pais, criando o Pai — "imitou mentalmente" os pais para ajudar a constituir o eu mental.[14, 38, 51, 97]

Isso acontece em um nível mental e verbal, não em um nível sexual e corporal. Como a criança é capaz de criar *idéias* e *conceitos* nesse estágio, ela pode identificar-se com seus mentores, os pais, de forma *conceitual* ou mental.

Não se trata, neste caso, de incesto corporal, mas sim de incesto parental/ conceitual: um nível superior de Eros.

A criança é apresentada ao mundo do corpo físico pela Grande Mãe – começando com o nascimento e continuando em diversos atos: chupar, mamar, tocar, sentir, aprender a usar o banheiro etc. Mas a introdução da criança ao mundo mental é feita pela linguagem e pelo discurso de afiliação, com a mãe e o pai *verbais.* A Grande Mãe pré-verbal representa um mundo de sentimentos, desejos, sensações e vontades não conceituais. Mas a mãe *específica, verbal,* que utiliza conceitos é outra: diferentemente da Grande Mãe que foi um dia, ela é entendida agora em termos de palavra-e-nome, num nível verbal e mental.[359] Em breve vem juntar-se a ela a *figura do pai,* outro indivíduo verbal e que usa conceitos. Isso é tudo mais ou menos novo para a criança, que por isso tende a usar seus novos pais, os pais verbais, como *exemplos de ordem superior,* de modo que a criança acaba se identificando com os pais enquanto Pai – o superego – e isso faz parte do novo eu de ordem superior.[165, 178] A criança toma *conceitualmente* seus pais como modelos do eu, por meio do *incesto paterno* ou exemplo paterno.

Para expor a mesma idéia de um ângulo ligeiramente diferente, os pais oferecem à criança novas formas de traduzir a realidade, reunidas em uma série de *condições especiais,* e essas condições especiais – *como sempre* – representam as características do novo nível superior. Nesse caso, as condições especiais oferecidas à criança são conjuntos de padrões verbais, conceituais, do ego e sintáticos. Pede-se (e às vezes exige-se) que a criança coloque nessa forma de ego-sintaxe aquilo que, anteriormente, ela manifestava com o corpo ou as emoções. Os pais continuam a impor essas condições especiais, de modo que a criança continua com esse novo modo de tradução, até a transformação ocorrer e estar mais ou menos concluída. Tudo isso faz parte do que designamos genericamente de "incesto paterno".

De fato, o incesto paterno ajuda a criança a passar do complexo de Édipo, associado ao corpo, para o ego mental e o superego. É isso que a psicanálise quer dizer ao afirmar que "o superego é o herdeiro do complexo de Édipo",[46] e isso ocorre porque "as identificações substituem as escolhas de objetos"[382] (o que na verdade significa que as identificações mentais substituem os desejos corporais sexuais). Fenichel diria: "O ego 'toma emprestado' de seus fortes pais a força que lhe permite eliminar o complexo de Édipo. Desse modo, a solução do complexo de Édipo dá origem ao marcante e decisivo 'passo dentro do ego' [sua diferenciação interna], tão importante para o desenvolvimento posterior do ego..."[120] De acordo com a psicanálise, por exemplo, "a mudança dos pais [externos] para o superego [interno] ... é uma condição prévia da independência do indivíduo. A auto-estima deixa de ser regulada pela aprovação ou rejeição por objetos externos e passa a ser regulada pela sensação de ter feito ou não o que era certo fazer".[120] Mas tudo isso apenas aponta para "o fato de que a construção do superego acontece num plano superior...".[120] (É verdade que aspectos do superego *podem* ser regressivos, narcisistas e arcaicos [diz-se que ele é constituído em parte pela incorporação oral, teoria que rejeito totalmente] – mas a questão geral é simples: dizer que o superego é um herdeiro "de nível superior" do complexo de Édipo é dizer que o ego mental ultrapassa o corpo tifônico.)

Neumann designa por "incesto/castração paterna"[279] toda essa esfera da psicologia do superego. Ele utiliza o termo "paterno" por vários motivos. Primeiro, o patriarcado, *histórica e mitologicamente,* substituiu o matriarcado.[17, 66] Isso poderia ter sido um desdobramento sexista, mas o sexismo é da humanidade, não de Neumann – ele só está relatando o que aconteceu. Segundo, atualmente também constatamos que – de acordo com Fenichel "em nossas condições culturais, em geral o superego *paterno* é decisivo para os dois sexos".[120] Isso também poderia ser sexista e decorrente de fatores culturais – mas mesmo se for, enquanto a sociedade não mudar, para a maioria das pessoas – homens e mulheres – "o superego paterno é decisivo". Daí incesto/castração *paterna,* que significa que o pai é, para a maioria das pessoas, o mais determinante exemplo e figura de autoridade dessa fase.

Não obstante, e por diversos motivos, prefiro a expressão mais genérica "incesto/castração *parental*", e cada um pode concluir, em cada caso, qual é a figura mais determinante, a da mãe ou a do pai. Ambos desempenham um papel significativo e ambos são, em maior ou menor grau, internalizados por intermédio do incesto parental.[427]

Gostaria apenas de frisar que o aspecto essencial do superego ou Pai é que ele ajuda o eu a diferenciar-se do corpo tifônico, e portanto a transcendê-lo; e isso ocorre, normalmente, pela emergência de uma estrutura de ordem superior e da identificação do eu com essa estrutura. Os pais são figuras extremamente importantes nessa fase, porque constituem – ou deveriam constituir – exemplos concretos de todas as *personae* diferentes e necessárias com as quais a criança pode identificar-se por meio do incesto parental, e isso, por sua vez, contribui para o desenvolvimento da rica diferenciação interior. Muitas vezes o que acontece não é que os pais deixam de reprimir a criança, mas sim que deixam de apresentar a ela modelos adequados: assim, a criança não faz a diferenciação e não desenvolve os potenciais do inconsciente base. Essa falta de crescimento não é decorrente de algo que os pais tenham feito, e sim de algo que deixaram de fazer – proporcionar modelos de incesto parental.

O projeto Atman egóico: ego ideal e consciência

O eu egóico – o ego P-A-C – é, de fato, um novo eu de ordem superior que representa uma nova unidade de ordem superior. Ele está um pouco mais perto de Atman, tem um pouco mais de telos Atman – mas ainda *não* é Atman e, assim, ainda tem seu projeto Atman, sua tentativa de ser o Herói ilustre, o

Um imortal e onipotente. O eu aceitou (mais ou menos) a morte e a transcendência de todos os níveis inferiores, mas agora está solidamente *identificado* com o ego mental, o ego P-A-C, e esse novo eu substituto é ferozmente protegido contra a morte e a transcendência. Ao mesmo tempo que é sugado pelos novos incestos, ele se encolhe de medo das novas mortes. Uma nova batalha de vida e morte tem início, e uma nova forma de projeto Atman levanta sua cabeça imortal.

Isso pode ser visto muito claramente mesmo se considerarmos apenas o superego (estou também limitando a discussão das subpersonalidades do ego ao superego ou Pai – portanto vou discutir o projeto Atman do nível do ego em termos apenas do Pai). O superego é tradicionalmente subdividido entre o ego ideal, ou todas as "injunções" positivas e ideais, e a consciência, ou todas as injunções "negativas" e proibições. (Não quero com isso excluir os trabalhos muito importantes de Kohlberg; apenas limito minha discussão a uma reinterpretação dos conceitos psicanalíticos.) Em minha opinião, todo esse tópico pode ser resumido dizendo-se que o ego ideal é o lado Eros do projeto Atman egóico, e a consciência é o lado Tânatos desse projeto. Eles representam o lado positivo e o lado negativo da forma do ego da tentativa imortal de ser Herói, Deus, Atman – e os fatos sustentam essa interpretação.

Podemos começar com o ego ideal: Loevinger faz um bonito resumo da visão ortodoxa da geração do ego ideal (exposta por Lampl-de Groot):

> O ego ideal começa com a "satisfação alucinatória de desejos" do bebê [as esferas urobóricas]. Quando o bebê toma ciência da distinção entre interior e exterior [nível do corpo axial], a satisfação alucinatória de desejos é substituída por fantasias de onipotência e grandeza [o projeto Atman imagem, do processo primário]. Após ter a experiência de sua relativa impotência, essas fantasias são substituídas por fantasias da onipotência dos pais [início dos incestos parentais]. Depois de se decepcionar também a esse respeito, ele concebe ideais e ética. Para Lampl-de Groot, toda a seqüência continua sendo uma questão de satisfação de desejos [ou incesto-Eros em geral].[243]

Esse parágrafo é um resumo de quase um século de pesquisa psicanalítica e, em minha opinião, significa que o ego ideal é essencialmente a culminação da satisfação de desejos eróticos, o lado positivo do projeto Atman. Ou seja, o ego ideal é apenas a culminação e a síntese dos muitos episódios de transformação que visavam assegurar várias formas do projeto Atman – cujo início, de acordo com alguns, recua até os estados pleromático e urobórico. Ele contém – ou melhor, superou – todas as formas anteriores de Eros, de incesto, de desejos positivos, ânsias, vontades exageradas, todas as tentativas anteriores de ocupar o centro do cosmos e ser herói. E na medida em que ocorra fixação em qualquer um dos níveis anteriores, esses incestos e desejos primitivos – de acordo com a psicanálise – persistem no ego ideal, distorcendo assim os ideais da pessoa, dando-lhe uma falsa noção otimista das próprias capacidades, oprimindo-a com o peso de sonhos impossíveis do paraíso. Tudo considerado, podemos dizer que o ego ideal pode ser a origem de todas as tentativas passadas de atingir a perfeição cósmica. É o meio mais simples de entender a natureza do ego ideal, e é uma interpretação condizente com a psicanálise em particular, mas também com Becker e os existencialistas em geral.

Mas essa é apenas metade da história – uma metade verdadeira, creio, mas mesmo assim uma metade. A psicanálise vê o ego ideal, descobre que seu âmago é o desejo da perfeição transcendente *além das limitações pessoais,* e – como não conhece as esferas transpessoais – conclui que o ego ideal é um desejo regressivo da perfeição *pré-pessoal* do paraíso pleromático.[120] Eu disse que isso *pode* ser *parte* da verdade, mas apenas parte. Grande parte do ego ideal é simplesmente a forma *presente* do projeto Atman. É o molde no qual o adulto despeja a intuição que tem a cada momento da verdadeira e superior consciência de Atman. É um pequeno buraco no ego pelo qual jorram as intuições da real Perfeição. Assim, a menos que tenha ocorrido uma verdadeira fixação, o "idealismo" do ego ideal não é um desejo regressivo da perfeição pré-temporal do pleroma, como tantos analistas parecem pensar.[46,120,122,141] Ao contrário, é um desejo progressista (mas ainda um tanto limitado) da liberação transtemporal na Unidade. Como o eu deseja a transcendência, deseja Atman, mas como não aceita a morte ou Tânatos no atual nível egóico, ele é forçado a fazer uma concessão e aceitar um substituto, que é basicamente o ego ideal – em parte uma ilusão e uma mentira vital, em parte uma verdade e uma realidade. Ele contém todas as intuições de Atman que no momento não podem ser realizadas ou concretizadas, e assim sempre levam o indivíduo a tentar ultrapassar seu estado atual de mediocridade, mesmo enquanto se empolga com os substitutos.

Portanto, o que busca esse ego ideal? Não vou apresentar uma argumentação alongada sobre isso – vou apenas concordar com Blos quando afirma que o ego ideal impele as pessoas "a incríveis feitos de criatividade, heroísmo, sacrifício e desprendimento. Morre-se em nome do ego ideal, em vez de deixá-lo morrer [sacrifício substituto]. É a mais inflexível influência sobre a conduta do indivíduo maduro: sua posição permanece sempre inequívoca".[45] E qual é sua posição? É uma "busca [que] se estende até o futuro ilimitado que se confunde com a eternidade. Assim, passa a não existir o medo da finitude do tempo, da própria morte...".[45] Imortalidade e cosmocentrismo – o projeto Atman do ego ideal. O projeto de imortalidade do ego ideal é a perfeição imorredoura, e este é apenas o novo estado de Eros na fuga da morte e sunyata, de Eros que anseia a imortalidade em uma cadeia sem fim de amanhãs. O ego ideal, em suma, busca sustentar e assegurar o senso do eu que abriga a ilusão – sob outros aspectos correta, porém distorcida – de ser o Atman imortal e perfeito. Eis aí, creio, o âmago do ego ideal.

Se passarmos agora para o *lado negativo* do projeto Atman, podemos dizer que se o ego ideal é o lar de Eros, Tânatos arreganha os dentes como a consciência. Assim como as raízes do ego ideal descem até as etapas pleromática e urobórica, também a origem da consciência reside na primeira experiência de Tânatos – proporcionada pelo outro urobórico – e a conseqüente resistência a Tânatos.[225,226] "Algumas das experiências de desprazer [Tânatos] estruturam-se mais tarde como restrições e exigências dos pais [na fase de afiliação como 'ética visceral'], às quais a criança obedece para conservar o amor dos pais. Na etapa seguinte [ego inicial] algumas dessas exigências são internalizadas pela identificação [incesto parental]. Finalmente, a criança aceita as restrições e adquire uma consciência... O tempo todo, [a consciência] continua sendo primordialmente um agente de restrição."[243] E a restrição imposta por Tânatos – o indefectível medo da morte contido pela consciência e liberado nas doses necessárias para fazer o ego se conformar com as exigências (o próprio Freud não chegou a dizer que esse aspecto do superego era formado por Tânatos?).

Para resumir tudo numa frase, poderíamos dizer que assim como o ego ideal é a culminação de todos os incestos anteriores, a consciência é a culminação de todas as castrações anteriores – de todas as restrições, negações, sensações de ser tomado pela morte. E se a castração dos níveis anteriores tiver sido grave, e se tiverem ocorrido fixações, a pessoa continuará, sob a influência de uma consciência rígida, a reprimir e a dissociar os aspectos anteriores da consciência que deveriam ter sido integrados. Em vez de diferenciação, transcendência e integração, ocorreu dissociação, fixação e repressão. Em vez de *sacrificar* a etapa anterior e aceitar sua morte, a pessoa dissocia aspectos daquela etapa à guisa de *sacrifício substituto*. A dissociação é essencialmente um sacrifício substituto. Ou seja, em vez de aceitar a morte adequada de um determinado estágio anterior, a pessoa oferece partes de si mesma em sacrifício substituto. Seguindo as ordens do Pai internalizado, a pessoa reprime, aliena e dissocia qualquer aspecto do eu que, aos olhos do Pai interno, constitua uma ameaça de morte. Assim, a pessoa que tem uma *persona* falsa e idealizada dissocia e reprime todas as facetas do seu eu (como a sombra) que constituem uma ameaça a essa auto-imagem inflacionada. Em vez de aceitar a morte da *persona* falsa, a pessoa põe em seu lugar a morte da sombra, reprimindo-a e dissociando-a. Assim como o ego ideal é o substituto de Eros, também a consciência é a substituta de Tânatos. Esta, creio, é a maneira mais fácil de reinterpretar os importantes trabalhos da psicanálise sobre o superego, seu ego ideal e sua consciência.

O abandono do incesto/castração parental

Depois que o incesto parental cumpre sua função – a criação de um eu de ordem superior por meio do incesto parental na forma de exemplo parental –

ele precisa ser abandonado, pela desidentificação e pela diferenciação. É preciso sacrificar a Mãe e o Pai, aceitar a morte deles e eliminar seu controle exclusivo sobre a consciência. Se o eu recusar-se a abandonar o incesto parental, ele estará exposto à castração parental: a pessoa permanece num estado de conformismo robotizado com as ordens parentais. O eu mantém a *fusão* parental. A pessoa não consegue suportar a *ansiedade de separação,* deixar para trás a Mãe e o Pai, e assim toda a esfera mental-egóica é *castrada* pelas opiniões de "mamãe e papai". A pessoa atravessa a vida sem jamais ousar nutrir uma idéia original, sem jamais ousar buscar um caminho próprio. A fusão prevalece: cessa o desenvolvimento, cessa a diferenciação, cessa a transcendência.

Todo esse drama normalmente atinge o clímax na adolescência. A pessoa, depois de criar várias *personae* adequadas (via incesto parental), começa então a diferenciar-se e a desidentificar-se de todas essas *personae*, na medida em que pode transcendê-las e integrá-las no ego maduro, e depois *começa* a transcender o ego propriamente dito. Isso requer a morte do velho superego mãe-pai (o que Neumann denomina o Assassinato dos Primeiros Pais).[279] Naturalmente isso é algo que os verdadeiros pais podem julgar ameaçador, e a tensão resultante anuncia tempos difíceis para todas as partes envolvidas.[292]

Se essa etapa for negociada com sucesso, a pessoa adquire um ego maduro ou integrado – o primeiro passo do Arco para Dentro – e em seguida passa para os modos transego do eu: centauro, sutil, causal e final. O projeto Atman se torna mais e mais sutil, e pode por fim dar lugar a Atman sozinho. Com a visão dessa Luz final, nasce o Deus Radiante.

16

A evolução de ordem superior

Como nos capítulos anteriores já fizemos um esboço dos fundamentos da evolução (Eros/Tânatos, afloramento, incesto/castração, diferenciação/dissociação etc.), podemos cobrir rapidamente as etapas restantes do desenvolvimento. Além disso, não será preciso intercalar nossas reinterpretações dos modelos de esferas superiores da psicologia ocidental ortodoxa, porque tais modelos não existem.

O CENTAURO

Em geral, todas as características do centauro (intencionalidade, imagem-visão, integração corpo-mente) representam ou refletem *unidades de ordem superior*, novas formas mais elevadas do telos Atman. É por essa razão que os terapeutas do centauro (humanistas ou existencialistas), em sua maioria, sempre falam de "unidade de nível superior" ou "unidade subjacente" – uma unidade do ego, do corpo, da mente e das emoções. Rollo May: "Aos que argumentam que esse quadro de uma profusão de egos [postulado como definitivo por muitas escolas de psicologia] reflete a fragmentação do homem contemporâneo, eu responderia que qualquer conceito de fragmentação pressupõe uma unidade *da qual* ela é uma fragmentação... Em nome da lógica e da psicologia, precisamos ir além do ego-id superego [tífon e ego P-A-C] e procurar entender o 'ser' que essa tríade expressa."[266] Carl Rogers: "A sensação ou experiência do organismo é mais que a percepção sensorial intensificada dos estados corporais internos e das atividades do sistema límbico [tifônico]. É a integração dessa percepção com a percepção das funções representadas pelo neocórtex. Também é a integração das atividades do hemisfério esquerdo e direito do cérebro [imagem-visão]."[187] Perls *et al.* ressaltam que a maioria das pessoas experimenta o ego e o corpo como algo muito diferenciado ou mesmo fragmentado; mas, dizem eles, "felizmente é possível demonstrar a *verdadeira unidade subjacente* [o itálico é meu]", e dedicam todo um livro a essa demonstração.[292] Da mesma forma, Lowen ressalta que a maioria das pessoas dissocia corpo e mente e constrói um bloqueio ou barreira entre a psique e o soma: "O bloqueio também tem o efeito", diz ele, "de separar e isolar a esfera psíquica da esfera somática. Nossa consciência nos diz que uma atua sobre a outra, mas devido ao bloqueio não se aprofunda o suficiente para podermos sentir a *unidade subjacente*" [o itálico é meu].[251]

O centauro ou integração corpo-mente é simplesmente a nova forma superior do projeto Atman, uma nova forma superior de unidade a caminho da Unidade. Mas para chegar a essa nova etapa, é preciso morrer para a velha etapa: aceitar a morte do ego.

Esse processo acarreta uma nova ansiedade de separação: a ansiedade de abandonar o ego, de morrer para uma identificação exclusiva com o conceito do eu como ego. Em geral, essa *ansiedade de separação* pode ser aterradora, principalmente dado o estágio atual de evolução coletiva, em que qualquer coisa além do ego é encarada com a máxima desconfiança e normalmente diagnosticada como pré-ego.

Mas a essa altura da evolução (voltando ao indivíduo), a tarefa do ego foi cumprida: ele serviu para fazer a evolução avançar da subconsciência para a consciência, que também agora precisa ser abandonada e abrir espaço para a superconsciência. No Arco para Dentro, é preciso dar adeus a esse velho amigo. O eu precisa diferenciar-se do ego, desidentificar-se dele, transcendê-lo, para então integrá-lo, em estruturas superiores recém-surgidas. É preciso não esquecer que o ego continua intacto quando o eu se desidentifica dele — assim como o corpo continuou intacto quando foi transcendido pelo ego. Transcendência não quer dizer deformação. A pessoa continua tendo um ego — apenas sua identidade não está mais exclusivamente ligada a ele.

Mas para que tudo isso aconteça é preciso passar pela ansiedade de separação de deixar o ego para trás — assim como no passado o ego precisou superar a ansiedade de separação do corpo (complexo de castração) e, antes disso, o corpo precisou superar a ansiedade da separação da Grande Mãe. Tudo aquilo com que o eu um dia se identificou inconscientemente precisa ser diferenciado. Desidentificado, transcendido. Agora é a vez do ego.

Enquanto a pessoa continuar identificada com o ego, enquanto funcionar por meio de desejos e incestos do ego, ela estará sujeita à *castração do ego*. Como o ego traduz com conceitos e idéias, se as idéias do ego forem atacadas, ele vai traduzir as experiências como uma morte. Como o ego tem alguns impulsos e metas de poder, se essas metas forem frustradas, o ego vai traduzir a experiência como sua morte.[232] Tudo isso nada mais é que uma forma de castração do ego. Enquanto houver ego e incesto do ego, haverá morte e castração do ego.

Se o eu conseguir suportar a ansiedade de separação do ego, poderá diferenciar-se do ego, transcendê-lo e integrá-lo. Caso contrário — se o eu continuar apaixonado pelas recompensas substitutas e incestos do ego — a diferenciação se detém, o crescimento se detém, a transcendência se detém. Reina a *fusão* do nível do ego.

É muito raro, no entanto, dado o "nível" da sociedade atual, que uma pessoa evolua além da fase do ego maduro. Com o modo médio de auto-percepção na sociedade em geral parece ser o ego inicial, intermediário ou tardio, além desse ponto a força da sociedade como "marcapasso da transformação" tende a declinar. Assim, as pessoas que *ultrapassam* as etapas do ego precisam fazê-lo à custa de seus próprios talentos excepcionais ou da assistência profissional especial. Essa assistência não significa "médico de doença mental", e sim um guia de auto-realização: em geral, o terapeuta existencial-humanista (e, acima dele, os Mestres espirituais).

A tarefa do terapeuta humanista (que, como vimos, costumava tratar das esferas do centauro) é ajudar o ego que está disposto a iniciar sua transformação para cima, rumo ao nível do centauro. E isso significa que o terapeuta do nível do centauro começa dando à pessoa uma nova maneira de *traduzir* a realidade. O terapeuta afina suas traduções existenciais com as traduções do ego (ou da *persona*) do cliente, até o ego conseguir *transformar-se* em centauro. Ou seja, o terapeuta atua como *marcapasso da transformação*, substituindo as forças "fracassadas" da sociedade e dos pais. O terapeuta, seguindo uma estratégia, frustra e rompe as velhas traduções e incestos do ego, e ao mesmo tempo incentiva e ensina as novas e superiores traduções do centauro.[426] Quando o cliente consegue de fato e por livre vontade adotar as novas traduções do centauro, a transformação está mais ou menos concluída, e a "terapia" quase terminada.[292]

Não se trata de fabricar, nesse processo, a partir da plasticidade da programação psíquica, uma realidade pessoal. A verdadeira transformação – em qualquer nível – não é uma forma de lavagem cerebral, hipnose ou propaganda. Ao contrário, é uma forma de afloramento, de lembrança, de recordação. O terapeuta, ao traduzir a realidade *a partir* do nível do centauro, *desperta* no cliente esse mesmo nível do eu (se tudo correr bem). O terapeuta adota a linguagem do eu superior do cliente e *vive* essa linguagem ou forma para o cliente até este poder vivê-la por conta própria. O terapeuta apenas auxilia a emergência (por meio da recordação) do nível do centauro a partir do inconsciente base.

Como explicamos anteriormente para *todos* os casos, o terapeuta existencial do centauro auxilia essa transformação ao impor *condições especiais* ao cliente, e essa condições especiais funcionam como *símbolos de transformação* para o cliente. Qualquer uma das características do centauro funciona a esse respeito: o terapeuta (conforme a escola que seguir) pode usar a intencionalidade, a imagem-visão, o viver no presente, os exercícios de união corpo-mente, e assim por diante. Creio que a literatura sobre toda a Terceira Força (humanista/existencial) é tão conhecida que podemos dispensar os detalhes. A questão geral é que o terapeuta do centauro procura ajudar o cliente a adquirir novas formas mais sutis de Eros-incesto, novos desejos e motivações mais sutis (sobretudo a motivação da auto-realização). Esse impulso de auto-realização, conscientemente acionado, é apenas uma nova forma de incesto: não mais o incesto corporal do sexo e do hedonismo, não mais o incesto do ego de metas e impulsos lineares e desejos conceituais, mas o incesto do centauro, o desejo de auto-realização além dos modos convencionais de ser (além dos limites biossociais).

Esse novo incesto, que surge dos escombros da morte do ego, não é apenas de *auto-realização*, mas também cria o autêntico *sentido* da vida.[64] A criação do sentido — de acordo com os existencialistas — é apenas parte da intencionalidade, razão pela qual Rollo May escreveu um livro inteiro para demonstrar que "*A intencionalidade* [é] *a estrutura que dá sentido à experiência*".[265] Ele cita Husserl em seu apoio: "O sentido é uma interação da mente." Assim, o mundo sem sentido, ressalta o existencialista, é apenas um mundo sem a intencionalidade de ordem superior, um mundo onde a pessoa não tem *intenção* de viver totalmente, participar da vida e desejar a vida, e dessa forma, por esse mesmo ato, *criar* o sentido da vida.[131] Ter intenção, ou buscar alguma coisa, também é rumar para aquela coisa, ou *significar* aquela coisa, e é por essa razão que os existencialistas sempre equiparam intencionalidade e sentido. Ou seja, "Minha vida não tem sentido" na realidade quer dizer "Não dou sentido à minha vida". De acordo com os existencialistas, se não houver intencionalidade na minha vida, não haverá sentido na minha vida.[265]

Para os existencialistas, isso não é mera teoria sem substância, pois além de identificar a doença (falta de sentido na vida, ou falta de realização de Eros), eles identificaram também sua causa. Eles descobriram *por que* não permito que a intencionalidade suba do inconsciente base, ou por que não dou intenção à minha vida e não encontro sentido nela. E é disso que estivemos falando o tempo todo; é o medo da morte...

Morte. É Tânatos, Shiva e Sunyata, que marca sua nova presença, e congelo nesse novo abraço. Enfrento terror existencial nesse novo nível, com apreensão, angústia, "doente até a morte".[223] Esse terror não se limita a congelar os níveis inferiores do meu eu — não congela apenas meu "incesto materno" ou meu "incesto parental" ou meu "incesto do ego"; ele congela *toda* a minha intencionalidade de centauro, meu desejo de viver a vida *por completo*.[25]

Como tenho medo da morte do corpo-mente total, preciso ser *cuidadoso* na vida — preciso me conter, me inibir, congelar todo o meu ser.[25, 36]

Assim congelo, ao mesmo tempo e pelo mesmo motivo, a intencionalidade e a imagem-visão: não existe *visão* da minha vida e seu sentido geral, e restam-me apenas as velhas agitações e abstrações lineares do ego. Elas já perderam o encanto, porém tenho medo de avançar. Fico imobilizado nesse novo nível porque enfrento a morte desse novo nível. Encontrei um eu superior apenas para vê-lo ameaçado pela caveira da morte que mostra os dentes outra vez. Agora existe a possibilidade de um Eros (auto-realização) novo e superior, que traz necessariamente em sua esteira o terror de um novo Tânatos, mais sutil — a castração do corpo-mente total. Encontrei um eu total, apenas para enfrentar a morte total. Portanto, acho impossível rumar para o futuro da vida, porque estou apavorado com a vida no presente...[228]

E assim Maslow descobriu que o maior obstáculo à auto-realização era a "síndrome de Jonas", que a forma mais genérica é o "medo da grandeza". Mas por que esse medo da grandeza, do potencial pleno e da auto-realização? A verdadeira resposta, diz Maslow, é que "não somos fortes o bastante para continuar agüentando!". Auto-realização e pleno sentido na vida, total abertura à vida, isso é demais. Nas palavras de Maslow: "É por demais perturbador e assustador. É tão comum as pessoas... nos momentos de êxtase dizerem 'é demais', ou 'não agüento', ou 'quase morri'... Não é possível agüentar por muito tempo o delírio da felicidade." A raiz da síndrome de Jonas não é senão o "medo de ser despedaçado, de perder o controle, de ser destruído e desintegrado, ou mesmo de ser morto pela experiência".[25, 263] Observe-se que o *medo da morte* se reconfigura como um *medo da vida*. Isso é o que evidentemente aconteceu de formas menos importantes em todos os níveis anteriores (como as castrações daqueles níveis), mas aqui, pela primeira vez, estamos diante da vida e da morte do corpo-mente total, e esse medo da morte pode contribuir para paralisar os potenciais desse nível, os potenciais da auto-realização e as possibilidades de dar um sentido fundamental à existência.

Lamento ter precisado tratar esse tópico extraordinário de forma tão sumária, porque ele é realmente importante. Só posso dizer, à guisa de resumo, que a tarefa do terapeuta existencial é ajudar a pessoa a confrontar a castração do centauro ajudando-a a *enraizar-se* no presente para, a partir dessa "coragem de ser"[377] centrada no presente, poder começar a *planejar* e *desejar* seu futuro e assim encontrar um sentido nele. Auto-realização.[64, 131, 228] Quando todos os incestos do ego começam a fenecer, quando todas as gratificações substitutas do ego perdem o encanto, o que fazer? Quando todas as metas do ego foram atingidas, quando a história perde o sentido para a alma, o que fazer? Sem substitutos da sociedade, do ego ou da *persona*, o que fazer? Lembramos as comoventes palavras de T. S. Eliot:

"What shall I do now? What shall I do?
I shall rush out as I am, and walk the street
With my hair down, so. What shall we do tomorrow?
What shall we ever do?"
    The hot water at ten
And if it rains, a closed car at four.
And we shall play a game of chess,
Pressing lidless eyes and waiting for a knock upon the door.(*)

(*) "E agora, o que farei? O que farei?
Correr para fora como estou, descer a rua
com os cabelos em desalinho. Que faremos amanhã?
Que faremos para sempre?"

Quando todos os impulsos do ego arrefecem e perdem o encanto, a alma é naturalmente levada a refletir sobre a vida, o eu, o ser – e o problema do *sentido* e da *auto-realização* acaba inexoravelmente surgindo, de modo que o corpo-mente total ou centauro chegam a um dilema. De acordo com os existencialistas, é preciso enfrentar esse dilema e passar por ele (e não contorná-lo) para fazer ressurgir uma imagem-visão da própria vida, sua intencionalidade e sentido. Os existencialistas nos dizem que o *sentido* da vida é a mesma coisa que *desejar* viver, e só é possível reunir coragem para desejar a própria vida quando se enfrenta a própria morte.

No fim das contas, o existencialista está a serviço da morte do ego e do afloramento do centauro. O centauro é o novo eu superior; seu Eros é a intencionalidade e o impulso de auto-realização. Seu Tânatos é a ansiedade global em relação à morte – mas agora, pela primeira vez, o eu começa a refletir consciente e seriamente sobre a morte, a admitir a morte *em geral*. O centauro não quer e não pode aceitar sua própria morte; mas é a primeira percepção do eu que tem força suficiente para enfrentar abertamente a morte e confrontá-la. É exatamente por isso que "a pessoa não autêntica [das esferas do tífon ou do ego] sente ansiedade com menor freqüência e menor intensidade. Ela não tem a percepção vívida da morte solitária e inesperada que Heidegger atribui à autenticidade".[228] Parte do trabalho do terapeuta do nível do centauro é ajudar a pessoa a enfrentar esse novo medo com a "coragem de ser", e encontrar uma imagem-visão nessa atmosfera de morte solitária e inesperada.

Além desse, só existe um meio de transcender a sensação de ser tomado pela morte no nível do centauro, e esse meio é transcender o próprio centauro: diferenciar-se dele, desidentificar dele. Isso significa que as pessoas precisam morrer para o incesto do centauro. Por estranho que pareça a princípio, é preciso ir *além* de "viver minha vida com sentido" (por que o "meu" começa a ser transcendido); é preciso abrir mão da intencionalidade e da "auto-realização" (porque a pessoa precisa abrir mão do "eu"); é preciso renunciar à autonomia pessoal (porque "não eu, mas Cristo" em breve motivará a consciência).

O centauro é, de fato, o novo eu superior dessa etapa – mas ainda é um eu substituto, ainda é uma mescla de verdade e ilusão, ainda se imagina com Atman e ainda está no âmbito do projeto Atman. Tudo o que dissemos sobre o fato de o centauro ser um eu de ordem superior é verdadeiro – mas ele ainda não é Atman e, portanto, ainda está representando o Herói jactancioso. Em nenhum outro momento essa forma do projeto Atman é vista com mais clareza do que a noção de "autonomia": ser auto-suficiente, bastar-se a si mes-

---

Água quente às dez
Carro fechado às quatro, se chover.
E jogaremos uma partida de xadrez,
Olhos sem piscar, esperando alguém bater à porta.

mo, um deus em miniatura, um ídolo desafiando a eternidade. Na realidade, trata-se apenas da tentativa mais sofisticada do sujeito separado de *continuar sendo* um sujeito separado – manifestando suas tendências ao isolamento, colocando nas alturas seus potenciais limitados, pretendendo, em sua qualidade temporal, ser o Deus Onipotente e Autônomo.

O centauro – como todas as outras estruturas anteriores – cumpre uma função necessária, porém *intermediária*; uma vez realizado, o centauro deve ser transcendido e não glorificado, e sem dúvida não adorado. O Eros do centauro precisa, no fim, ser abandonado; se isso não acontecer, a pessoa permanece *fundida* com aquele nível, presa a seus incestos. Cessa a diferenciação, cessa o desenvolvimento, cessa a transcendência, e a pessoa se contenta com a recompensa substituta da "autonomia" isolada, uma autonomia *baseada* na intuição primordial do Atman Autônomo, porém deslocada, desviada para o organismo isolado e mortal. Todo o objetivo do centauro – que é, de fato, uma estrutura relativamente forte e capaz – é *criar um eu suficientemente forte para morrer*, e não criar um eu suficientemente forte para se vangloriar disso, e muito menos para se tornar para sempre um líder de reuniões de grupos humanistas.

Se for possível suportar a diferenciação de tudo isso – se for possível suportar essa nova e difícil *ansiedade de separação*, suportar o abandono do incesto do centauro, suportar ir "além da auto-realização" e da "autonomia" – suportar a renúncia à *vida pessoal como um todo* – então a pessoa estará aberta para as esferas transpessoais do plano sutil e causal.

Evolução sutil e causal

Serei muito sucinto ao tratar das esferas sutil e causal, porque já abordamos muitas das questões envolvidas, e também porque os pontos essenciais já devem estar razoavelmente claros a esta altura. Existe apenas uma série de diferenciações e unidades de ordem superior, com novos incestos, novas castrações, novas identidades e novos eus substitutos, até que no ápice não existe nenhum eu, mas apenas Eu, e o projeto Atman se desintegra e volta a Atman.

Começando com o sutil, por meio das *condições especiais* impostas pelo Guru ou Mestre, a esfera sutil começa a emergir do inconsciente base. A tradução do centauro perde a força; começa a transformação para o nível sutil. No fim, o eu *se identifica* com essa estrutura arquetípica – por meio do *incesto sutil* ou Eros sutil – e passa a operar *como* essa estrutura, desidentificando-se do centauro (e do corpo e da mente). O incesto sutil, Eros sutil, continua então a operar a partir desse eu sutil: assume a forma de amor ditoso, união incestuosa direta com o Guru e sua linhagem, união ishtadeva, luz-contentamento sahasrara, e assim por diante. O incesto nas esferas superiores do sutil (além de sahasrara) contém revelações de som (nada), iluminação audível e liberação extática da mortalidade bruta na Presença Radiante. A alma começa a ficar "unida a Deus", e essa unidade ou identificação se processa pelo incesto sutil *com* e *como* a forma da divindade Arquetípica.

Esse, em resumo, é o incesto sutil — que traz consigo a castração sutil. A forma mais comum de castração sutil é o medo incessante de perder a Luz, por um lado, e por outro a efetiva obliteração do eu pela Luz. A obliteração do eu pela Luz-Contentamento não é igual à identificação ou à reabsorção do eu na Luz (o que se espera que aconteça). A castração sutil envolve uma ruptura e destruição do eu, e não a suave transcendência e integração.

No nível sutil do desenvolvimento, o eu deve ser reabsorvido pelo yidam/ishtadeva/guru, que é na verdade o próprio Arquétipo superior da pessoa e, assim, não representa uma perda ou diminuição da consciência, mas sim uma intensificação e expansão da consciência. No entanto, as energias sutis podem invadir e provocar uma ruptura no eu (dissociação sutil), sendo esta uma forma de castração sutil, normalmente ocasionada por uma elevação muito rápida do incesto sutil. Isso parece acontecer com freqüência na yoga kundalini — o yogue pressiona demais, sublimando o incesto bruto em incesto sutil, e é inundado por suas próprias energias arquetípicas.

O eu sutil é um eu de ordem extraordinariamente superior, próximo de Atman, mas que ainda não é Atman. No entanto, é tão sutil o eu substituto dessa fase que quase sempre é tomado pelo próprio Atman — e essa é, provavelmente, a forma do projeto Atman mais difícil de romper. Será preciso que a pessoa abandone o incesto sutil — o contentamento sahasrara, a luz, o êxtase do som-nada — para poder romper essa *fusão* e passar para o causal. Se ela conseguir passar pela *ansiedade de separação* do sutil, estará pronta para transcender o sutil e isso leva, no devido tempo, ao causal.

No causal, a última grande forma do inconsciente base emerge na consciência e como consciência, e assim *todas* as formas se reduzem à Consciência em Si e são por ela reabsorvidas. Todas as formas são reduzidas ao Arquétipo (no sutil), que se reduz a Deus-final (no causal inferior), que se reduz a Consciência Informe (no causal superior). Essa queda no Informe é na verdade o incesto causal, e a tensão extraordinariamente sutil que se instala entre a Forma e o Informe — essa é a castração causal. Ou seja, em nirvikalpa ou jnana samadhi, nasce uma tensão extremamente sutil (se essa for a palavra certa) entre o Manifesto e o Não-manifesto. A queda no Não-manifesto, o Amor da Liberação no Vazio, é o incesto causal; esse incesto causal suscita a sensação sutil de que a esfera do Manifesto diminui a Liberação — de que o Manifesto castra a Radiância Informe. Essa tensão sutil é o último nó a desatar no Coração.

Se a pessoa puder renunciar ao incesto causal — sua fusão e caso de amor exclusivo com o Vazio — o estado final ressurge como o único Real, o fim de todos os caminhos, onde a Forma é o Informe e vice-versa. Esse estado não pode ser visto, pois é tudo que se vê, e assim permanece Invisível. Não pode ser ouvido, pois é tudo que se ouve, e assim permanece Indizível. Não pode ser conhecido, pois é tudo que se conhece, e assim permanece o Grande Mistério.

Como Consciência que não se pode conhecer, não se pode obstruir e não se pode restringir, ele se irradia e se completa a cada momento, como uma série infinita de estados sempre aperfeiçoados, sempre mutáveis na ação, sempre iguais na plenitude. Parece ser o ponto da evolução, mas é na verdade a realidade anterior a todos os estágios da evolução, do primeiro ao último, interminavelmente. Dessa forma, ele é sempre perfeitamente inatingível, porque sua existência é sempre intemporal e eterna. Todas as tentativas de atingi-lo, até na esfera causal, são finalmente desfeitas, e se entende que ele esteve totalmente presente desde o início, jamais foi perdido e jamais reconquistado, jamais esquecido e jamais lembrado, mas sempre existiu antes de tudo isso (razão pela qual se diz que as pessoas comuns não sentem falta dele e os Budas não o atingem).

Como Consciência infinita, que a tudo impregna e a tudo envolve, ele é o Um e o Muitos, o Único e o Tudo, a Fonte e a Realidade, a Causa e a Condição, de tal modo que todas as coisas não passam de um gesto desse Um, e todas as formas um movimento dele. Como Infinito, ele pede admiração; como Deus, ele pede adoração; como Verdade, ele pede sabedoria; e como o verdadeiro eu, ele pede identidade.

Em seu ser não há obstrução, e essa não obstrução impregna o cosmos. Em sua ação ele não deixa vestígios, e essa ausência de vestígios perdura para sempre. Contentamento e mais e mais contentamento, ele não pode ser sentido. Luz e mais e mais Luz, ele não pode ser detectado. É evidente sem ser suspeitado. Sempre presente, brilha mesmo agora.

17

Esquizofrenia e misticismo

A esquizofrenia e o misticismo sempre foram considerados de certa forma semelhantes à loucura e ao gênio – parecem ter uma estreita ligação e ao mesmo tempo ser radicalmente diferentes. Mas a semelhança entre a esquizofrenia e o misticismo gerou dois grupos gerais de idéias sobre esses dois estados mentais. Aqueles que consideram a esquizofrenia uma enfermidade, uma doença, uma patologia da pior espécie, tendem também a encarar todo o misticismo sob um ângulo parecido (dadas as semelhanças). Se os sábios místicos não forem simples casos patológicos, estão no mínimo a meio caminho disso. "O psiquiatra", diz um recente relatório do Group for the Advancement of Psychiatry (GAP – Grupo para o Progresso da Psiquiatria), "se interessa pelos fenômenos místicos porque eles são a demonstração de formas de comportamento intermediárias entre a normalidade e a psicose ostensiva; uma forma de regressão do ego a serviço da defesa contra o estresse interno ou externo..."[167] Já disse muitas vezes e argumentei a favor do fato de que a verdadeira regressão pode ocorrer e ocorre; que alguns que se dizem místicos efetivamente caíram em alguma forma de regressão; e que alguns místicos verdadeiros, a caminho de estados maduros de unidade, ocasionalmente reativam complexos regressivos. Isso, contudo, não deve impedir-nos de fazer uma distinção clara e definitiva entre esquizofrenia e misticismo. Assim, como afirmação psicológica genérica sobre a natureza da transcendência e do misticismo, a postura do GAP ajuda muito pouco.

A segunda postura geral em relação à esquizofrenia e ao misticismo parece estar um pouco mais próxima da verdade, mas às vezes é tão dogmática e excessivamente abrangente quanto a primeira. Esse grupo encara a esquizofrenia não como algo patológico, e sim *super*saudável. Esse pesquisadores, cuja opinião sobre outros temas tenho em alta conta (como R. D. Laing[239] e Norman O. Brown[58]), vêem com simpatia a noção de que os estados transcendentais são ultra-reais (com isso concordo), e como a esquizofrenia e o misticismo parecem tão semelhantes, o esquizofrênico deve necessariamente ser também um exemplo de ultra-saúde. Diz Brown: "Não é a esquizofrenia, e sim a normalidade que tem a mente cindida; na esquizofrenia as falsas fronteiras estão em desintegração... A doença de que sofrem os esquizofrênicos é a verdade... O mundo esquizofrênico é um mundo de participação mística; um 'prolongamento indescritível do senso interior'; 'estranhos sentimentos de referência'; influências e poderes psicossomáticos ocultos..."[58]

Eu me coloco em algum ponto entre esses dois campos, e minha opinião se baseia nas importantíssimas distinções entre o *pré* e o *trans* que descrevemos no Capítulo 7. Fazendo referência às Figs. 2 e 3 e com base nos relatos fenomenológicos disponíveis sobre a experiência esquizofrênica, o episódio esquizofrênico típico normalmente envolve os seguintes fatores:

1. O fato desencadeador é, com freqüência, alguma situação extremamente estressante ou um problema inexorável.[114] Antes disso, a pessoa pode ter tido grande dificuldade em manter relações sociais, pode ter um ego (*persona*) razoavelmente fraco e uma tendência ao isolamento.[6] Por outro lado, a pessoa pode ser simplesmente atingida pelo verdadeiro dukhka ou pelo sofrimento inerente ao samsara, ou estar temporariamente arrasada por causa de um *insight* doloroso.[239] Seja qual for o fato desencadeador (e não excluo os fatores bioquímicos – eles são extremamente importantes, e a pesquisa bioquímica sobre processos cerebrais constitui um avanço psiquiátrico de primeira grandeza. Não vou discutir aqui esses fatores, pois isso exigiria vários capítulos a mais e não importaria em alteração relevante das conclusões a que chegaremos) – seja qual for o fato detonador, as traduções do ego/*persona* entram em colapso ou são grandemente prejudicadas (e a teoria do dilema sem saída da esquizofrenia tem relação direta com essa ruptura da tradução do ego ou metaprogramação).[23]

2. A ruptura das funções de editoração e filtragem da tradução do ego (processo secundário, princípio da realidade, estruturação sintática etc.) deixa a pessoa desprotegida e exposta aos níveis de consciência *inferiores* e *superiores*. A meu ver, é acionado então um *processo duplo*: o eu começa a regredir para os níveis inferiores de consciência e, ao mesmo tempo, fica exposto à possibilidade de ser inundado por aspectos das esferas superiores (principalmente a sutil). Dito de outra forma, enquanto a pessoa entra no subconsciente, o superconsciente entra nela. Ao regredir para o inferior, é invadida pelo superior. Ela é atingida pelo inconsciente imergente e também pelo inconsciente emergente. Pessoalmente, não vejo outro modo de explicar a fenomenologia do surto esquizofrênico. Os que encaram a esquizofrenia apenas como regressão deixam de ver sua verdadeira dimensão religiosa, e aqueles que a vêem apenas como um fenômeno superespiritual e supersaudável passam por cima dos indícios de efetiva fragmentação e regressão psíquicas.

De qualquer forma, quando a tradução do ego começa a falhar, o resultado normalmente é uma extrema ansiedade.[75] Quando começa a regressão e a sintaxe do ego deixa de funcionar, a pessoa fica aberta ao pensamento mítico e às referências mágicas características das esferas mítica-de-afiliação.[6] O pensamento mítico, como vimos, confunde a parte e o todo, os membros e as classes — e essa é a característica que define o pensamento esquizofrênico.[6, 7, 23] O esquizofrênico pode dizer, por exemplo: "Ontem à noite me arrastei para dentro de uma garrafa mas não consegui colocar a tampa", quando o que está relatando é que teve dificuldade em dormir porque sentia frio. A lógica mítica é a seguinte: a cama, com suas cobertas ou lençóis, pertence à classe de "continentes" — objetos que podem conter outros objetos. A garrafa também pertence a essa classe, e como o pensamento mítico não consegue distinguir os membros de uma classe, "ir para a cama" e "ir para a garrafa" são *a mesma coisa* (sem símbolos). Da mesma forma, "cobertas" e "tampas" são a mesma coisa. "Não consegui colocar a tampa" significa "as cobertas ficavam caindo" — e por isso ele sentia frio e não conseguia dormir: a tampa ficava caindo da garrafa. Como diria Bateson, esse esquizofrênico tem dificuldade com os tipos da lógica.

Se a regressão prosseguir um pouquinho além do pensamento mítico, a pessoa fica exposta à exuberante fantasia pré-verbal e ao processo primário. Ou seja, ela tem alucinações — normalmente auditivas, às vezes visuais.[6, 114, 217]

3. Aqui a questão muda de figura: em minha opinião, quando as traduções do ego começam a falhar e o eu é puxado para as esferas pré-ego, ele também fica exposto à invasão (castração) das esferas transego. A consciência da pessoa muitas vezes é inundada por intuições intensíssimas, freqüentemente de natureza religiosa (*insights* espirituais reais e válidos, e não simples fantasias regressivas). "A experiência criativa, a conversão religiosa e outras 'experiências de pico' podem conter muito do... tipo de experiência interior que pode acompanhar a reação psicótica aguda."[114] Esse fato, parece-me, não pode ser desprezado.

Freqüentemente, porém, a pessoa não consegue coordenar logicamente esses *insights* — se ela relata uma coisa tão simples como ir para a cama como "arrastar-se para dentro de uma garrafa", imagine-se que descrição faria de uma imagem-visão de Cristo! Além disso, esses *insights* costumam ser muito "autistas", auto-orientados, secretos: a pessoa os entende, mas ninguém mais consegue entendê-los. Parece que isso tem relação com o fato de que, como o lado regressivo da esquizofrenia tende a entrar em níveis que são anteriores à compreensão de papéis, a pessoa envolvida acredita que ela, e somente ela, é (por exemplo) Cristo. Não consegue aceitar ou admitir o papel dos outros, e por isso não consegue ver que todo o mundo é Cristo. Ela tem uma intuição vívida e forte de sua natureza de Atman (um influxo dos níveis superiores), mas intui a partir de um nível primitivo e narcisista. Transcrevo a seguir uma conversa entre um místico e um esquizofrênico internado, que mostra perfeitamente do que estou falando. Diz Baba Ram Dass:

> Ele [o esquizofrênico] estava produzindo uma enorme quantidade de escritos, estava lendo grego, coisa de que jamais fora capaz. Estava fazendo uma série de coisas fenomenais que os médicos consideravam patológicas

— o fato de que ele era capaz de roubar, mentir, enganar e dizer que era o Cristo. Ele fugiu várias vezes do hospital, era um sujeito muito engenhoso. Ao ler os escritos, vi que ele estava sintonizado com algumas das maiores verdades do mundo, que foram enunciadas por alguns dos seres mais elevados. Ele estava tendo uma experiência dessas verdades, mas achava que aquilo estava acontecendo *apenas com ele*... Portanto, acabou caindo nessa situação de desorientação e dizia: "Eu tenho isso, você não tem..." Eu disse: "Você acha que é Cristo? O Cristo consciência pura?" Ele: "Sou." Eu: "Bom, eu também acho que sou." Então ele olhou para mim e disse: "Não, você não entende." Eu respondi: "Está vendo, é por isso que internaram você."[114]

4. Van Dussen, num trabalho muito importante baseado em Swedenborg, distinguiu fenomenologicamente duas grandes formas dessas alucinações.[381] Não posso reproduzir aqui o que ele diz — é muito complicado — mas de qualquer forma acho válidos seus métodos e conclusões. Em essência, ele simplesmente "conversa" com as alucinações, por intermédio do paciente, e faz "minibiografias" delas. E surgem dois grandes tipos de alucinações. As "inferiores" são em geral malévolas, "parecem o id de Freud", são "antiespirituais" e "falam sem parar" (i.e., são estruturas verbais). O mais importante é que "residem numa área inferior mas ainda inconsciente da mente, a memória pessoal" e estão "de alguma forma associadas e limitadas às experiências do paciente". A pessoa está tendo alucinações com a sua própria sombra. Mas as "de ordem superior são puramente visuais, absolutamente não usam palavras [são transverbais e da esfera sutil]". Elas "se parecem muito com os arquétipos de Carl Jung". Quer dizer, essas alucinações derivam dos níveis puramente sutis, transpessoais e arquetípicos — e *nessa* medida são reais, não alucinatórias.

5. Finalmente, a pessoa pode regredir para as estruturas urobóricas e pré-pessoais, fazendo total confusão entre o eu e o outro, o dentro e o fora; o tempo se desfaz na pré-temporalidade, e o sistema do eu quase entra em colapso. Não se trata de uma intuição do Agora Eterno transtemporal — apenas a incapacidade pura e simples de reconhecer as seqüências temporais, como ficou tão claro com os pobres pacientes de Arieti.[6, 7]

No geral, a esquizofrenia nos mostra que, na busca da unidade — norteada pelo projeto Atman — a pessoa pode, regressivamente, passar para qualquer número de estruturas de unidade arcaica ou infantil, da paterna à materna, até a urobórica e pleromática. Erich Fromm parecia estar perfeitamente ciente desse fenômeno e suas implicações, e embora não enuncie detalhadamente as fases específicas, o trecho a seguir mostra que ele sabia bem do que se tratava:

> O homem pode se esforçar para encontrar essa *unidade regressiva* em vários níveis, que são ao mesmo tempo vários níveis de patologia e irracionalidade. Ele pode ser tomado pelo desejo de voltar ao útero, à mãe

> terra, à morte [incesto pleromático]. Se essa meta for muito absorvente e não controlada, o resultado é o suicídio ou a insanidade [castração pleromática]. Uma forma menos perigosa e patológica da busca regressiva da unidade é a meta de continuar ligado ao seio da mãe [incesto materno], ou à mão da mãe, ou às ordens do pai [incesto paterno]. Outra forma de orientação regressiva consiste na destrutividade, na meta de vencer a separação mediante a vontade intensa de destruir tudo e todos [o que denominamos "sacrifícios substitutos"]. Pode-se buscá-la pelo desejo de comer e incorporar tudo e todos, ou seja, experimentar o mundo e tudo que ele contém como alimento [fixação oral].[148]

Nesse curto trecho, Fromm dá um exemplo de cada unidade regressiva buscada por meio do incesto pleromático, do incesto materno, do incesto paterno, do incesto alimentar-urobórico – todo o espectro. No entanto, apesar de tudo isso, Fromm está perfeitamente ciente de que o estado místico do satori é uma espécie de unidade totalmente diferente: pois a unidade mística "não é a unidade regressiva encontrada mediante o retorno à harmonia do paraíso pré-consciente, pré-individual [subconsciente pleromático-urobórico], e sim a unidade em um novo plano: aquela unidade a que o homem só pode chegar depois de ter vivido sua condição de separação, depois de ter passado pela fase da alienação de si mesmo e de seu mundo, e estar totalmente nascido. Essa nova unidade tem como premissa o desenvolvimento pleno da razão do homem, levando a uma etapa na qual deixa de separar o homem de sua compreensão imediata e intuitiva da realidade".[148] Esse fato está tão claro atualmente que não sei como pode ser ignorado por mais tempo. Quem estabelece uma igualdade simplista entre o místico e o psicótico demonstra sua ignorância das sutilezas envolvidas.

Uma questão final e extremamente importante: a pessoa pode ou não "voltar" à realidade do ego normal depois do episódio esquizofrênico. Se não voltar, ela tende simplesmente a continuar perdida, detida, desamparada na confusão dos fragmentos pré-verbais ou até pré-pessoais. A maioria dos casos de esquizofrenia "crônica" não passa disso. Ela é quase totalmente pré-verbal, com poucos elementos transverbais, se houver. O clássico "surto esquizofrênico", no entanto, apresenta aquela combinação peculiar de pré e trans que permitiu a Laing escrever: "Quando uma pessoa enlouquece, ocorre uma profunda transposição de sua posição em relação a todos os domínios do ser. Seu centro de experiência passa do ego para o Eu. O tempo terreno torna-se um mero episódio, somente o Eterno importa. O louco, no entanto, está confuso. Ele embaralha o ego e o eu, o interior e o exterior, o natural e o sobrenatural... Exilado do cenário do ser como o conhecemos, ele é um estrangeiro, um estranho que acena para nós do vazio em que se atola."[114]

Se essa pessoa "voltar", e voltar de modo relativamente completo, em geral estará muito mais adaptada – e se achará mais capaz, estará mais receptiva ao mundo e menos defensiva. Mas em *nenhum* caso – quer ela continue esquizofrênica ou volte curada – ocorre qualquer coisa parecida com "iluminação" ou "moksha". "Nada existe nos relatos de esquizofrênicos recuperados que indique que, depois de se libertarem da patologia de sua vida pré-mórbida, eles continuem a explorar essa experiências interiores que haviam tomado conta deles antes. Diferentemente do místico, cujas experiências interiores são conscientemente escolhidas num determinado período e desenvolvidas dentro do contexto cultural, a experiência que o esquizofrênico tem de seus sentimentos mais profundos é súbita e concomitante à negação do funcionamento social [não é trans, mas pré-biossocial]. A saída da psicose, se for bem-sucedida, restabelece a capacidade de funcionar como membro produtivo da sociedade, mas não deixa a pessoa necessariamente preparada para, durante a vida toda, alternar a experiência interior [e transpessoal] com o funcionamento social."[386]

O surto esquizofrênico "bem-sucedido" (que termina com a "cura" da pessoa) parece-me ser um exemplo preciso da verdadeira regressão a serviço do ego. Ele é, como muitos pesquisadores sugerem atualmente, um tipo criativo de reajuste e crescimento psíquicos, uma espécie de experiência de morte e renascimento.[49, 217, 239, 347] Os esquizofrênicos recuperados tendem a considerar seus "velhos eus" totalmente inadequados, desadaptados, fragmentados ou até incapazes do simples ato de viver. Uma mulher descreveu assim o seu "surto": "Alguma coisa me aconteceu – não sei o quê. Tudo que era meu antigo eu desmoronou e ruiu completamente, e surgiu uma criatura da qual eu não sabia nada." Mas aquele eu antigo que "desmoronou" era na verdade "uma criatura lastimável que não conseguia dar conta de sua vida, tampouco escapar dela, ou adaptar-se a ela. Por isso enlouqueceu, morta de angústia...".[386]

Depois de cinco dias de intenso sofrimento, loucura e a morte literal do velho eu, apareceu o que essa mulher chamou de "novo eu", relativamente em paz com o mundo e com seu próprio ser. *Não um eu transcendental, não um eu iluminado*, e sim um eu razoavelmente bem adaptado. Um "ego saudável", como diria a psicanálise.

Minha opinião é que uma das coisas que acontece nos episódios desse tipo (não quero excluir os fatores bioquímicos nem, por outro lado, negar que muitos fenômenos incorretamente diagnosticados como esquizofrenia são na realidade o início da subida da kundalini para as esferas sutis – a interpretação de Sannella-Bentov) é que a pessoa regride para uma estrutura psicológica profunda que ficou traumatizada durante sua formação nos primeiros meses ou anos de vida. Destaca-se entre elas, parece-me, a fase do eu-corpo, a fase em que o eu e o não-eu se diferenciam pela primeira vez, a fase em que a consciência *deve* instalar sua sede firmemente no corpo para, daí por diante, agir como uma base sólida para as operações do eu na esfera bruta. R. D. Laing acha que a não fixação da sede da consciência no corpo leva, no desenvolvimento subseqüente, a uma divisão ou dissociação exagerada entre a mente e o corpo e à construção de um sistema do "falso eu".[238, 289] Não só concordo em linhas gerais, mas creio que minha exposição das seqüências do desenvolvimento demonstra essa concordância. Em especial, poderíamos observar o seguinte:

Em minha opinião, os dois pontos "perigosos" da etiologia da esquizofrenia são o surgimento da fase do eu-corpo e o surgimento da fase do ego-mente. A ruptura da fase do eu-corpo tende a impedir a completa fixação da sede da consciência no corpo, de modo que a base da formação subseqüente da personalidade passa a ser uma imagem corporal fraca, o que contribui para o aparecimento do sistema do "falso eu". Creio que isso ocorre essencialmente com o surgimento da etapa do ego-mente: como a personalidade não está firmemente assentada numa forte imagem corporal, quando o ego começa a diferenciar-se do corpo, ele sente o corpo, fatalmente e desde o início, "incorretamente", como parte do "outro"; além disso, necessariamente será vítima (durante as etapas do complexo de castração) de uma forma de dissociação entre mente e corpo mais violenta do que o habitual, deixando a pessoa com um "falso eu" dissociado do corpo. Assim, de acordo com Laing, o esquizofrênico tende a sentir a "mente" como se fosse o "eu", enquanto sente o corpo como "o outro".[238]

Gostaria de acrescentar uma pequena questão à exposição de Laing: uma vez que o falso eu é criado na dissociação com o corpo, estão presentes as condições para o que é normalmente o aspecto mais dramático da esquizofrenia. Vimos que, em geral, em qualquer momento após o surgimento do ego, o sutil *pode* emergir. Assim, da adolescência em diante, a pessoa está potencialmente exposta ao afloramento natural do sutil. A questão é que, no esquizofrênico, se e quando o sutil emergir, ele é recebido apenas pelo sistema do falso seu. Ele não encontra um ego ou centauro fortes, e sim um falso eu precariamente apoiado. E *isso*, creio eu, resulta no clássico surto esquizofrênico com *insight* religioso. O sutil inunda o falso eu, força a regressão a estruturas inferiores com invasão simultânea das esferas superiores. De acordo com as estatísticas,[200] o final da casa dos 20 anos é a idade mais comum de ocorrência de surto esquizofrênico – exatamente a idade em que o sutil pode começar a emergir. O que estou sugerindo é um irrompimento do sutil e um colapso do eu.

Voltando à nossa história; no decorrer de um surto grave, o indivíduo regride a uma estrutura profunda (eu-corpo ou outra) que ficou "traumatizada" durante sua formação nos primeiros meses ou anos de vida. Ele literalmente regride até aquele ponto[6, 7] e, por assim dizer, reconstrói a personalidade, desde a base, a partir daquele ponto. Pode-se dizer que depois de recontatar ou "reviver" aquele complexo profundo ou distúrbio de estrutura profunda, as camadas superiores da consciência se reordenam ou se reconstroem espontaneamente a partir da estrutura profunda recém-remodelada. É uma verdadeira experiência de crescimento, uma verdadeira regressão a serviço do ego. Essa visão é bem expressa por Anton Boisen: "Podemos, portanto, concluir que esses distúrbios [esquizofrênicos] não são necessariamente maus, porém, como a febre ou a inflamação do organismo físico, são tentativas, mediante a regressão a níveis inferiores da vida mental, de assimilar determinadas massas de experiências de vida até então não assimiladas."[49]

No fim das contas, o melhor que se pode dizer do surto esquizofrênico (não da esquizofrenia crônica) é que ele é uma verdadeira regressão a serviço do ego, seguida por uma evolução gradual para um ego mais saudável. Ele também pode deixar profundos *insights* na pessoa, no novo ego. Em geral, contudo, esse movimento não é desejado e acontece contra a vontade da pessoa, privando-a do acesso às estruturas da lógica, da sintaxe, da afiliação e do ego. E a pessoa não sai do surto — sejam quais forem as outras conseqüências — nem iluminada nem dotada da consciência da verdadeira unidade.

Nada do que foi dito acima se aplica ao verdadeiro caminho místico da evolução gradual, exceto quanto ao fato reconhecido de que o místico está explorando e dominando algumas das mesmas esferas superiores que subjugam o esquizofrênico. O místico *busca* a evolução gradual. Ele estuda para isso. Leva a maior parte da vida — no melhor dos casos — para atingir as estruturas permanentes, maduras, transcendentais e de unidade. Ao mesmo tempo, conserva a possibilidade de *acesso* ao ego, à lógica, à afiliação, à sintaxe etc. Ele segue um caminho cuidadosamente mapeado, e é supervisionado de perto. Não está voltando a experiências passadas e infantis, mas entrando em contato com profundezas da realidade atual e anterior.

Gostaria de concluir este capítulo falando do trabalho clínico de Cooper, Laing e Esterson, pois julgo que esse trabalho e também seus escritos representam uma contribuição ímpar no sentido de aumentar nosso conhecimento fenomenológico da esquizofrenia e de sua relação com a normalidade e a sanidade (que são a mesma coisa). Gostaria de apresentar o diagrama usado por Cooper para sintetizar os resultados desses trabalhos (ver Fig. 4).[87]

O leitor notará a semelhança entre a Fig. 4 e o modelo básico aqui apresentado (comparar a Fig. 4 com a Fig. 3). O ponto A, que Cooper denomina "nascimento", é análogo ao nosso nível axial, nossa etapa do eu-corpo. A "normalidade" dele é nosso ego-*persona*. O movimento B é nosso Arco para Dentro, e o "colapso psicótico" é nossa regressão. Todos os pontos da figura de Cooper abaixo da "linha de nascimento" são (para nós) pré-pessoais (à esquerda) ou transpessoais (à direita). Cooper explica da seguinte forma esse diagrama:

> Desde o momento do nascimento, a maioria das pessoas avança por meio de situações familiares e escolares de aprendizado social, até atingir a normalidade social. O desenvolvimento da maioria das pessoas se detém nesse estado de normalidade. Algumas outras entram em colapso e regridem ao que é chamado de loucura no diagrama. Outras ainda, muito poucas, conseguem passar rapidamente pelo estado de inércia ou detenção [ego/*persona*] representado pela normalidade estatística alienada e progredir [evoluir] até certo ponto no caminho (B) para a sanidade [nosso transpessoal],

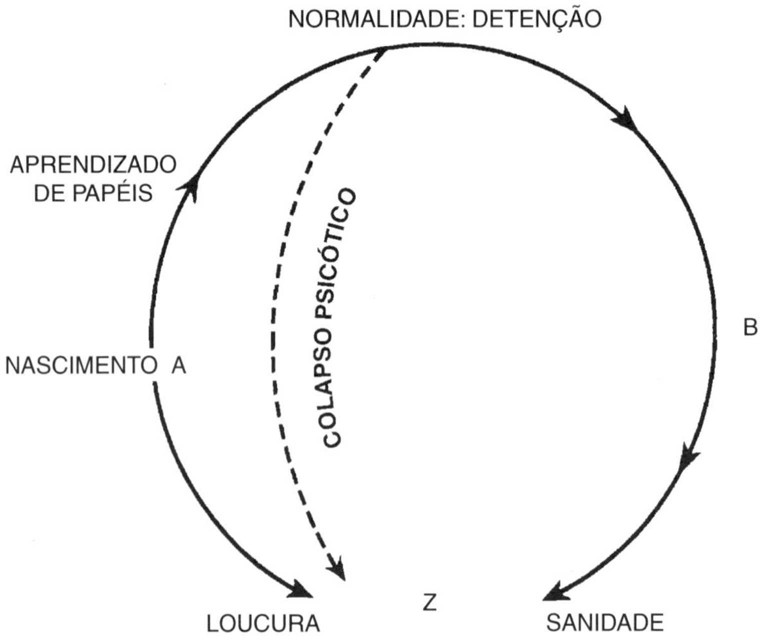

Fig. 4. Ciclo de Vida de Cooper: Sanidade, Detenção e Loucura

> conservando a consciência dos critérios da normalidade social [i.e., conservando o acesso a todos os níveis inferiores, como ressaltamos tantas vezes] de modo que elas conseguem evitar de cair na incapacitação (é sempre um jogo de azar). Deve-se observar que a normalidade está na extremidade "muito" oposta tanto à loucura como à sanidade [um ponto que nos esforçamos para enfatizar]. A sanidade se aproxima da loucura, mas sempre persiste um importantíssimo hiato, uma diferença: o ponto ômega (Z).[87]

Quanto à "sanidade", conforme representada nesse diagrama, o colaborador R. D. Laing afirma: "A verdadeira sanidade acarreta, de um modo ou de outro, a dissolução do ego normal, do falso eu competentemente adaptado a nossa realidade social alienada: o surgimento dos mediadores arquetípicos 'interiores' do poder divino, e por meio dessa morte um renascimento, e finalmente o restabelecimento de uma nova espécie de funcionamento do ego, sendo o ego agora um servo do Divino, não mais seu traidor."[114]

Finalmente, considere-se o ponto ômega: seja qual for a conclusão final sobre a natureza do ponto ômega, uma coisa é absoluta, pacífica e inegavelmente certa: ele existe. E isso, isoladamente, fundamenta o que um dia, acredito, virá a ser um simples truísmo: para voltar ao Divino, não se regride à infância. O misticismo não é regressão para servir ao ego, e sim evolução para transcender o ego.

18

Involução

De acordo com o hinduísmo, a relação de Brahma com o universo manifesto consiste em dois grandes "movimentos": a evolução e a involução.[13] Já examinamos a evolução, que é o movimento do mundo em direção a Brahma-Atman. A involução é, mais ou menos, o oposto disso – é o movimento pelo qual Brahma se exterioriza para criar os mundos manifestos, um processo de *kenosis* ou esvaziamento que, ao mesmo tempo, é puro ato e pura criatividade. Assim como a evolução é um movimento do inferior para o superior, a involução é um movimento do superior para o inferior – um movimento que "envolve" ou "embrulha" os níveis superiores do ser com o inferior. É um movimento "para baixo" na grande Cadeia do Ser. Esse movimento da involução é o que vamos examinar sucintamente neste capítulo (ver Figs. 5 e 6). Eu gostaria de advertir o leitor que a essa altura estamos, por assim dizer, dando marcha à ré – pelo menos em comparação com a história da evolução que até agora ocupou nossa atenção. Até aqui, falamos da geração de estruturas de consciência sucessivamente superiores, avançando no caminho da ascensão. Mas agora vamos contar o outro lado da história – vamos discutir a descida anterior, a involução dos modos superiores do ser para os modos inferiores. Para entender esse processo, o leitor precisa aprender a andar para trás.

De acordo com a filosofia perene, para que a evolução – que é o desdobramento das estruturas superiores – possa ocorrer, é essencial que essas estruturas superiores estejam presentes, *de alguma forma,* desde o início: elas precisam estar contidas, como *potencial,* nos modos inferiores. Caso contrário, a evolução não é nada senão a criação *ex nihilo,* do nada. Como os teólogos sabem há muito tempo, do nada nada se cria – *ex nihilo nihil fit.* A história da involução é simplesmente a história dos modos superiores que acabam se perdendo no inferior – que acabam embrulhados e envolvidos nos estados inferiores. A involução, ou o envolvimento do superior no inferior, é uma condição prévia da evolução, ou o desdobramento dos estados superiores a partir dos inferiores.

Na extremidade da involução – que é simplesmente o *pleroma* ou mundo material – todos os estados superiores do ser jazem dobrados como um *poten-*

cial não diferenciado. O mais elevado e o mais baixo, o infinito e o finito, o espírito, a mente, a matéria – tudo está dobrado como potencial não diferenciado e inconsciente: *e isso é o inconsciente base.* A evolução nada mais é senão o desdobramento desse potencial dobrado – todos os modos do ser podem, em algum momento, emergir do inconsciente base, a começar pelo mais baixo (o pleroma) até chegar ao mais elevado (Atman). Em cada etapa desse processo, a fusão do inferior com o superior é substituída pela integração do inferior com o superior, processo que não pode ocorrer enquanto o inferior e o superior não forem diferenciados e desidentificados. No fim da evolução, *todas* as estruturas dobradas no inconsciente base já afloraram à consciência, o que exaure o inconsciente base, restando então unicamente Atman, ou a Consciência como Tal.

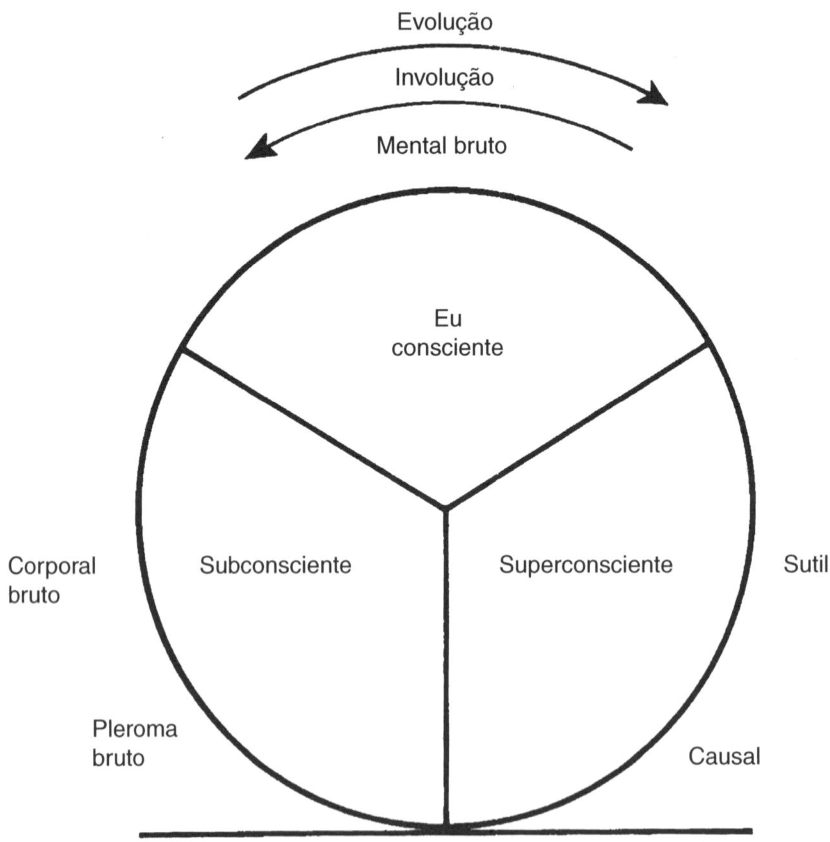

Fig. 5. Evolução e Involução

O LIVRO TIBETANO DOS MORTOS

Alguma coisa lhe aconteceu antes de você nascer. Você pode tomar isso no sentido metafórico, simbólico ou mítico – ou pode tomar literalmente, mas alguma coisa seguramente lhe aconteceu antes de você nascer. Neste capítulo, vou apresentar uma versão dessa extraordinária história.

O Livro Tibetano dos Mortos é um dos vários documentos espirituais que se propõem a contar os "acontecimentos" anteriores ao nascimento (ou renascimento). Ele relata os fatos supostamente ocorridos a partir do momento da morte física até o momento do renascimento físico em um novo corpo – uma série de acontecimentos que se estendem por um período de 49 dias. O título tibetano do livro é *Bardo Thotrol* (na maioria das obras clássicas, grafado *Bardo Thodol*). Bardo significa "hiato", "estado de transição", "estado intermediário" ou, como prefiro, "no meio". O período de 49 dias e o período "no meio" da morte e do renascimento.

Mas o parto, a saída do útero, não é o único tipo de nascimento. Como diz o sábio budista Ippen, "Todo momento é o último momento e todo momento é um renascimento".[367] Ou seja, o nascimento e a morte também ocorrem a cada momento, sempre, agora. Em cada momento, todo o universo e todos os seus habitantes brotam para a vida, e em cada momento todos eles são reduzi-

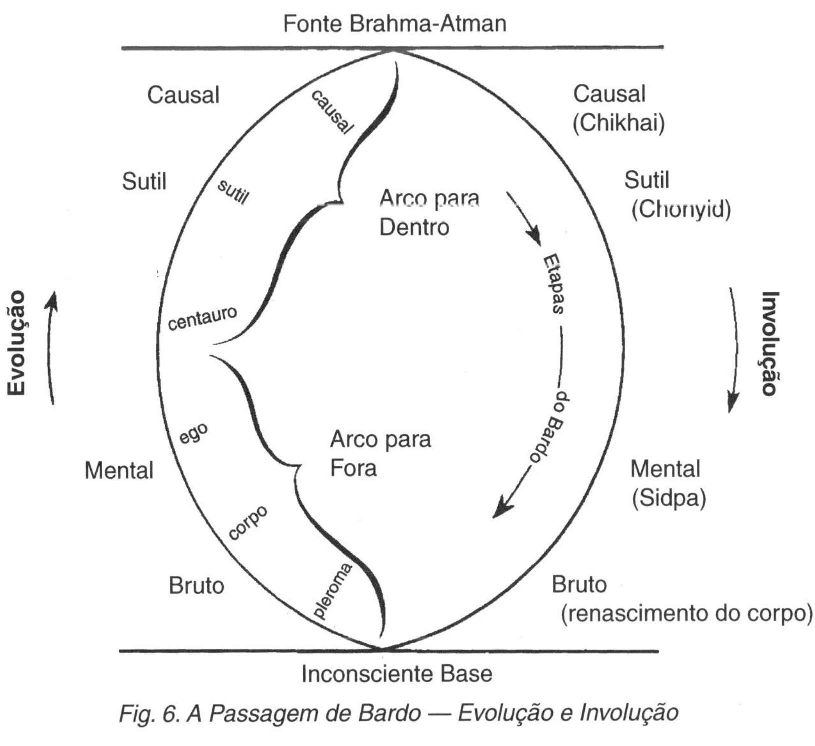

Fig. 6. A Passagem de Bardo — Evolução e Involução

dos à base anterior. Nascem a cada momento; morrem a cada momento. Como bardo é apenas o estado "no meio" da morte e do renascimento, segue-se que existe um verdadeiro bardo entre este e o próximo momento. Quer dizer, o estado de bardo acontece a cada momento com a ascensão e queda dos mundos.

Assim, existem dois grandes bardos ou "no meio" – um acontece como uma série de fatos temporais que duram até 49 dias após a morte física, e o outro acontece *agora,* a cada momento. A tradição tibetana acrescenta um ponto simples e crucial: *esses dois bardos são a mesma coisa.* O que lhe aconteceu antes de você nascer é o que está acontecendo a você agora, a cada momento. Entender um é entender o outro, razão pela qual os tibetanos afirmam categoricamente que o *Livro dos Mortos* é um manual preciso sobre o modo de conduzir a *vida* de cada um. Vamos descrever brevemente os acontecimentos do estado de Bardo, e em seguida aplicar esse conhecimento ao estado de bardo da existência atual.

Algo lhe aconteceu antes de você nascer, e foi o seguinte:

Primeira fase: o Chikhai

Os fatos do período de Bardo de 49 dias dividem-se em três grandes fases, *Chikhai, Chonyid* e *Sidpa* (nessa ordem). Imediatamente após a morte física, a alma entra no Chikhai, que é o estado do imaculado e luminoso Dharmakaya, a Consciência final, o Brahma-Atman. Esse estado final é *dado,* como um presente, a todas as pessoas: elas mergulham diretamente na realidade final e existem como o Dharmakaya final. "Nesse momento", diz o *Bardo Thotrol,* "*todos os seres conscientes têm* um vislumbre do Bardo da Luz Clara da Realidade, que é a Mente Infalível de Dharmakaya."[110] Ou, dito de outra forma, o *Thotrol* conta que "Tua própria consciência, brilhante, vazia e inseparável do Grande Corpo da Radiância, não teve nascimento, nem morte, e é a Luz Imutável – Buda Amitabha. Saber isso é o bastante. Reconhecer que o vazio do teu intelecto é a Condição de Buda... é manter-se na Mente Divina".[110] Em resumo, imediatamente após a morte física a alma é absorvida pelo corpo final-causal (se pudermos tratar os dois em conjunto).

Gostaria de intercalar a esse breve resumo do *Bardo Thotrol* meus comentários sobre a involução e a natureza do projeto Atman em involução. Começamos observando que, no início da experiência de Bardo, a alma é elevada à maior altura do Ser, ao estado final de Unidade – ou seja, ela principia a trajetória de Bardo *pelo alto.* Mas o alto não é onde ela normalmente fica, e o *Thotrol* nos diz a razão. Nas palavras de Evans-Wentz, "Na esfera da Luz Clara [a fase Chikhai mais elevada] a mentalidade de uma pessoa... desfruta temporariamente de um estado de perfeito equilíbrio e de unidade [final]. Devido à não familiaridade com tal estado, que é um estado extático de não-ego, de consciência [causal], o ser humano comum carece do poder de funcionar nele;

as propensões kármicas obscurecem o princípio da consciência por meio de pensamentos de personalidade, de ser individualizado, de dualismo e, perdendo o equilíbrio, o princípio da consciência cai, distanciando-se da Luz Clara".[110]

A alma cai da Unidade final porque "propensões kármicas obscurecem a consciência" – "propensões kármicas" significa buscar, ter, desejar; significa, na realidade, *Eros*. À medida que essa busca de Eros se desenvolve, o estado de perfeita Unidade começa a se "desintegrar" (ilusoriamente). Ou, de um ângulo diferente, como a pessoa não consegue suportar a intensidade da Unidade pura ("devido à não familiaridade com tal estado"), ela *se contrai* afastando-se, tenta "diluí-la", procura desvencilhar-se da Perfeita Intensidade de Atman. Contraindo-se diante do infinito, ela se volta para formas de busca, desejo, karma e posse, procurando encontrar um estado de equilíbrio. Contração e Eros – essas propensões kármicas se juntam e contribuem para desviar a alma da pura consciência, fazendo-a descer para a multiplicidade, para estados menos intensos e menos reais de ser. Mas a essa altura vamos lembrar apenas o papel geral de 1) Eros e 2) contração, e vamos observar também que exatamente aqui a alma está começando a passar do estado mais elevado de todos para os estados inferiores, o que significa que teve início a involução.

De acordo com o *Thotrol*, toda formação de propensões kármicas, de Eros, busca e posse, ocorre repetidamente ao longo de todas as etapas da esfera de Bardo. A cada contração sucessiva, a alma se distancia mais da Fonte, e esse padrão se repete até que a contração, Eros e o karma se esgotam e se exaurem como forças de involução. Essa é a mensagem essencial do *Bardo Thotrol*. O Lama Kazi Dawa-Samdup explica que, no início do Bardo, está a primeira Luz Clara "do êxtase, da maior intensidade. A etapa seguinte é menos intensa. Quando uma bola quica no chão, ela atinge uma determinada altura; da segunda vez que quica, a altura é menor, e assim por diante, até a bola ficar parada".[110]

O mesmo acontece com o eu em *involução*, impulsionado pela contração e por Eros, ou pelas "propensões kármicas" de buscar, ter e desejar; ele quica e a cada movimento sucessivo entra em estados mais diluídos e de menor energia. No primeiro movimento (que já vimos sucintamente) ele passa pela esfera causal final, no segundo (como veremos em breve) passa pela esfera sutil, e no terceiro ingressa na esfera bruta do corpo físico e subseqüente renascimento. Trungpa explica o princípio geral: "Começa a surgir no estado de luminosidade uma tendência básica de possuir [Eros/contração]... acumula-se uma energia cega que finalmente se fragmenta em diferentes níveis de energia que são uma diluição, por assim dizer, da energia absoluta da luminosidade."[132] Por fim, de acordo com o *Thotrol*, "consumida a força do karma, o princípio da consciência se recolhe"[110] – ao porão. A contração e Eros finalmente declinam, a bola deixa de quicar, cessa a transformação para baixo e a alma renasce pleromática e ligada ao corpo.

Voltando ao *início* dessa história da involução, observamos que, como o indivíduo procura, quer possuir e se contrai, o descanso anterior na Plenitude do Causal/Dharmakaya é abandonado. E precisa ser abandonado, pois no Dharmakaya existe apenas o Um, e para buscar são precisos dois (o sujeito que busca e o objeto que é buscado). Assim, a estabilização fracassa e é seguida pela transformação para baixo. Com isso, o indivíduo ingressa na etapa seguinte do Meio: a esfera sutil.

Segunda etapa: o Chonyid

O Chonyid é o período do aparecimento das divindades da paz e da fúria, ou seja, a esfera sutil, o Sambhogakaya. Quando a Luz Clara da esfera causal encontra resistência e contração, a Realidade se *transforma* nas formas primordiais de semente das divindades da paz (ishtadevas da esfera sutil), que por sua vez, quando encontram resistência e negação, se *transformam* nas divindades da fúria.

As divindades da paz são as primeiras a aparecer: através de sete subetapas sucessivas, aparecem várias formas de tathagatas, dakinis e vidyadharas, todas acompanhadas pelas cores mais estonteantemente brilhantes e por assombrosos sons sobre-humanos. Uma após a outra, as divinas visões, sutis luzes e sons luminosos percorrem a consciência como uma cascata. Elas são presenteadas, *dadas* ao indivíduo francamente, livremente, totalmente, completamente: visões de Deus de intensidade e brilho quase dolorosos.

O tratamento que a pessoa dá a essas visões e sons (nada) divinos é da maior importância, porque cada cenário divino é acompanhado por uma visão muito menos intensa, por uma zona de relativa opacidade e iluminação velada. Essas visões concomitantes, opacas e veladas, representam os primeiros vislumbres do mundo de samsara, das seis esferas da posse do ego, do mundo sombrio da dualidade, da fragmentação e das formas primitivas de unidade de nível inferior.

De acordo com o *Thotrol*, a maioria das pessoas *recua* diante dessas iluminações divinas – *contrai-se* e passa para formas de experiência menos intensas e mais administráveis. Em fuga da iluminação divina, essas pessoas ingressam gradualmente na esfera fragmentada, e por isso menos intensa, da dualidade e da multiplicidade. Mas não se trata apenas de um recuo diante da divindade; trata-se de sentir *atração* pelas esferas inferiores, de ser levado para elas, de encontrar satisfação nelas. O *Thotrol* diz que tais pessoas são na verdade "atraídas pelas luzes impuras". Na nossa maneira de dizer, essas esferas inferiores são *recompensas substitutas.* O indivíduo acredita que essas esferas inferiores densas são tudo que ele quer. Mas exatamente por serem opacas e menos intensas, essas etapas acabam revelando ser mundos sem contentamento, sem iluminação, pontilhados de dor e sofrimento. Que ironia: como substituto de

Deus, as pessoas se prendem ao Inferno que elas mesmas criaram, conhecido como samsara, maya, aflição. A teologia cristã diz que as chamas do Inferno são o amor de Deus (Ágape) negado.

E assim a mensagem se repete muitas e muitas vezes na etapa do Chonyid: faça sua morada nas luzes das Cinco Sabedorias e dos tathagatas sutis, não olhe para as luzes opacas de samsara, das seis esferas, das ilusões de segurança, do embotamento do ego. Eis um exemplo:

> Em seguida, devido ao poder do mau karma, a gloriosa luz azul da Sabedoria do Dharmadhatu provocará em ti medo e terror, e desejarás fugir dela. Começarás a gostar da luz branca e opaca do devas [uma das esferas inferiores].
> Nesse momento, não deves temer a divina luz azul, que aparecerá brilhante, estonteante e gloriosa; não te assustes. Ela é a luz de Tathagata, chamada a Luz da Sabedoria do Dharmadhatu.
> Não te afeiçoes à luz branca opaca do devas. Não te prendas a ela; não sejas fraco. Se te prenderes a ela, irás vagar nas moradas do devas e ser arrastado para a roda dos Seis Lokas.[110]

Este é o ponto importante: "Se tiveres medo da irradiação pura da Sabedoria e fores atraído pelas luzes impuras dos Seis Lokas [esferas inferiores], receberás um corpo em algum dos Seis Lokas e sofrerás as misérias do samsara; e jamais te livrarás do Oceano de Samsara, onde ficarás girando e girando e provarás o gosto de seus sofrimentos."[110]

O que está acontecendo é o seguinte: estamos vendo a forma primitiva e original do projeto Atman em seu aspecto negativo e contrativo. Nessa segunda etapa (Chonyid), já existe uma espécie de limite de consciência, já existe uma espécie de dualidade sujeito-objeto sobreposta à Totalidade e Unidade originais do Chikhai Dharmakaya. Portanto, existe agora uma fronteira — e sempre que existe uma fronteira, existe o projeto Atman. A pessoa, por meio de Eros e da contração, ilusoriamente dividiu sua Consciência última e não dual em dois grandes fragmentos: um eu subjetivo que observa, e um espetáculo objetivo de iluminações que são observadas (iluminações divinas, é certo, mas mesmo assim "objetivas e externas"). No início do estado do Bardo — quando a alma estava "no alto" — a alma *era* tudo isso, e não um observador distante. Ela *era* a Unidade, sem divisão sujeito-objeto, no estado primordial de Unidade revelado no Chikhai. Mas agora ela dividiu a Unidade em eu subjetivo, por um lado, e espetáculo objetivo, por outro lado. Existe agora uma fronteira, projeto Atman, Eros, Tânatos. Tudo isso ganha vida com a primeira Fronteira.

Como a alma deixou de ser Tudo, ela sente, pela primeira vez, uma *falta*, e por conseguinte um *desejo* (Eros). A única forma de a alma não sentir essa falta é recuperar a Unidade Original como Brahma-Atman. Na própria base de seu ser, portanto, a alma deseja esse estado de Unidade – não se contentará com menos. *Esse é o desejo original e o telos original de Atman.* Dante viu muito bem: "O desejo da perfeição é o desejo que sempre faz todo prazer parecer incompleto, pois não existe alegria nem prazer tão grande nesta vida que seja capaz de saciar a sede de nossa Alma."[352] Até mesmo Freud intuiu isso, embora, como seria de esperar, ele tenha misturado tudo com suas obsessões sexuais: "O que parece ser... um impulso incessante pela perfeição cada vez maior pode ser entendido facilmente como resultado da repressão dos instintos, na qual se baseia tudo o que há de mais valioso na civilização humana. O instinto reprimido [na verdade, a consciência de Atman reprimida] jamais deixa de procurar obter [Eros] a satisfação completa [ananda-contentamento], que consistiria na repetição [satori] de uma experiência primordial de satisfação [consciência de unidade como o Um]. Nenhuma formação substituta ou reativa, nenhuma sublimação será suficiente para eliminar a persistente tensão do instinto reprimido."[139] Esse é também o *corr irrequitum* de Santo Agostinho, e é a mensagem do *Banquete* de Platão: "O tornar-se um em vez de dois é a verdadeira expressão de uma antiga necessidade da humanidade. A razão é que a natureza humana era originalmente una e nós éramos um todo, e o desejo e a busca do todo recebe o nome de amor."

O único meio pelo qual a alma, agora na etapa sutil do Chonyid, pode recuperar a Unidade, é *unir* o eu subjetivo ao espetáculo objetivo e divino de iluminações que passam como uma cascata à sua frente. É exatamente o que o *Thotrol* recomenda; ele quase implora, muitas e muitas vezes: *"Se todo fenômeno objetivo que irradia luz for entendido como nada a não ser as emanações da própria Consciência, será alcançada a Condição de Buda no instante mesmo desse reconhecimento."*[110]

No entanto, reunir sujeito e objeto é *morrer* para o *sujeito*, ou afrouxar a contração exclusiva da consciência em torno da percepção do eu separado. O sujeito, a percepção do eu separado, sente horror dessa morte, desse Tânatos, desse Sunyata. É exatamente por isso que o sujeito fica tão aterrorizado diante das iluminações divinas e teme tanto unir-se a Deus: isso significa morrer. As irradiações puras são uma ameaça de morte e dissolução literais – são manifestações de Shiva e Sunyata.

Eis aí, portanto, a origem do dilema fundamental que mencionei tantas vezes: a grande dinâmica do eu é reconquistar a Unidade original, ou voltar a ela. Mas o retorno *efetivo* a essa Unidade significa a morte e a dissolução do eu, e essa morte é exatamente aquilo que se evita, a que se resiste. Este é o dilema – o eu quer a Unidade, porém procura obtê-la de um modo que impede totalmente a Unidade.

É aqui que entra o projeto Atman. Como a Unidade real, imediata e não diluída não é possível nesse momento para a percepção do eu separado (porque isso exige a morte), a alma precisa buscar alguma espécie de substituto da Unidade perdida. E para que esse substituto funcione, *ele precisa parecer ter satisfeito* o desejo da Unidade anterior. Como o substituto evidentemente não é real, não é a verdadeira Unidade, não é Atman, ele só pode ser simbólico, pretenso ou relativo: é uma meia-verdade, conhecida como o projeto Atman. Cada nível do espectro é construído como um substituto simbólico da unidade perdida, de tal forma que, em última análise, cada nível do espectro é (antes da iluminação) um substituto da consciência de Atman.

É preciso lembrar que estamos falando da *involução,* e não da evolução. O projeto Atman atua nos dois casos porque os substitutos estão presentes em ambos, porém o sentido, evidentemente, é invertido. Vimos que a *evolução* consistia em uma série de recompensas substitutas e eus substitutos e unidades substitutas – mas na evolução cada substituto era de uma ordem superior, estava mais próximo da Fonte, era mais Real ou, se quiserem, menos substituto. Aquela subida ou transformação para cima ocorria exatamente porque o eu aceitava a *morte*, Tânatos de cada unidade inferior, para que unidades superiores pudessem aflorar na consciência. A evolução prosseguia desde que o eu conseguisse (finalmente) aceitar a morte da estrutura atual, desidentificando-se dela e transcendendo-a para passar a estruturas superiores, mais unificadas, menos substitutas. O surgimento de unidades de ordem superior é impulsionado pelo telos Atman original – em termos cristãos, Ágape.

No entanto, na *involução* isso é exatamente o que *não* ocorre. O eu de estágio algum aceita a morte e Tânatos, não opera com Ágape e sim com contração, não com telos Atman e sim com restrição de Atman. Essas forças (Ágape, contração, Eros, Tânatos) podem ser assim mostradas:*

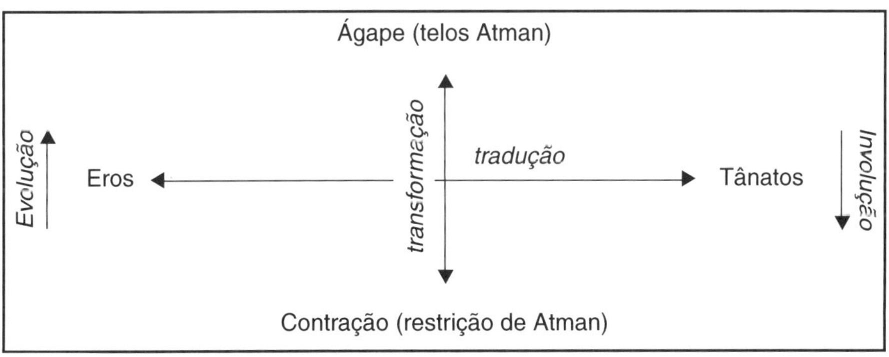

Na *evolução,* em cada etapa superior que emergia (por meio de Ágape), o eu identificava-se com ela e, *enquanto* essa identificação persistia, Eros lutava e negava Tânatos daquele nível: o eu não aceitava a morte de seu nível atual, e assim criava toda espécie de negação da morte e projetos de imortalidade

* Foi atribuído um desconcertante número de sentidos, muitas vezes contraditórios, a Eros, Ágape e Tânatos. Uma divertida discussão dessa terminologia pode ser encontrada em *Eye to Eye,* Shambhala, 1996.

para aquele nível específico. No fim, porém, Eros daquele estágio perdia a força e Tânatos era aceito – o eu "morria" para aquele nível, desidentificava-se dele e o transcendia, passando para um nível de ordem superior. A evolução prosseguia desde que Ágape e Tânatos finalmente superassem Eros e a contração.

Na involução, ocorre exatamente o oposto: Eros e a contração vencem Ágape e Tânatos. Cada eu substituto, assim, é de ordem inferior; cada vez que a bola quica, ela sobe menos.

Eros e Tânatos são basicamente forças de tradução – elas esbravejam na superfície de qualquer nível atual, elas lutam no plano horizontal pelo destino da alma. Ágape e a contração, contudo, são antes forças de transformação – elas se esforçam, em sentidos opostos, para que o eu passe inteiramente para outro nível. Enquanto Eros suplanta Tânatos de um determinado nível, as traduções daquele nível prosseguem mais ou menos inalteradas. Mas quando Tânatos vence Eros, a tradução fracassa e o sistema do eu dá início à transformação, ou mudança vertical de nível. Se Ágape *superar a contração, a transformação é para cima*: o projeto Atman chega mais e mais perto do próprio Atman – isso é evolução. Mas se *a contração superar Ágape, a transformação é para baixo:* o projeto Atman se distancia mais e mais de Atman – isso é involução. O projeto Atman está presente nos dois casos, porque nos dois casos há substitutos envolvidos; o sentido é diferente em cada caso, porque as forças da transformação são invertidas.

Voltando agora à alma na esfera sutil – a etapa Chonyid – creio que muita coisa ficará clara. Na etapa Chonyid, a alma saiu da esfera causal final (Chikhai) e ingressou na esfera sutil das iluminações arquetípicas e divinas. Mas a alma não saiu pura e simplesmente da Unidade final da etapa anterior. Como dissemos, para suportar a perda extraordinária do Um, a alma precisou providenciar várias *compensações*. Como o Um foi (ilusoriamente) perdido pois a dualidade sujeito-objeto se sobrepôs a ele, essas compensações e substitutos podem se manifestar no fragmento subjetivo e no fragmento objetivo da consciência (as duas vertentes do projeto Atman).

Vamos falar primeiramente do lado objetivo. Como a alma não *é* mais o Um, ela só dispõe de visões ou quadros da Unidade, e essas "visões objetivas" são tudo o que restou de uma consciência que *foi* outrora o próprio Um. No lugar da união direta, informe e imediata com o Um, a alma coloca meras visões ou formas do Um, e essas formas arquetípicas operam no sentido de separar a alma da Unidade. Elas mantêm a divisão entre sujeito e objeto. Observe-se, porém, que essas formas sutis fazem parte das recompensas substitutas da alma, que se prende a elas em vez de prender-se ao Um Real, unir-se a ele. Em vez de ser o Tudo (no Chikhai causal), a alma é tragada por *formas* do Tudo (no Chonyid sutil). De acordo com o *Thotrol*, tais formas (arquetípicas) e visões nada mais são do que divindades da paz, ishtadevas, as iluminações e sons sutis que passam em cascata pela percepção. Em vez de ser Deus, o indivíduo ouve e percebe versões reduzidas de Deus, conhecidas como nada, ishtadeva, som e luz sutil. O Um final, como diz o *Thotrol*, é *transformado* (para baixo) em divindades sutis, e essas visões dançantes, arquetípicas e primordiais, funcionam como recompensas substitutas para o eu substituto, prêmios de consolação pelo Paraíso Perdido. São objetos substitutos. A alma já não *é* Deus, tem apenas uma visão *de* Deus.

Mas essa não é a única recompensa substituta, pois existe o lado subjetivo do projeto Atman. Como a alma já não *é* a Dharmakaya da Unidade não dual, ela é transformada no princípio de observação, uma tendência subjetiva, um modo restrito de consciência que já não é o Tudo mas, agora separada do todo, olha para trás e observa *aspectos* do todo que *aparecem* objetivamente. *No lugar do* Eu Atman, a alma se contenta com um *eu separado* que, encolhendo-se, está apartado da esfera sutil em geral. Mas lembremos da condição do eu substituto: ele precisa fingir que satisfaz o desejo da consciência de Atman, o desejo de ser cosmocêntrico, de "tomar conta" do universo ou pelo menos ser o centro do universo. E isso a alma consegue *enfocando* em si mesma a consciência de Unidade anterior e colocando esse eu enfocado no centro de seu universo enfocado. Em vez de *ser* o Universo em geral, a alma apenas *parece* ser o centro do Universo em geral.

É isso que queremos dizer ao afirmar que o eu substituto *apresenta como preenchido* o desejo de ser o centro do cosmos, Atman, a Fonte. É um eu que substitui Atman ilusoriamente perdido e finge, de forma simbólica, ser o Atman perdido. Como o eu deseja reconquistar a consciência de Atman mas teme a morte necessária e a transcendência em questão, ele providencia uma recompensa e um substituto: toma a intuição da consciência de Atman, presente em cada momento, e subverte-a, apossando-se dela. Está *buscando* Atman de formas que *impedem* Atman e impõem *substitutos* simbólicos. Como era a citação de Hubert Benoit? Como pode a alma viver sem Atman? "Ela consegue basicamente por meio da força de sua imaginação, da faculdade que sua mente possui de recriar um *mundo subjetivo cujo único princípio motor, dessa vez, é ela.* O homem jamais resignar-se-ia a não ser a força motriz única do universo real [i.e., resignar-se-ia a não ser Atman] se não possuísse essa faculdade consoladora de criar *um universo para si mesmo*, um universo que ele cria totalmente sozinho."

E Benoit acrescenta: "O homem procura divinizar-se na esfera temporal unicamente porque ignora sua verdadeira essência divina. Amnésico e iludido, ele sofre porque se julga abandonado por Deus (quando na realidade ele mesmo é Deus), e se exaspera no mundo temporal em busca de afirmações de apoio a sua natureza divina, que ele não conseguirá encontrar ali."

Assim, no lugar da consciência de Atman, que sempre foi seu estado verdadeiro e anterior, embora ilusoriamente abandonado, ele "se exaspera" em busca de substitutos que aparentem (convincentemente) mostrá-lo como cosmocêntrico, divinizado, único, imortal, sem rivais – busca que se baseia na intuição prévia do seu Eu Real, que é de fato infinito e eterno. No entanto, essa intuição foi pervertida ao ser aplicada ao eu separado, que é absolutamente finito e mortal. No lugar da consciência da unidade, a pessoa, por um lado, toma como eu substituto um mundo interior subjetivo e, por outro, cria um "mundo lá fora" como objeto substituto, colocando esse eu substituto bem no meio do mundo substituto (para parecer cosmocêntrico). O eu interior e o mundo exterior são ambos substitutos simbólicos da Unidade perdida, que não era nem subjetiva nem objetiva, mas simplesmente o Todo. Essas são as recompensas substitutas com as quais ele se consola pela perda da Unidade, e por intermédio das quais ele agora vive o drama da sua percepção do eu separado, o jogo de seus desejos e a busca de substitutos de Atman voltados para sua individualidade.

Mas, voltando à história do estado de Bardo, a alma, agora na esfera sutil (Chonyid), tem um eu substituto e um mundo substituto. O eu separado, imaginando-se cosmocêntrico e invulnerável, passa a observar o espetáculo divino das visões e luzes sutis e êxtases arquetípicos que inundam sua consciência. Essas recompensas substitutas são agradáveis, mas não durante muito tempo. Por mais divina e arquetípica que seja essa esfera, ela não deixa de ser uma substituta, e a alma no fim começa a ficar inquieta apesar das "chupetas".

Se ela pudesse, nesse momento, *aceitar a morte e a transcendência* do eu separado, voltaria imediatamente ao Um. O *Bardo Thotrol* é muito claro a esse respeito. Mas a alma está fugindo da morte e do sacrifício, e assim as divindades da paz começam a *transformar-se* em divindades da fúria.

"Portanto", diz o *Thotrol*, "depois que termina o aparecimento das Divindades da Paz e do Conhecimento, que vieram dar as boas-vindas, começam a aparecer as 58 divindades aureoladas de chamas, furiosas, bebedoras de sangue. Elas são *as divindades da paz com outro aspecto* [transformação]."[110]

Como a alma funciona agora na esfera sutil, com Eros sutil e incesto sutil, está exposta à castração sutil. Tânatos, Shiva, Rei Morte irrompem em cena em sua fúria de literais bebedores de sangue. A alma não sabia que isso fazia parte da negociação, acreditava que receberia somente suavidade e luz ao rejeitar o Um e aceitar em seu lugar uma esfera menos intensa de divindades sutis. Mas sempre que existe o outro, existe medo; e agora existe o outro, porque existe uma fronteira. O outro divino é simplesmente o terror divino. Em prova disso, lá vêm marchando pela esfera sutil 58 terrores bebedores de sangue.

Por causa do incesto sutil, a alma está exposta à castração sutil. Agora em evolução, o eu avança para cima *passando* pelo terror da castração e pela ansiedade de separação, *aceitando* a morte daquele nível, e assim transcendendo-o via Ágape. Na involução não é assim. O eu *não* aceita a morte de sua estrutura atual – o que faz, com efeito, é ir embora, movido pelo terror. Como diz o *Bardo Thotrol*, o eu "desfalece" ou "apaga". Em termos mais modernos, ele reprime toda essa questão, toda a esfera sutil, as figuras da paz e as da fúria, e torna tudo inconsciente. A alma tem uma síncope – apaga – fica inconsciente – e depois "desperta" no Bardo seguinte inferior, mesmo tendo ela própria criado todo o drama e determinado o rumo dos acontecimentos.

Assim, o projeto Atman do nível sutil acaba fracassando completamente em sua missão de apaziguamento: o eu substituto da esfera sutil, afinal, não é imune à morte nem ao destino aureolado de chamas, furioso, bebedor de sangue de todos os eus separados e sujeitos substitutos. O eu substituto *não* traz a imortalidade e a perfeição eterna; não é, afinal de contas, o primeiro móvel autônomo do eu e do outro; não é cosmocêntrico, heróico, semelhante a Deus. Diante da iminência da verdadeira Morte e de Tânatos, o eu sutil se contrai e desfalece de terror, e quando desperta se encontra no bardo seguinte. A tradução falha, e segue-se a transformação. Como a contração supera Ágape, a transformação é para baixo. Continua a involução.

Terceira etapa: o Sidpa

No esforço de encontrar um substituto para Atman, o indivíduo foi lançado na etapa Sidpa, que é a esfera da mente refletora-bruta, a esfera em que a mente começa a voltar-se para o mundo bruto, físico, em busca de substitutos. Nessa esfera, a alma vive uma intensa batalha de incesto/castração, representada no *Bardo Thotrol* por um assustador julgamento pelo Senhor da Vida (Eros) e pelo Senhor da Morte (Tânatos). Qual é a forma de incesto desse nível? Nas palavras do *Thotrol*, "Tu, que nasceste nobre, terás agora visões da união de homem e mulher. Se o que [está para] nascer for homem, aquele que sabe começará a entender o sentimento de masculinidade, e surgirá um intenso ódio contra o pai e inveja e atração pela mãe [se for mulher, o contrário]".[110]

E aqui estamos, prestes a entrar na mais baixa de todas as esferas – pleromática e tifônica, com incesto sexual-corporal e castração sexual corporal, com Édipo e Eletra, com o princípio do prazer e Freud e tudo o mais. O eu substituto é agora refletor bruto, tende para os modos ligados ao corpo, tifônico e urobórico, e suas recompensas substitutas reduzem-se ao simples prazer hedonista e à descarga sexual. De acordo com o *Thotrol*, se – ao ter a visão da união macho/fêmea – a alma procurar separá-los, ela acabará renascendo tendo como pais aquele casal. Seu simples projeto Atman está reduzido a tentar ser cosmocêntrico separando os pais, roubando heroicamente a fêmea do macho, interpondo-se entre eles – o que ela literalmente faz – e, apavorada com as crises iminentes, tem um novo colapso, desfalece, reprime toda a esfera Sidpa e, emergindo do útero da mãe, acorda na esfera bruta, em fusão com o pleroma, tendo esquecido tudo o que se passou.

Amnésia e o "no meio"

Por quanta coisa a alma passou *para* poder nascer! Da Unidade final, a clara luz do Dharmakaya onipresente, passando através do sutil Sambhogakaya, o contentamento divino e iluminador, através da esfera mental refletora-bruta da etapa Sidpa, até o corpo bruto e o renascimento pleromático. Passou por tudo isso. O indivíduo *foi* tudo isso. Na experiência do Bardo, ele começou como Deus e terminou como tífon. E não consegue se lembrar de uma só coisa que aconteceu No Meio...

Eis o que acontece: vimos que em cada etapa de involução a alma constrói um eu substituto e um mundo substituto. Esfera causal, sutil, mental, corporal – todas elas foram criadas como formações substitutas para mostrar o eu como imortal, divino e cosmocêntrico. Mas os substitutos acabaram falhando em todas as etapas, e o eu – apavorado ante a perspectiva de seu aniquilamento – não aceitou a morte dos substitutos, e em vez disso *contraiu-se* e desfaleceu de terror. "A passagem de um Bardo para outro", diz Evans-Wentz, "é análoga ao processo de nascimento; aquele que sabe acorda de um desfalecimento ou estado de transe, e depois de outro, até terminar o terceiro [e último] Bardo..."[110] O indivíduo, portanto, é "apresentado em retrogradação [o que chamamos involução ou transformação para baixo], passo a passo, para estados cada vez mais baixos de consciência".[110] *Ao buscar a Totalidade de formas que a impedem, o indivíduo é levado a criar modos de identidade cada vez mais limitados, mais estreitos, mais restritos.* Ao buscar Atman de formas que o impedem, o indivíduo é levado a criar substitutos que contêm cada vez menos consciência e cada vez menos Atman. Assim se forma o espectro da consciência.

Mas visto que cada um desses "passos para baixo" é acompanhado por um surto de esquecimento, toda a seqüência é tornada inconsciente – *tornada inconsciente* – não destruída, não apagada, não eliminada, mas sim tornada inconsciente. Ou seja: todos os níveis superiores estão *presentes*, porém foram esquecidos (também poderíamos dizer que as esferas superiores, no caso da involução, são reprimidas ou vigorosamente filtradas da consciência).

O resultado de toda essa seqüência de esquecimento é, muito simplesmente, o *inconsciente base.* Assim, dobrados e envoltos no inconsciente base do recém-nascido jazem todos os estados superiores de ser. Eles foram colocados ali pela involução, e existem ali como *potencial não diferenciado.* O desenvolvimento ou evolução nada mais é que o desdobramento dessas estruturas dobradas, a começar pela mais baixa até atingir a mais elevada: do corpo para a mente, para o sutil, para o causal.

Já vimos que, na evolução, cada uma dessas estruturas emerge como uma recompensa *substituta,* que é abandonada quando deixa de dar prazer. Podemos ver agora que cada uma delas emerge como substituta na evolução porque cada uma delas foi *criada* como substituta na involução. O eu só pode refazer o caminho dessa complicada cadeia de substitutos depois que os experimentar, constatar que deixam a desejar, aceitar a morte deles e transcendê-los (tudo o que o eu, na involução, recusou-se a fazer). Mas o eu só evolui na cadeia do ser até o ponto em que considera satisfatórias as recompensas substitutas (substitutos corporais, mentais, sutis ou causais). Nesse nível, o incesto se consolida, ele aceita os substitutos como reais, seu Eros vence Tânatos, ele não passa pela ansiedade de separação de transcender e morrer para esse nível, e a evolução se detém (nessa vida). Nessa vida, o eu chegou tão perto quanto podia da Fonte (apesar de continuar imaginando que ele *é* a Fonte). No estado Bardo após a morte física, ele *involui* até onde havia *evoluído*. Um ser altamente evoluído escapa totalmente da involução: na primeira etapa da Luz Clara, essa alma continua sendo o Um *como* Luz Clara – não recua diante de Deus nem do abraço da eternidade; recusando-se a criar sujeitos ou objetos substitutos, ela nunca mais renasce como eu separado (embora possa escolher renascer como tulku, avatar ou bodhisattva – a iluminação final só está ao alcance daqueles que juram não "fazer uma pausa" enquanto todos não forem libertados).

Voltando ao recém-nascido: como todas as estruturas profundas dos diversos níveis – bruto, mental, sutil, causal – *já* existiam como potenciais no inconsciente base, não é preciso criá-las, basta lembrá-las. Elas foram dobradas pelo desfalecimento e pelo esquecimento, e agora se desdobram pelo despertar e pela lembrança. À medida que as estruturas profundas são recordadas (via Ágape), sua estrutura superficial é preenchida com os acontecimentos que ocorrem *nesta* esfera e *nesta* vida. Já dissemos que as estruturas profundas são lembradas e as estruturas superficiais são aprendidas.

Ora, esse desdobramento ou manifestação de modos sucessivamente superiores é visto pelo psicólogo como o surgimento do superior a partir do inferior – e muitos procuram definir assim esse fenômeno: o ego vem *do* id, a mente vem *dos* reflexos condicionados do corpo, a alma vem *dos* instintos e o homem vem *das* amebas. De fato, o superior vem *depois* do inferior e *se desprende* do inferior, mas não provém *do* inferior. Na atualidade, é de conhecimento geral que em cada etapa do desenvolvimento ou da evolução surgem elementos que *não podem* ser explicados unicamente em termos das etapas anteriores. O próprio Piaget deixou isso muito claro;[297] o mesmo fez Polanyi.[298] Logicamente, ontologicamente, psicologicamente ou metafisicamente não se pode obter o superior do inferior. Os modos superiores podem aflorar porque e unicamente porque foram dobrados, como potencial, nos modos inferiores; no decorrer da evolução, eles se cristalizam e se diferenciam dos modos inferiores. É exatamente o que Aurobindo quer dizer ao afirmar: "Como essa Consciência [Brahma-Atman final] é a criadora do mundo, ela é necessariamente não apenas estado de conhecimento, mas poder de conhecimento, e não apenas o desejo da luz e da visão, mas o desejo do poder e das obras. E como a mente também é criada a partir dela [Atman], a mente é necessariamente um *desenvolvimento por limitação* dessa faculdade primordial e dessa... suprema consciência [esse "desenvolvimento por limitação" é precisamente a involução] e, portanto, é necessariamente capaz de decompor-se outra vez nela por meio de um *desenvolvimento inverso por expansão* [é a evolução]."[306] Evolução, assim, é a lembrança da involução – a redescoberta dos modos superiores que foram envoltos nos inferiores quando a alma fugiu de Deus.

A evolução, onde quer que aconteça, manifesta-se como uma série de transcendências, ascensões, emergências – e emergências de *todos* de ordem superior. Lembrar é na verdade relembrar, ou voltar à unidade, e é por isso que a evolução consiste em uma série de todos sempre superiores, até existir apenas a totalidade. A evolução é holística porque é a natureza recordando Deus.

Eis aqui, finalmente, o outro sentido do Bardo, do "No Meio", um conceito talvez mais fácil de aceitar para aqueles que consideram inaceitável a noção de "reencarnação" ou "renascimento" (embora ambos sejam na verdade *exatamente* iguais): ocorre uma série de fenômenos de involução antes do nascimento de uma pessoa, e toda essa série é reencenada a cada momento. Neste momento, naquele outro e depois, um indivíduo é Buda, *é* Atman, *é* o Dharmakaya – *mas*, nesse momento, naquele momento e depois, ele acaba sendo Fulano de Tal, um eu separado, um corpo isolado aparentemente cercado por outros corpos isolados. No início deste momento e de todos os outros, cada pessoa é Deus como Luz Clara; mas no *fim* deste mesmo momento – num relance, num piscar de olhos – ela é um ego isolado. E o que acontece No Meio do início e do fim de cada momento é idêntico ao que aconteceu No Meio da morte e do renascimento, conforme descreve o *Thotrol*.

Denominamos "microgenia" esse fenômeno dos momentos – a involução microgenética do espectro da consciência.[412] A cada momento, o indivíduo atravessa toda a seqüência do Bardo – do final ao causal, daí para o sutil e o mental, até o bruto – e sua lembrança alcança apenas até o ponto máximo de sua evolução. Se a pessoa tiver evoluído até a esfera sutil, ela vai lembrar-se dos aspectos da consciência bruta, mental e sutil, mas não vai lembrar-se dos aspectos causal e final da *experiência desse momento*: eles permanecem no inconsciente emergente, esperando para aflorar via recordação. A evolução é simplesmente a intercepção da microinvolução em etapas sempre mais elevadas: quanto mais evoluída for uma pessoa, menor é a sua involução.

O dever da alma nessa vida é lembrar. *Smriti* e *sati-patthana* do budismo, *smara* do hinduísmo, *zikr* do sufismo, recordação de Platão, *anamnesis* de Cristo: a tradução correta de todos esses termos é lembrança. "É exatamente a falta de lembrança", diz Coomaraswamy, "que faz despencar das alturas a alma que andou com Deus e teve alguma visão das verdades, mas não foi capaz de retê-las."[84] Essa, é claro, é exatamente a mensagem do *Thotrol*. Não surpreende que Neumann tivesse concluído que "A tarefa do homem no mundo é lembrar, com a mente consciente, o que era conhecido antes do advento da consciência".[279] Da mesma forma, "O Saddik encontra aquilo que foi perdido no nascimento e o devolve aos homens".[279]

Assim, a alma que finalmente se lembra de tudo isso e vê ainda que vagamente, só pode assombrar-se: como pude esquecer? Como pude renunciar a esse Estado que é o único Real? Como minha alma afundou a ponto de ter o infortúnio como único companheiro? Mas ver isso agora, lembrar apenas Deus em tudo que passa e recebe o sinal da graça daquele Eu além do qual nada existe – como foi possível não ver o sinal?

Com essa recordação final, o impacto do único Deus de absoluto Mistério e Não Saber desmantela de uma vez por todas o projeto Atman. Já não existe mais o projeto Atman, pois existe apenas Atman, radical, radiante, onipresente, perfeitamente extático em sua liberação, perfeitamente comum em sua operação, perfeitamente evidente em sua marcha. Mas Atman é o Invisível. Atman é o Incognoscível. Atman é o Indizível. Anterior a tudo que surge, ele não é senão tudo que surge, e por isso pode afinal ser visto: Dogen Zenji –

Pobre nuvem que o vento leva devagar!
Que sonâmbulos somos todos nós!
Despertos, uma única grande verdade:
Chuva ameaçadora no teto do templo.

Por todas as eras, foi isso que buscamos. Por todas as eras, foi isso que desejamos. Mas por todas as eras, foi só isso que aconteceu: chuva ameaçadora no teto do templo...

E como sempre existe apenas Atman, o projeto Atman nunca aconteceu.

Apêndice – Tabelas de referência

Tabelas de Referência

Como uma espécie de levantamento e resumo dos diversos estágios da ascensão da consciência, montei várias tabelas de referências que são apresentadas a seguir. Gostaria, porém, de fazer algumas ressalvas. Embora eu tenha colocado lado a lado itens como desenvolvimento cognitivo, desenvolvimento moral e desenvolvimento do ego, não quero absolutamente sugerir uma equiparação entre eles. Como comparação geral, no entanto, decidi não tentar separar os vários fios do desenvolvimento psicológico. Conforme indiquei no início deste livro, essa tarefa está, sob vários aspectos, além do conhecimento que temos na atualidade. É razoavelmente evidente, por exemplo, que o desenvolvimento intelectual é independente do desenvolvimento psicossexual. Loevinger, para citar um exemplo, acredita que o desenvolvimento do ego é independente do desenvolvimento psicossexual.[243] Kohlberg demonstrou que o desenvolvimento intelectual é condição necessária mas não suficiente do desenvolvimento moral.[229] E assim por diante – todos os tipos de fios de desenvolvimento estendem-se em paralelo, independentemente e/ou em correlação com todos os outros fios de desenvolvimento. Naturalmente tenho minhas próprias opiniões sobre o assunto, mas esse é outro estudo, que precisará aguardar mais avanços nos estudos e na pesquisa do desenvolvimento.

Nessas tabelas limitei-me a expor as diversas etapas de vários sistemas de desenvolvimento propostos por pesquisadores respeitáveis, de modo a possibilitar uma visão instantânea da tendência geral – a ascensão da consciência. Além de ajudar-nos a ver a ascensão geral da consciência no seu conjunto, isso também nos ajudará a programar pesquisas mais aprofundadas sobre as etapas superiores da evolução e do desenvolvimento do eu. Gostaria de mencionar que as correlações de pesquisadores ocidentais na tabela foi consideravelmente facilitada pelos trabalhos de Loevinger,[243] Arieti,[7] Di Leo,[97] Jones[204] e Roberts.[321]

Como exemplo típico dos dados constantes das tabelas, vamos tomar a hierarquia das necessidades de Maslow,[321] que conforme vários pesquisadores sugeriram, também pode servir como seqüência de desenvolvimento.[243] Trata-se do seguinte: o bebê precisa satisfazer primeiramente suas *necessidades fisiológicas* simples, tais como a fome – nossa uroboros alimentar. Quando o ego-corpo do bebê emerge do estado de fusão com o ambiente, ele tem *necessidades de segurança,* a necessidade de proteger-se como ser estável diante do Grande Outro. Quando o sistema do eu evolui para a cognição-afiliação e a afiliação-consciência, ele enfrenta a *necessidade de pertencer* (e amar) – ou seja, a necessidade de pertencer a um grupo de afiliação maior que o próprio eu-corpo. Quando o sistema do eu finalmente amadurece para as etapas intermediária e tardia do ego, quando o próprio ego emerge claramente, também aparecem as necessidades de auto-estima (opinião também exposta por Carl Rogers).[187] Quando o indivíduo evolui para o nível maduro do centauro, tendem a emergir as *necessidades de auto-realização* (como vimos no Capítulo 7). Finalmente, "além da auto-realização" está a *necessidade de transcender* – em direção às esferas transpessoais, sutil e causal. Tudo isso está resumido na Tabela 4, mediante a simples enumeração das etapas de Maslow ao lado das etapas correspondentes da nossa teoria.*

---

* As diversas correlações que envolvem a distinção entre as linhas de desenvolvimento podem ser encontradas em *Translations of Consciousness* (Shambhala, 1986) e *A Brief History of Everything* (Shambhala, 1996).

TABELA 1

Modo aproximado de percepção do eu	Cabala[338]	Aurobindo[11,12]	Grof[166] (correlações aproximadas)	Green e Green[163]
Pleromático Urobórico Corpo axial	Malkuth	Subconsciente físico vital	Somático Estético	1. Físico
Corpo prânico Corpo-imagem	Yesod	emocional		2. Emocional
Afiliação-cognição Ego inicial/*persona* Ego intermediário/*persona* Ego tardio/*persona*	Hod Netzach	Vontade Mente racional Ego físico Mente-idéia	Psicodinâmico Freudiano Sistemas COEX	3. Mental
Ego maduro Centauro biossocial	Tiphareth	Corpo mental superior Mente iluminada	Existência/morte-renascimento	4. Intuitivo Nível 5
Sutil inferior	Geburah		Acontecimentos psíquicos/astrais	
Sutil superior	Chesed	Mente intuitiva	Arquetípico/divindade/iluminação	
Causal inferior Causal superior	Binah Chokmah	Sobremente Supermente	Mente universal Vazio supracósmico	Nível 6
Final	Kether	Brahma/Paramatman	Final	Nível 7

TABELA 2

Modo aproximado de percepção do eu	Loevinger[243] (níveis do ego)	Vijnanas budistas[362] (níveis de consciência)	Erikson[108] (estágios psicossociais)
Pleromático	Pré-social	Cinco vijnanas (cinco sentidos)	Confiança x desconfiança
Urobórico	Simbiótico		
Corpo axial Corpo prânico Corpo-imagem	Impulsivo		
Afiliação	Autoprotetor	Manovijnana (mente bruta)	Autonomia x vergonha e dúvida
Ego inicial/*persona*	Conformista		Iniciativa x culpa
Ego intermediário/*persona*	Consciencioso-conformista		Diligência x inferioridade
Ego tardio/*persona*	Consciencioso		Identidade x confusão de papéis
Ego maduro	Individualista		Intimidade x isolamento
Faixas biossociais	Autônomo		Geração x estagnação
Centauro/existencial	Integrado	Manas (mente sutil)	Integridade x desespero
Sutil inferior			
Sutil superior			
Causal inferior Causal superior		Alayavijnana maculada (psique coletiva)	
Final		Cittamatra	

TABELA 3

Modo aproximado de percepção do eu	Kohlberg[229] (Desenvolvimento moral)	Psicossíntese[10]	Piaget[297] (Desenvolvimento cognitivo)
Pleromático Urobórico	1. Punição e obediência	Inconsciente coletivo inferior	Sensório-motor Pré-conceitual Pré-operacional
Corpo axial Corpo prânico		Inconsciente inferior	
Corpo-imagem	2. Hedonismo instrumental	Eu consciente (com inconsciente intermediário)	
Afiliação-cognição	3. Conformismo – "bom menino/boa menina"		
Ego inicial/*persona*			Pré-operacional intuitivo Operacional concreto
Ego intermediário/*persona*	4. Lei e ordem		
Ego tardio/*persona*	5. Contrato social		Operacional formal
Ego maduro Faixas biossociais Centauro	6. Universalismo		
Sutil inferior Sutil superior		Inconsciente superior Inconsciente coletivo superior	
Causal inferior			
Causal superior		Eu transpessoal	
Final			

TABELA 4

Modo aproximado de percepção do eu	Ferenczi (F),[121] Ausubel (A)[14] (fases do ego)	Fromm (F),[146] Riesman (R)[318] (tipos do ego)	Maslow[262, 263] (hierarquia de necessidades)
Pleromático Urobórico-alimentar	Onipotência incondicional (F) Onipotência mágico-alucinatória (F) Onipotência do ego (A)	Simbiose (F)	Fisiológica
Corpo axial Corpo prânico Corpo-imagem	Onipotência por gestos mágicos (F) Animismo (F) Crise de desvalorização do ego (A)	Anomia (R)	Início da segurança
Afiliação-cognição	Palavras e pensamentos mágicos (F) Início da satelitização (A)	Conformidade ditada por tradição (R)	Segurança
Ego inicial/*persona*	Satelitização (A)	Conformidade (F)	Pertencer
Ego intermediário/*persona*	Crise de dessatelitização (A)	Conformidade ditada pelos outros (R)	Auto-estima
Ego tardio/*persona* Ego maduro Faixas biossociais	Dessatelitização (A)	Conformidade ditada internamente (R)	
Centauro/existencial		Autonomia (F) Autonomia (R)	Auto-realização
Sutil inferior Sutil superior			Transcendência
Causal inferior Causal superior			
Final			

TABELA 5

Modo aproximado de percepção do eu	Sullivan, Grant e Grant[358, 243] (níveis de integração)	Bubba Free John[60] (etapas da vida)	Broughton,[53, 243] (epistemologia natural)
Pleromático Urobórico Corpo axial	1. Eu x não-eu	1. Corpo físico	0. Dentro x fora
Corpo prânico Corpo-imagem	2. Manipulação rude, impulsividade, diferenciação de objetos e pessoas	2. Corpo emocional	
Afiliação	3. "Fingidos" – exploração	3. Mental inferior Força de vontade Mente verbal Mente bruta	
Ego inicial/*persona*	3. "Conformistas"		1. Mente de gente grande x corpo de gente pequena
Ego intermediário/*persona* Ego tardio/*persona*	4. Conflito de despertar, individuação da resposta (o subtipo neurótico desse nível é a nossa *persona*)		2. Mente e corpo diferenciados 3 e 4. A *persona* é diferenciada do verdadeiro ego
Ego maduro	5. Início da desidentificação de todos os papéis		
Faixas biossociais	6. O eu se separa dos papéis		5. O ego se diferencia do observador
Centauro/existencial	7. Integração de todos os níveis inferiores	4. Corpo mental superior sendo psíquico inferior	6. Integração
Sutil inferior Sutil superior Causal inferior		5. Gnose cósmica Sutil superior/psíquico Supra-mental	
Causal superior		6. Átmico (Brahma = Atman)	
Final		7. Nirvânico	

TABELA 6

Modo aproximado de percepção do eu	Hinduísmo vedanta[94]	Skandhas budistas[379]	Battista[24]	Welwood(W)[392] Smith (S)[352]	Arieti[7]
Pleromático Urobórico	Anna-mayakosa	1. forma do corpo 2. sensação	sensação		Instintos
Corpo axial		3. percepção	percepção	Corpo (S)	Sensório-motor exoceptual
Corpo prânico	Prana-mayakosa	3. emoções/impulsos	emoção	Significado sentido (W)	Proto-emoções
Corpo-imagem					Fantásmico/endoceptual
Afiliação-cognição Ego inicial/*persona*		4. cognição verbal	cognição		Linguagem/paleológico
Ego interm./*persona* Ego tardio/*persona* Ego maduro Faixas biossociais	Manomayakosa	5. fluxo de auto-consciência	autopercepção	Mente (S) Área pessoal (W)	Conceitual
Centauro/existencial					
Sutil inferior	Vijnanamayakosa				
Sutil superior				Alma (S) Área transpessoal (W)	
Causal inferior Causal superior	Ananda-mayakosa		unificação		
Final	Brahma-Atman		absoluto	Espírito (S) Área aberta (W)	

TABELA 7

Modo aproximado de percepção do eu	7 chakras de kundalini e 7 "chakras" Shabd superiores	Tiller[271] (hierarquia de substância)
Pleromático Urobórico	1. Fome, materialista, pleromático, alimento	Físico
Corpo axial Corpo prânico Corpo-imagem	2. Impulsos sexuais-emocionais	Etérico Astral
Afiliação	3. Poder: segurança *dentro* do mundo da afiliação	M-1 (ou mente inferior)
Ego inicial/*persona*	4. Amor e sentimento do ego inicial de pertencer ao mundo da afiliação	
Ego interm./*persona*	5. Eu totalmente verbal; conhecimento concreto operacional e verbal	M-2 (ou mente intelectual)
Ego tardio/*persona* Ego maduro Faixas biossociais	6. Conhecimento formal operacional e conceitual; (*início* do psíquico)	
Centauro/existencial	6. Integração dos seis chakras inferiores	
Sutil inferior	6. Abertura do ajna/chakra psíquico	M-3 (ou mente espiritual)
	7. Sahasrara	
Sutil superior	Esfera dos 7 "chakras" Shabd superiores além do sahasrara	
Causal inferior	Culminação dos chakras superiores no Deus final	
Causal superior	Transcendência de todas as perturbações dos chakras, superiores ou inferiores	
Final		Espírito

Bibliografia

1. Allport, G.W. *Personality: a psychological interpretation.* Nova York: Holt, Rinehart, Winston, 1937.
2. ________. *Pattern and growth in personality.* Nova York: Holt, Rinehart, Winston, 1961.
3. Anderson, R. "A holographic model of transpersonal consciousness." *J. Transpersonal Psychol,* vol. 9, nº 2, 1997.
4. Angyal, A. *Neurosis and treatment: a holistic theory.* Nova York: Wiley, 1965.
5. Aquino, T. *Summa theologiae.* 2 vols. Garden City: Doubleday, 1969.
6. Arieti, S. *Interpretation of schizophrenia.* Nova York: Brunner, 1955.
7. ________ . *The intra-psychic self.* Nova York: Basic Books, 1967.
8. ________ . *Creativity: the magic synthesis.* Nova York: Basic Books, 1976.
9. Arlow. J.A., e Brenner, C. *Psychoanalytic concepts and the structural theory.* Nova York: International Universities Press, 1964.
10. Assagioli, R. *Psychosynthesis.* Nova York: Viking, 1965 [*Psicossíntese*, publicado pela Editora Cultrix, São Paulo, 1982.]
11. Aurobindo. *The life divine.* Pondicherry: Centenary Libray, XVIII, XIX.
12. ________ . *The synthesis of yoga.* Pondicherry: Centenary Library, XX, XXI.
13. ________ . *The essential Aurobindo.* McDermott, R. (org.). Nova York: Schocken, 1973.
14. Ausubel, D. *Ego development and the personality disorders.* Nova York: Grune and Stratton, 1952.
15. Avalon, A. *The serpent power.* Nova York: Dover, 1974.
16. Baba Ram Dass. *Be here now.* San Cristobal: Lama Foundation, 1971.
17. Bachofen, J. *Das mutterecht.* Basiléia, 1948, 2 vols.
18. Bak. "The phallic woman: the ubiquitous fantasy in perversions." *Psychoanalytic Study of the Child*, 1968.
19. Bakan, D. *The duality of human existence.* Chicago: Rand McNally, 1966.
20. Baldwin, J.M. *Thought and things.* Nova York: Arno, 1975.
21. Bandura, A. *Social learning theory.* Englewood Cliffs: Prentice Hall, 1977.
22. Barfield, O. "The rediscovery of meaning." Adventures of the Mind, *Sat. Evening Post*, vol. 1. Nova York: Knopf, 1961.
23. Bateson, G. *Steps to an ecology of mind.* Nova York: Ballantine, 1972.
24. Battista, J. "The holographic model, holistic paradigm, information theory and consciousness." *Re-Vision*, vol. 1, nºs 3/4, 1978.
25. Becker, E. *The denial of death.* Nova York: Free Press, 1973.
26. ________ . *Escape from evil.* Nova York: Free Press, 1975.
27. Benoit, H. *The supreme doctrine.* Nova York: Viking, 1955 [*A Doutrina Suprema*, publicado pela Editora Pensamento, São Paulo, 1992.]
28. Berdyaev, N. *The destiny of man.* Nova York: Harper, 1960.
29. Berger. R., e Luckmann, T. *The social construction of reality.* Nova York: Doubleday, 1972.
30. Bergson, H. *Introduction to metaphysics.* Nova York, 1949.
31. ________ . *Time and free will.* Nova York: Harper, 1960.
32. Berne, E. *Games people play.* Nova York: Grove, 1967.
33. ________ . *What do you say after you say hello?* Nova York: Bantam, 1974.
34. Bertalanffy, L. von. "The mind-body problem: a new view." *Psychosomatic Medicine,* vol. 26, nº 1, 1964.

35. Bharati, A. *The tantric tradition.* Garden City: Anchor, 1965.
36. Binswanger, L. *Being-in-the-world.* Nova York: Basic Books, 1963.
37. Blakney, R.B. (trad.), *Meister Eckhart.* Nova York: Harper, 1941.
38. Blanck, G., e Blanck, R. *Ego psychology: theory and practice.* Nova York: Columbia Univ. Press, 1974.
39. Blanco, M. *The unconscious as infinite sets.* Londres: Duckworth, 1975.
40. Blavatsky, H.P. *The secret doctrine.* Londres: Theosophical Publishing House, 1966 [*A Doutrina Secreta*, publicado pela Editora Pensamento, São Paulo, 1980.]
41. Blofeld, J. *Zen teaching of Huang Po.* Nova York: Grove, 1958.
42. ________. *Zen teaching of Hui Hai.* Londres: Rider, 1969.
43. ________. *The tantric mysticism of Tibet.* Nova York: Dutton, 1970.
44. Bloom, C.M. *Language development.* Cambridge: M.I.T., 1970.
45. Blos, P. "The genealogy of the ego ideal." *Psychoanalytic Study of the Child,* vol. 29, 1974.
46. Blum. G. *Psychoanalytic theories of personality.* Nova York: McGraw-Hill, 1953.
47. Blyth, R.H. *Zen and zen classics,* vols. 1-5. Tóquio: Hokuseido, 1960, 1964, 1970, 1966, 1962.
48. Boehme, J. *Six theosophic points.* Ann Arbor: Univ. of Michigan, 1970.
49. Boisen, A. *The exploration of the inner world.* Nova York: Harper, 1962.
50. Boss, M. *Psychoanalysis and daseinanalysis.* Nova York: Basic Books, 1963.
51. Bower, T. *Development in infancy.* San Francisco: Freeman, 1974.
52. Broad, C.D. *The mind and its place in nature.* New Jersey: Littlefield, Adams, 1960.
53. Broughton, J. "The development of natural epistemology in adolescence and early adulthood." Tese de doutorado não publicada, Harvard, 1975.
54. Brown, D. "A model for the levels of concentrative meditation." *Int. J. Clin. Exp. Hypnosis,* vol. 25, 1977.
55. Brown, G. "The farther reaches of Gestalt therapy." *Synthesis 1.*
56. Brown, G.S. *Laws of form.* Nova York: Julian, 1972.
57. Brown, N.O. *Life against death.* Middletown: Wesleyan, 1959.
58. ________. *Love's body.* Nova York: Vintage, 1966.
59. Bubba Free John. *The paradox of instruction.* San Franciso: Dawn Horse, 1977.
60. ________. *The enlightenment of the whole body.* Middletown: Dawn Horse, 1978.
61. Buber, M. *I and thou.* Nova York: Scribners, 1958.
62. Bucke, R. *Cosmic consciousness.* Nova York: Dutton, 1923.
63. Buddhagosa. *The path of purity.* Pali Text Society, 1923.
64. Bugental, J. *The search for authenticity.* Nova York: Holt, Rinehart, Winston, 1965.
65. Burke, K. "The rhetoric of Hitler's 'battle'." *The philosophy of literary form.* Nova York: Vintage, 1957.
66. Campbell, J. *The masks of God,* vols. 1-4. Nova York: Viking, 1959, 1962, 1964, 1968.
67. Canetti, E. *Of fear and freedom.* Nova York: Farrar Strauss, 1950.
68. Capra, F. *The tao of physics.* Berkeley: Shambhala, 1975. [*O Tao da Física*, publicado pela Editora Cultrix, São Paulo, 1980.]
69. Cassirer, E. *The philosophy of symbolic forms.* New Haven: Yale, 1953-1957, 3 vols.
70. Castañeda, C. *Journey to Ixtlan.* Nova York: Simon and Schuster, 1972.
71. Chang, G.C.C. *Hundred thousand songs of Milarepa.* Nova York: Harper, 1970.
72. ________. *Practice of zen.* Nova York: Harper, 1970.
73. ________. *The Buddhist teaching of totality.* Pensilvânia: Univ. of Pennsylvania, 1971.
74. ________. *Teachings of Tibetan yoga.* New Jersey: Citadel, 1974.
75. Chapman, J. "The early symptoms of schizophrenia." *British Journal of Psychiatry,* vol. 112, 1966.
76. Chaudhuri, H. *Philosophy of meditation.* Nova York: Philosophical Library, 1965.
77. Childe, C. *Man makes himself.* Nova York: Mentor, 1957.
78. Chomsky, N. *Syntactic structures.* Haia: Mouton, 1957.

79. ________. *Language and mind.* Nova York: Harcourt, 1972.
80. Conze, E. *Buddhist meditation.* Nova York: Harper, 1956.
81. ________. *Buddhist wisdom books.* Londres: Allen and Unwin, 1970.
82. Cooley, C.H. *Human nature and the social order.* Nova York: Scribners, 1902.
83. Coomaraswamy, A.K. *Hinduism and Buddhism.* Nova York: Philosophical Library, 1943.
84. '"Recollection, Indian and Platonic." Suplemento de *JAOS* nº 3, 1944.
85. ________. *Time and eternity.* Ascona: Artibus Asial, 1947.
86. ________. *The dance of Shiva.* Nova York: Noonday, 1957.
87. Cooper, D. *Psychiatry and anti-psychiatry.* Nova York: Ballantine, 1971.
88. Corsini, R. *Current personality theories.* Itasca: Peacock, 1977.
89. Dasgupta, S.B. *An introduction to tantric Buddhism.* Berkeley: Shambhala, 1974.
90. Davidson, J. "The physiology of meditation and mystical states of consciousness." *Perspectives Biology Medicine,* primavera, 1976.
91. Dean, S. (org.) *Psychiatry and mysticism.* Chicago: Nelson Hall, 1975.
92. Deikman, A. "De-automatization and the mystic experience." *Psychiatry,* vol. 29, 1966.
93. Desoille, R. *The waking dream in psychotherapy.* Paris: Presses Universitaires de France, 1945.
94. Deutsche, E. *Advaita vedanta.* Honolulu: East-West Center, 1969.
95. Dewey, J., e Bently, A.F. *Knowing and the known.* Boston: Beacon, 1949.
96. Dewey, J., e Tufts, J. *Ethics.* Nova York: Holt, Rinehart, Winston, 1908.
97. DiLeo, J. *Child development.* Nova York: Brunner/Mazel, 1977.
98. Duncan, H. *Symbols in society.* Nova York: Oxford Univ., 1968.
99. Edgerton, F. (trad.) *The Bhagavad Gita.* Nova York: Harper, 1964.
100. Edinger, E.F. *Ego and archetype.* Baltimore: Penguin, 1972. [*Ego e Arquétipo,* publicado pela Editora Cultrix, São Paulo, 1989.]
101. Ehrmann, J. (org.) *Structuralism.* Nova York: Anchor, 1970.
102. Eisendrath, C. *The unifying moment.* Cambridge: Harvard, 1971.
103. Eliade, M. *The myth of eternal return.* Nova York: Pantheon, 1954.
104. ________. *The sacred and the profane.* Nova York: Harvest, 1959.
105. ________. *Shamanism.* Nova York: Pantheon, 1964.
106. ________. *Imagens and symbols.* Nova York: Sheed and Ward, 1969.
107. Eliot, C. *Hinduism and Buddhism.,* vols. 1-3. Nova York: Barnes and Noble, 1968.
108. Erikson, E. *Childhood and society.* Nova York: Norton, 1963.
109. ________. *Insight and responsibility.* Nova York: Norton, 1964.
110. Evans, Wentz. W. *The Tibetan book of the dead.* Londres: Oxford Univ., 1968. [*O Livro Tibetano dos Mortos*, publicado pela Editora Pensamento, São Paulo, 1985.]
111. ________. *The Tibetan book of the great liberation.* Londres: Oxford Univ., 1968. [*O Livro Tibetano da Grande Liberação*, publicado pela Editora Pensamento, São Paulo, 1987.]
112. ________. *Tibetan yoga and secret doctrines.* Londres: Oxford, Univ., 1971. [*A Ioga Tibetana e as Doutrinas Secretas*, publicado pela Editora Pensamento, São Paulo, 1987.]
113. Fadiman, J., e Frager, R. *Personality and personal growth.* Nova York: Harper, 1976.
114. ________. e Kewman,. D. (org.) *Exploring madness.* Pacific Grove: Brooks/Cole, 1973.
115. Fagan, J. e Sheperd, I. (org.) *Gestalt therapy.* Nova York: Harper, 1970.
116. Fairbairn, W. *Psychoanalytic studies of the personality.* Londres: Tavistock, 1952.
117. ________. *An object-relations theory of the personality.* Nova York: Basic Books, 1954.
118. Farber, L. *The ways of the will.* Nova York: Basic Books, 1966.
119. Federn, P. *Ego psychology and the psychoses.* Nova York: Basic Books, 1952.
120. Fenichel, O. *The psychoanalytic theory of neurosis.* Nova York: Norton, 1945.
121. Ferenczi, S. "Stages in the development of the sense of reality." *In Sex and psychoanalysis.* Boston: Gorham, 1956.
122. ________. *Thalassa.* Nova York: *The Psychoanalytic Quarterly,* 1938.

123. ________. *Further contributions to the theory and technique of psychoanalysis.* Nova York: Basic Books, 1952.
124. Festinger, L. *Theory of cognitive dissonance.* Nova York: Peterson, 1957.
125. Feuerstein, G.A. *Introduction to the Bhagavad Gita.* Londres: Rider, 1974.
126. ________. *Textbook of yoga.* Londres: Rider, 1975.
127. Fingarette, H. *The self in transformation.* Nova York: Basic Books, 1963.
128. Flugel, J. *Man, morals and society.* Nova York: International Universities Press, 1945.
129. Foulkes, D. *A grammar of dreams.* Nova York: Basic Books, 1978.
130. Frank, J. "Nature and function of belief systems: humanism and transcendental religion." *American Psychologist*, vol. 32, 1977.
131. Frankl, V. *Man's search for meaning.* Nova York: Washington Square, 1963.
132. Freemantle, F., e Trungpa, C. *The Tibetan book of the dead.* Berkeley: Shambhala, 1975.
133. Fremantle, A. *The Protestant mystics.* Nova York: Mentor, 1965.
134. Freud, A. *The ego and the mechanisms of defense.* Nova York: International Universities Press, 1946.
Freud., S. *The standard edition of the complete psychological works of Sigmund Freud.* 24 volumes, traduzidos e organizados por James Strachey. Londres: Hogarth Press e Institute of Psycho-analysis, 1953-1964.
135. ________. *The interpretation of dreams.* Standard Edition, vols. 4 e 5.
136. ________. *Three essays on the theory of sexuality.* Standard Edition, vol. 7.
137. ________. *Totem and taboo.* Standard Edition, vol. 13.
138. ________. "On narcissism: an introduction." Standard Edition, vol. 14.
139. ________. *Beyond the pleasure principle.* Standard Edition, vol. 18.
140. ________. *The ego and the id.* Standard Edition, vol. 19.
141. ________. *Civilization and its discontents.* Standard Edition, vol. 20.
142. ________. *New introductory lectures.* Standard Edition, vol. 22.
143. ________. *An outline of psychoanalysis.* Standard Edition, vol. 23.
144. ________. *A general introduction to psychoanalysis.* Nova York: Pocket Books, 1971.
145. Frey-Rohn, L. *From Freud to Jung.* Nova York: Delta, 1974.
146. Fromm, E. *Escape from freedom.* Nova York: Farrar, Strauss, and Giroux, 1941.
147. ________. *Psychoanalysis and religion.* Nova York: Bantam, 1967.
148. ________. Suzuki, D.T., e De Martino, R. *Zen Buddhism and psychoanalysis.* Nova York: Harper, 1970.
149. Gardner, H. *The quest for mind.* Nova York: Vintage, 1972.
150. Gebser, J. *Ursprung and gegenwart.* Stuttgart: Deutsche Verlags-Ansalt, 1966.
151. ________. "Foundations of the aperspective world." *Main Currents,* vol. 29, nº 2, 1972.
152. Geertz, C. *The interpretation of cultures.* Nova York: Basic Books, 1973.
153. Gendlin, E. *Experiencing and the creation of meaning.* Nova York: Free Press, 1962.
154. Giovacchini, P. "Psychoanalysis." *In* Corsini, R., nota de referência nº 88.
155. Glasser, W. *Reality therapy.* Nova York: Harper, 1965.
156. Globus, G *et al.* (orgs.). *Consciousness and the brain.* Plenum, 1976.
157. Goble, F. *The third force.* Nova York: Pocket, 1974.
158. Goffman, E. *The presentation of self in everyday life.* Garden City: Anchor, 1959.
159. Goldstein, K. *The organism.* Nova York: American Book, 1939.
160. Goleman, D. *The varieties of the meditative experience.* Nova York: Dutton, 1977.
161. Govinda, L. *Foundations of Tibetan mysticism.* Nova York: Weiser, 1973. [*Fundamentos do Misticismo Tibetano,* publicado pela Editora Pensamento, São Paulo, 1983.]
162. Gowan, J. *Trance, art, and creativity.* Northridge, CA, 1975.
163. Green, E., e Green, A. *Beyond biofeedback.* Nova York: Delacourte, 1977.
164. Greenacre, P. "Certain relationships between fetishism and faulty development of the body image." *Psychoanalytic Study of the Child,* vol. 8, 1953.
165. Greenson, R. *The technique and practice of psychoanalysis.* Nova York: International Universities Press, 1976.

166. Grof, S. *Realms of the human unconscious.* Nova York: Viking, 1975.
167. Group for the Advancement of Psychiatry. *Mysticism: spiritual quest psychic disorder?* NovaYork: Group for the Advancement of Psychiatry, 1976.
168. Guénon, R. *Man and his becoming according to the Vedanta.* Londres: Luzac, 1945.
169. Guenther, H. *Buddhist philosophy in theory and practice.* Baltimore: Penguin, 1971.
170. _______. *Treasures on the Tibetan middle way.* Berkeley: Shambhala, 1971.
171. _______. *Philosophy and pshychology in the abhidharma.* Berkeley: Shambhala, 1974.
172. _______. (trad.) *The life and teaching of Naropa.* Londres: Oxford Univ., 1963.
173. _______. e Trungpa, C. *The dawn of tantra.* Berkeley: Shambhala, 1975.
174. Hakeda, Y.S. (trad.) *The awakening of faith.* Nova York: Columbia Univ., 1967.
175. Hall, C. *A primer of Jungian psychology.* Nova York: Mentor, 1973.
176. Hall, R. "The psycho-philosophy of history." *Main Currents,* vol. 29, n° 2, 1972.
177. Harrington, A. *The immortalist.* Nova York, Random House, 1969.
178. Harris, T. *I'm o.k., you're o.k.* Nova York: Avon, 1969.
179. Hartmann, H. *Ego psychology and the problem of adaptation.* Nova York: International Universities Press, 1958.
180. Hartshorne, C. *The logic of perfection.* Chicago: Open Court, 1973.
181. Heard, G. *The ascent of humanity.* Londres: Jonathan Cape, 1929.
182. Heidegger, M. *Existence and being.* Chicago: Henry Regney, 1950.
183. _______. *Being and time.* Nova York: Harper, 1962.
184. _______. *Discourse on thinking.* Nova York. Harper.
185. Hixon, L. *Coming home.* Garden City: Anchor, 1978. [*O Retorno à Origem*, publicado pela Editora Cultrix, São Paulo, 1992.]
186. Hocart, A. *Social origins.* Londres: Watts, 1954.
187. Holdstock, T., e Rogers, C. "Person-centered theory." *In* Corsini, R., nota de referência nº 88.
188. Hood, R. "Conceptual criticisms of regressive explanations of mysticisms." *Rev. Religious Res.,* vol. 17, 1976.
189. Hook, S. (org.) *Dimensions of mind.* Nova York: Collier, 1973.
190. Horney, K. *The neurotic personality of our time.* Nova York: Norton, 1968.
191. Hume, R., trad. *The thirteen principle Upanishads.* Londres: Oxford, 1974.
192. Husserl, E. *Ideas.* Nova York: Macmillan, 1931.
193. Huxley, A. *The perennial philosophy.* Nova York: Harper, 1970. [*A Filosofia Perene,* publicado pela Editora Pensamento, São Paulo, 1991.]
194. Jacobi, J. *The psychology of C.G. Jung.* Londres: Routledge and Kegan Paul, 1968.
195. Jacobson, E. *The self and the object world.* Nova York: International Universities Press, 1964.
196. Jakobson, R. *Child language aphasia and phonological universals.* Citado em Gardner, nota de referência n° 149.
197. James, W. *The principles of pychology,* vols. 1-2. Nova York: Dover, 1950.
198. _______. *Varieties of religious experience.* Nova York: Collier, 1961. [*As Variedades da Experiência Religiosa*, publicado pela Editora Cultrix, São Paulo, 1991.]
199. Jantsch, E., e Waddington, C. (orgs.). *Evolution and consciousness.* Redding: Addison-Wesley, 1976.
200. Jaynes, J. *The origin of consciousness in the breakdown of the bicameral mind.* Boston: Houghton Mifflin, 1976.
201. John of the Cross, St. *Dark night of the soul.* Garden City: Doubleday, 1959.
202. _______. *Ascent of Mount Carmel.* Garden City: Doubleday, 1958.
203. Jonas, H. *The gnostic religion.* Boston: Beacon, 1963.
204. Jones, R.M. *Contemporary educational psychology: selected essays.* Nova York: Harper, 1967.
Jung, C.G. *The collected works of C.G. Jung,* Adler, G., Fordham, M. e Read, H., orgs.; Hull, R.F.C., trad. Bolligen Series XX, Princeton: Princeton Univ. Press.

205. ________. *Symbols of transformation,* obras completas 5.
206. ________. *Psychological types,* obras completas 6.
207. ________. *Two essays on analytical psychology,* obras completas 7.
208. ________. *The psychological foundations of belief in spirits,* obras completas 8.
209. ________. *The structure and dynamics of the psyche,* obras completas 8.
210. ________. *The archetypes and the collective unconscious,* obras completas 9, parte 1.
211. ________. *Aion – researches into the phenomenology of the self,* obras completas 9, parte 2.
212. ________. *Mysterium coniunctionis,* obras completas 14.
213. ________. *The portable Jung.* Campbell, J. (org.) Nova York: Viking, 1972.
214. ________. *The basic writings of C.G. Jung.* DeLaszlo, V.S. (org.). Nova York: Modern Library, 1959.
215. Kadloubovsky, E., e Palmer, G. (trad.). *Writings from the "Philokalia" on prayer of the heart.* Londres: Farber and Farber, 1954.
216. Kahn, H.I. *The soul whence and whither.* Nova York: Sufi Order, 1977.
217. Kaplan, B. (org.) *The inner world of mental illness.* Nova York: Harper, 1964.
218. Kaplan, L. *Oneness and separateness.* Nova York: Simon and Schuster, 1978.
219. Kaplan, P. "An excursion into the 'undiscovered country'." *Rediscovery of the body.* Garfield, C. (org.). Nova York: Dell, 1977.
220. Kapleau, P. *The three pillars of Zen.* Boston: Beacon, 1965.
221. Keleman, S. *Your body speaks its mind.* Nova York: Simon and Schuster, 1975.
222. Kierkegaard, S. *The concept of the dread.* Princeton: Princeton Univ., 1944.
223. ________. *Fear and trembling and the sickness unto death.* Nova York: Anchor, 1954.
224. Klein, G.S. *Psychoanalytic theory: an exploration of essentials.* Nova York: International Universities Press, 1976.
225. Klein, M. *The psychoanalysis of children.* Nova York: Free Press, 1960.
226. ________. *New directions in psychoanalysis.* Londres: Tavistock, 1971.
227. Kluckhohn, C., e Murray, H. *Personality: in nature, society, and culture.* Nova York: Knopf, 1965.
228. Kobasa, S., e Maddi, S. "Existential personality theory." *In* Corsini, R. nota de referência nº 88.
229. Kohlberg, L. "Development of moral character and moral ideology." *In* Hoffman, M., e Hoffman, L. (orgs.) *Review of Child Development Research,* vol. 1, 1964.
230. ________. "From is to ought." *In* Mischel, T. (org.) *Cognitive development and epistemology.* Nova York: Academic Press, 1971.
231. Krishna, Gopi. *The secret of yoga.* Nova York: Harper, 1972.
232. Krishnamurti, J. *The first and last freedom.* Wheaton: Quest Boosks, 1968. [*A Primeira e Última Liberdade,* publicado pela Editora Cultrix, São Paulo, 1960.]
233. ________. *Commentaries on living.* Series 1-3. Wheaton: Quest Books, 1968. [*Comentários sobre o Viver,* publicado pela Editora Cultrix, São Paulo, 1961.]
234. Kuhn, T. *The structure of scientific revolutions.* Chicago: Univ. of Chicago Press, 1962.
235. La Barre, W. *The human animal.* Chicago: Univ. of Chicago Press, 1954.
236. Lacan, J. *Language of the self.* Baltimore: John Hopkins, 1968.
237. ________. "The insistence of the letter in the unconscious." *In* Ehrmann, J., nota de referência nº 101.
238. Laing, R.D. *The divided self.* Baltimore: Penguin, 1965.
239. ________. *The politics of experience.* Nova York: Ballantine, 1967.
240. Lévi-Strauss. C. *Structural anthropology.* Nova York: Basic Books, 1963.
241. Lifton, R. *Revolutionary immortality.* Nova York: Vintage, 1968.
242. Lilly, J. *The center of the cyclone.* Nova York: Julian, 1972.
243. Loevinger, J. *Ego development.* San Francisco: Jossey-Bass, 1976.
244. Loewald, H. "The superego and the ego-ideal. II: Superego and time." *International Journal of Psychoanalysis,* vol. 43, 1962.

245. ________. "On motivation and instinct theory." *Psychoanalytic Study of the Child,* vol. 26, 1971.
246. ________. *Psychoanalysis and the history of the individual.* New Haven: Yale, 1978.
247. Lonergan, B. *Insight, a study of human understanding.* Nova York: Philosophical Library, 1970.
248. Longchenpa, *Kindly bent to ease us.* Cols. 1-2. Guenther, H. (trad.). Emeryville: Dharma Press, 1975.
249. Lowen, A. *The betrayal of the body.* Nova York: Macmillan, 1967.
250. ________. *The language of the body.* Nova York: Macmillan, 1967.
251. ________. *Depression and the body.* Baltimore: Penguin, 1973.
252. Luk, C. *Ch'an and Zen teaching,* Series 1-3. Londres: Rider, 1960, 1961, 1962.
253. ________. *The secrets of Chinese meditation.* Nova York: Weiser, 1971.
254. ________. *Practical Buddhism.* Londres: Rider, 1972.
255. ________. (trad.) *The Surangama Sutra.* Londres: Rider, 1969.
256. ________. (trad.) *The Vimalakirti Nirdessa Sutra.* Berkeley: Shambhala, 1972.
257. Maddi, S. *Personality theories.* Homewood: Dorsev Press, 1968.
258. Maezumi, H.T., e Glassman, B.T. (orgs.). *Zen writing series.* Vols. 1-5, 1976-1978. Los Angeles: Center Publications.
259. Mahrer, A. *Experiencing.* Nova York: Brunner/Mazel, 1978.
260. Marcel, G. *Philosophy of existence.* Nova York: Philosophical Library, 1949.
261. Marcuse, H. *Eros and civilization.* Boston: Beacon, 1955.
262. Maslow, A. *Toward a psychology of being.* Nova York: Van Nostrand Reinhold, 1968.
263. ________. *The farther reaches of human nature.* Nova York: Viking, 1971.
264. Masters, R., e Houston, J. *The varieties of psychedelic experience.* Nova York: Delta. 1967.
265. May. R. *Love and will.* Nova York: Norton, 1969.
266. ________. (org.) *Existencial psychology.* Nova York: Random House, 1969.
267. Mead, G.H. *Mind, self, and society.* Chicago: Univ. of Chicago Press, 1934.
268. Mead. G.R.S. *Apollonius of Tyana.* New Hyde Park, N.Y.: University Books, 1966.
269. Miel, J. "Jacques Lacan and the structure of the unconscious." *In* Ehrmann, J., nota de referência nº 101.
270. Mishra, R.S. *Yoga sutras,* Garden City: Anchor, 1973.
271. Mitchell, E. *Psychic exploration.* White, J. (org.). Nova York: Capricorn, 1976.
272. Muktananda, *The play of consciousness.* Camp Meeker, CA: SYDA Foundation, 1974.
273. Murphy, G. *Personality: a biosocial approach to origins and structure.* Nova York: Harper, 1947.
274. Murti, T.R.V. *The central philosophy of Buddhism.* Londres: Allen and Unwin, 1960.
275. Musès, C., e Young, A. (org.) *Consciousness and reality.* Nova York: Discus, 1974.
276. Naranjo, C., e Ornstein, R. *On the psychology of meditation.* Nova York: Viking, 1973.
277. Needham, J. *Science and civilization in China,* vol. 2. Londres: Cambridge Univ., Press, 1956.
278. Nelson, M. (org.). *The narcissistic condition.* Nova York: Human Sciences, 1977.
279. Neumann, E. *The origins and history of consciousness.* Princeton: Princeton Univ. Press, 1973. [*História da Origem da Consciência,* publicado pela Editora Cultrix, São Paulo, 1990.]
280. Nikhilananda, S. *The gospel of Sri Ramakrishna.* Nova York: Ramakrishna Center, 1973.
281. Nishida, K. *Intelligibility and the philosophy of nothingness.* Honolulu: East-West Press, 1958.
282. Northrop, F. *The meeting of east and west.* Nova York: Collier, 1968.
283. Nyanaponika Thera. *The heart of Buddhist meditation.* Londres: Rider, 1972.
284. Ogilvy, J. *Many dimensional man.* Nova York: Oxford Univ. Press, 1977.
285. Ornstein, R. *The psychology of consciousness.* San Francisco: Freeman, 1972.
286. Ouspensky, P.D. *In search of the miraculous,* Nova York: Harcourt Brace, 1949.
287. ________. *The fourth way.* Nova York: Knopf. [*O Quarto Caminho,* publicado pela Editora Pensamento, São Paulo, 1987.]

288. Pelletier, K. *Toward a science of consciousness.* Nova York: Delta, 1978.
289. ________. e Garfield, C. *Consciousness: east and west.* Nova York: Harper, 1976.
290. Penfield, W. *The mystery of the mind.* Princeton: Princeton Univ. Press, 1978.
291. Perls, F. *Gestalt therapy verbatim.* Lafayette, CA: Real People Press, 1969.
292. ________. Hefferline, R., e Goodman, P. *Gestalt therapy.* Nova York: Delta, 1951.
293. Piaget, J. *The child's conception of the world.* Londres: Humanities Press, 1951.
294. ________. *The origins of intelligence.* Nova York: International Universities Press, 1952.
295. ________. *The construction of reality in the child.* Nova York: Basic Books, 1954.
296. ________. *Structuralism.* Nova York: Basic Books, 1970.
297. ________. *The essential Piaget.* Gruber, H., e Voneche, J. (orgs.). Nova York: Basic Books, 1977.
298. Polanyi, M. *Personal knowledge.* Chicago: Univ. of Chicago Press, 1958.
299. Pope, K., e Singer, J. *The stream of consciousness.* Nova York: Plenum, 1978.
300. Pribram, K. *Languages of the brain.* Englewood Cliffs: Prentice Hall, 1971.
301. Price, A.F. & Wong Moul-lam (trad.). *The Diamond Sutra and the Sutra of Hui-Neng.* Berkeley: Shambhala, 1969.
302. Prince, R., e Savage, C. "Mytical states and the concept of regression." *Psychedelic Review,* vol. 8, 1966.
303. Progoff, I. *The death and rebirth of psychology.* Nova York: Julian, 1956.
304. Pursglove, P. (org.). *Recognitions in gestalt therapy.* Nova York: Harper, 1968.
305. Putney, S., e Putney, G. *The adjusted American.* Nova York: Harper, 1966.
306. Radhakrishnan, S., e Moore, C. *A source book in Indian philosophy.* Princeton: Princeton Univ. Press, 1957.
307. Rahner, K., e Vorgrimler, H. *Theological dictionary.* Nova York: Herder and Herder, 1968.
308. Ramana Maharshi, Sri. *Talks with Sri Ramana Maharshi,* 3 vols. Tiruvannamalai: Sri Ramanasramam, 1972.
309. ________. *The collected works of Sri Ramana Maharshi.* Osborne, A. (org.). Londres: Rider, 1959.
310. ________. *The teachings of Bhagavan Sri Ramana Maharshi in His Own Words.* Osborne, A. (org.). Londres: Rider, 1962.
311. Rank. O. *Beyong psychology.* Nova York: Dover, 1958.
312. ________. *Psychology and the soul.* Nova York: Perpetua, 1961.
313. Rapaport, D. *Organization and pathology of thought.* Nova York: Columbia Univ. Press, 1951.
314. Reich, W. *The function of the orgasm.* Nova York: Orgone Press, 1942.
315. ________. *Character analysis.* Nova York: Farrar, Strauss, and Giroux, 1949.
316. Ricoeur, P. *Freud and philosophy.* New Haven: Yale, 1970.
317. Rieker, H. *The yoga of light.* Middletown, CA: Dawn Horse, 1974.
318. Riesman, D. *The lonely crowd.* Nova York: Doubleday, 1954.
319. Rimm, D.C., e Masters, J. *Behavior therapy.* Nova York: Academic Press, 1975.
320. Ring, K. "A transpersonal view of consciousness." *Journal of Transpersonal Psychology,* vol. 9, nº 1, 1977.
321. Roberts, T. "Beyond self-actualization." *Re-Vision,* vol. 1, nº 1, 1978.
322. Rogers, C. *On becoming a person.* Boston: Houghton Mifflin, 1961.
323. Roheim, G. *Gates of the dream,* Nova York, 1945.
324. ________. *Magic and schizophrenia.* Nova York, 1955.
325. Rossi, I. (org.). *The unconscious in culture.* Nova York: Dutton, 1974.
326. Ruesh, J., e Bateson, G. *Communication.* Nova York: Norton, 1968.
327. Rycroft, C. *A critical dictionary of psychoanalysis.* New Jersey: Littlefield, Adams, 1973.
328. Sahukar, M. *Sai Baba: the saint of Shirdi.* San Francisco: Dawn Horse, 1977.
329. Saraswati, S. *Dynamics of yoga.* Índia: Bihar School of Yoga, 1973.

330. ________. *Tantra of kundalini yoga.* Índia: Bihar School of Yoga, 1973.
331. Sartre, J. *Existential psychoanalysis.* Chicago: Gateway, 1966.
332. Sasaki, R., e Miura, I. *Zen dust.* Nova York: Harcourt Brace, 1966.
333. Satprem. *Sri Aurobindo or the adventure of consciousness.* Nova York: Harper, 1968.
334. Schachtel, E. *Metamorphosis.* Nova York: Basic Books, 1959.
335. Schafer, R. *A new language for psychoanalysis.* New Haven: Yale, 1976.
336. ________. *Language and insight.* New Haven: Yale, 1978.
337. Schaff, A. *Language and cognition.* Nova York: McGraw-Hill, 1973.
338. Schaya, I. *The universal meaning of the Kabalah.* Baltimore: Penguin, 1973.
339. Schilder, P. *The image and appearance of the human body.* Nova York: International Universities Press, 1950.
340. Schloegl, I. *The zen teaching of Rinzai.* Berkeley: Shambhala, 1976.
341. Schuon, F. *Logic and transcendence.* Nova York: Harper, 1975.
342. ________. *The transcendent unity of religions.* Nova York: Harper, 1975.
343. Selman, R. "The relation of role taking to the development of moral judgement in children." *Child Development,* 1971.
344. Sgam, Po. Pa. *Jewel ornament of liberation.* Guenther, H., trad. Londres: Rider, 1970.
345. Shibayama, Z. *Zen comments on the Mumonkan.* Nova York: Harper, 1974.
346. Silverman, J. "A paradigm for the study of altered states of consciousness." *British Journal of Psychiatry,* vol. 114, 1968.
347. ________. "When schizophrenial helps." *Psychology Today,* set. 1970.
348. Singh, K. *Naam or word.* Déli: Ruhani Satsang, 1972.
349. ________. *The crown of life.* Déli: Ruhani Satsang, 1973.
350. ________. *Surat shabd yoga.* Berkeley: Images Press, 1975.
351. Sivananda. *Kundalini yoga.* Índia: The Divine Life Society, 1971.
352. Smith, H. *Forgotten truth.* Nova York: Harper, 1976.
353. Smith, M. "Perspectives on selfhood." *American Psychologist,* vol. 33, nº 12, 1978.
354. Smuts, J. *Holism and evolution.* Nova York: Macmillan, 1926.
355. Snellgrove, D. *The hevajra tantra.* Parte 1. Londres: Oxford Univ. Press, 1955.
356. Stiskin, N. *Looking-glass god.* Autumn Press, 1972.
357. Straus, A. (org.). *George Herbert Mead on social psychology.* Chicago: Univ. of Chicago Press, 1964.
358. Sullivan, C., Grant, M.Q., e Grant, J.D. "The development of interpersonal maturity." *Psychiatry,* vol. 20, 1957.
359. Sullivan, H.S. *The interpersonal theory of psychiatry.* Nova York: Norton, 1953.
360. Suzuki, D.T. *Studies in Zen.* Nova York: Delta, 1955.
361. ________. *Manual of Zen Buddhism.* Nova York: Grove, 1960.
362. ________. *Studies in the Lankavatara Sutra.* Londres: Routledge and Kegan-Paul, 1968.
363. ________. *Mysticism: Christian and Buddhist.* Nova York: Macmillan, 1969.
364. ________. *Essays in Zen Buddhism,* 1ª, 2ª e 3ª séries. Londres: Rider, 1970.
365. ________. *The Zen doctrine of no-mind.* Londres: Rider, 1970. [*A Doutrina Zen da Não-Mente,* publicado pela Editora Pensamento, São Paulo, 1985.]
366. ________. *Zen and Japanese culture.* Princeton Univ. Press, 1970.
367. ________. *Living by Zen.* Londres: Rider, 1972.
368. Suzuki, S. *Zen mind, beginner's mind.* Nova York: Weatherhill, 1970.
369. Swearer, D. (org.). *Secrets of the lotus.* Nova York: Macmillan, 1971.
370. Taimni, I.K. *The science of yoga.* Wheaton: Quest Books, 1975.
371. Takakusu, J. *The essentials of Buddhist philosophy.* Honolulu: Univ. of Hawaii, 1956.
372. Tart, C. (org.). *Altered states of consciousness.* Garden City: Anchor, 1969.
373. ________. (org.) *Transpersonal psychologies.* Nova York: Harper, 1975.
374. Tattwananda, S. (trad.). *The quintessence of vedanta of Acharya Sankara.* Calcutá: Sri Ramakrishna Ashrama, 1970.

375. Teilhard de Chardin, P. *The future of man.* Nova York: Harper, 1964.
377. Tillich, P. *The courage to be.* New Haven: Yale, 1952.
378. Trungpa, C. *Cutting through spiritual materialism.* Berkeley: Shambhala, 1973. [*Além do Materialismo Espiritual,* publicado pela Editora Cultrix, São Paulo, 1987.]
379. ________. *The myth of freedom.* Berkeley: Shambhala, 1976. [*O Mito da Liberdade e o Caminho da Meditação,* publicado pela Editora Cultrix, São Paulo, 1988.]
380. Vaughan, F. *Awakening intuition.* Garden City: Anchor, 1979.
381. Van Dussen, W. *The natural depth in man.* Nova York: Harper, 1972.
382. Waelder, R. *Basic theory of psychoanalysis.* Nova York: International Universities Press, 1960.
383. Walsh, R. *Towards an ecology of brain.* Nova York: Spectrum, 1979.
384. ________ e Shapiro, D. (orgs.). *Beyond health and normality.* Nova York: Van Nostrand Reinhold, 1978.
385. ________ e Vaughan, F. (orgs.). *Beyond ego psychology.* Los Angeles: Tarcher.
386. Wapnick, K. "Myticism and schizophrenia." *Journal of Transpersonal Psychology,* vol. 1, 1969.
387. Warren, H. (trad.). *Buddhism in translation.* Nova York: Athenum, 1970.
388. Washburn, M. "Observations relevant to a unified theory of meditation." *Journal of Transpersonal Psychology,* vol. 10, nº 1, 1978.
389. Watts, A. *The way to Zen.* Nova York: Vintage, 1957.
390. ________. *Psychotherapy east and west.* Nova York: Ballantine, 1969.
391. Wei Wu Wei. *Posthumous pieces.* Hong Kong: Hong Kong Univ. Press, 1968.
392. Welwood, J. "Meditation and the unconscious." *Journal of Transpersonal Psychology,* vol. 9, nº 1, 1977.
393. Werner, H. *Comparative psychology of mental development.* Nova York: International Universities Press, 1957.
394. ________. "The concept of development from a comparative and organismic point of view." *In* Harris (org.). *The concept of development.* Minneapolis: Univ. of Minnesota, 1957.
395. Wescott, R. *The divine animal.* Nova York: Funk and Wagnalls, 1969.
396. White, J. (org.) *The highest state of consciousness.* Nova York: Anchor, 1972. [*O Mais Elevado Estado da Consciência,* publicado pela Editora Pensamento, São Paulo, 1993.]
397. ________. (org.) *What is meditation?* Nova York: Anchor, 1972.
398. ________. (org.) *Kundalini, evolution, and enlightenment.* Nova York: Anchor, 1979.
399. ________. e Krippner, S. (orgs.) *Future science.* Nova York: Anchor, 1979.
400. Whitehead, A.N. *Modes of thought.* Nova York: Macmillan, 1966.
401. ________. *Adventures of ideas.* Nova York: Macmillan, 1967.
402. ________. *Science and the modern world.* Nova York: Macmillan, 1967.
403. Whorf, B.L. *Language, thought and reality.* Cambridge: M.I.T. Press, 1956.
404. Whyte, L.L. *The next development in man.* Nova York: Mento, 1950.
405. Wilber, K. "The spectrum of consciousness." *Main Currents,* vol. 31, nº 2, 1974. [*O Espírito da Consciência,* publicado pela Editora Cultrix, São Paulo, 1990.]
406. ________. "The perennial psychology." *Human Dimensions,* vol. 4, nº 2, vol. 7, nº 2, 1975.
407. ________. "Psychologia Perennis." *Journal of Transpessoal Psychology,* vol. 7, nº 2, 1975.
408. ________. "The ultimate state of consciousness." *Journal of Altered States of Consciousness,* vol. 2, nº 3, 1975-76.
409. ________. "The eternal moment." *Science of Mind,* junho de 1976.
410. ________. *The spectrum of consciousness.* Wheaton: Quest Books, 1994.
411. ________. "On dreaming: the other side of you." *Foundation for Human Understanding,* vol. 1, nº 1, 1978.
412. ________. "Microgeny." *Re-Vision,* vol. 1, nº 3/4, 1978.
413. ________. "Projection." *Foundation for Human Understanding,* vol. 1, nº 2, 1978.

414. ________. "Some remarks on the papers delivered at the spiritual/transpersonal symposium." Encontro anual da American Psychological Association, Toronto, 1978.
415. ________. "Transpersonal developmental psychology." *Re-Vision*, vol. 1, nº 1, 1978.
416. ________. The transpersonal dynamic of evolution." *Re-Vision,* vol. 1, nº 2, 1978.
417. ________. "Where it was, I shall become." *In* Walsh e Shapiro, nota de referência nº 384.
418. ________. "A working synthesis of transactional analysis and gestalt therapy." *Psychotherapy: Teory, Research, and Practice,* vol. 15, nº 1, 1978.
419. ________. "Are the chakras real?" *In* White, J., nota de referência nº 398.
420. ________. "Development and transcendence." *American Theosophist,* 1 de maio de 1979.
421. ________. "A developmental view of consciousness." *Journal of Transpersonal Psychology,* vol. 11, nº 1, 1979.
422. ________. "Eye to eye – science and transpersonal psychology." *Re-Vision*, vol. 2, nº 1, 1979.
423. ________. "Heroes and cults." *Vision Mound,* vol. 2, nº 8, 1979.
424. ________. "Into the transpersonal." *Re-Vision,* vol. 2, nº 1, 1979.
425. ________. "The master-student relationship." *Foundation for Human Understanding*, vol. 2, nº 1, 1979.
426. ________. *No boundary.* Los Angeles: Center Publications, 1979. [*A Consciência sem Fronteiras,* publicado pela Editora Cultrix, São Paulo, 1991.]
427. ________. *Up from Eden.* Wheaton: Quest Books, 1996.
428. Wittgenstein, L. *Philosophical investigations.* Oxford: Blackwell, 1953.
429. ________. *Tractatus Logico Philosophicus.* Londres: Routledge and Kegan Paul, 1969.
430. Woods, J.H. *The yoga system of Patanjali.* Déli: Banarsidass, 1977.
431. Yampolsky, P., trad. *The Zen Master Hakuin.* Nova York: Columbia Univ. Press, 1971.
432. Yankelovich, K., e Barrett, W. *Ego and instinct.* Nova York: Vintage, 1971.
433. Yogananda, P. *The science of religion.* Los Angeles: Self-Realization Fellowship, 1974.
434. Yogeshwarand Saraswati. *Science of soul.* Índia: Yoga Niketan, 1972.
435. Young, J.Z. *Programs of the brain.* Oxford: Oxford Univ. Press, 1978.
436. Zilboorg, G. "Fear of death". *Psychoanalytic Quarterly,* vol. 12, 1943.
437. Zimmer, H. *Philosophies of India.* Londres: Routledge and Kegan Paul, 1969.

A DOUTRINA SECRETA

HELENA PETROVNA BLAVATSKY

Primeira edição integral em língua portuguesa

VOL. I

COSMOGÊNESE

VOL. II

SIMBOLISMO ARCAICO UNIVERSAL

VOL. III

ANTROPOGÊNESE

VOL. IV

O SIMBOLISMO ARCAICO DAS RELIGIÕES
DO MUNDO E DA CIÊNCIA

VOL. V

CIÊNCIA, RELIGIÃO E FILOSOFIA

VOL. VI

OBJETO DOS MISTÉRIOS E PRÁTICA
DA FILOSOFIA OCULTA

EDITORA PENSAMENTO

O TAO DA FÍSICA

Um Paralelo Entre a Física Moderna e o Misticismo Oriental

Fritjof Capra

Este livro analisa as semelhanças — notadas recentemente, mas ainda não discutidas em toda a sua profundidade — entre os conceitos subjacentes à física moderna e as idéias básicas do misticismo oriental. Com base em gráficos e em fotografias, o autor explica de maneira concisa as teorias da física atômica e subatômica, a teoria da relatividade e a astrofísica, de modo a incluir as mais recentes pesquisas, e relata a visão de um mundo que emerge dessas teorias para as tradições místicas do Hinduísmo, do Budismo, do Taoísmo, do Zen e do I Ching.

O autor, que é pesquisador e conferencista experiente, tem o dom notável de explicar os conceitos da física em linguagem acessível aos leigos. Ele transporta o leitor, numa viagem fascinante, ao mundo dos átomos e de seus componentes, obrigando-o quase a se interessar pelo que está lendo. De seu texto, surge o quadro do mundo material não como uma máquina composta de uma infinidade de objetos, mas como um todo harmonioso e "orgânico", cujas partes são determinadas pelas suas correlações. O universo físico moderno, bem como a mística oriental, estão envolvidos numa contínua dança cósmica, formando um sistema de componentes inseparáveis, correlacionados e em constante movimento, do qual o observador é parte integrante. Tal sistema reflete a realidade do mundo da percepção sensorial, que envolve espaços de dimensões mais elevadas e transcende a linguagem corrente e o raciocínio lógico.

Desde que obteve seu doutorado em física, na Universidade de Viena, em 1966, Fritjof Capra vem realizando pesquisas teóricas sobre física de alta energia em várias Universidades, como as de Paris, Califórnia, Santa Cruz, Stanford, e no Imperial College, de Londres. Além de seus escritos sobre pesquisa técnica, escreveu vários artigos sobre as relações da física moderna com o misticismo oriental e realizou inúmeras palestras sobre o assunto, na Inglaterra e nos Estados Unidos. Atualmente, leciona na Universidade da Califórnia, em Berkeley.

A presente edição vem acrescida de um novo capítulo do autor sobre a física subatômica, em reforço às idéias por ele defendidas neste livro.

EDITORA CULTRIX

EGO E ARQUÉTIPO
A Individuação e a Função Religiosa da Psique

Edward F. Edinger

C. G. Jung demonstrou que a psique tem uma função religiosa. Segundo ele, os arquétipos do inconsciente coletivo equivalem aos nossos dogmas religiosos, que estão sendo esquecidos. Assim, através da formulação das verdades religiosas da psique de um modo que se ajuste à mente moderna, Jung criou uma nova visão de mundo que faz justiça tanto à atitude científica e empírica como à necessidade humana de um sentido do suprapessoal. Esse sentido é o que mais falta no homem moderno. Portanto, segundo Jung, "a principal tarefa de toda educação (de adultos) é levar o arquétipo da imagem de Deus, ou de suas emanações e efeitos, à Mente Consciente".

Este livro está voltado para esse propósito. A exemplo de Jung, o autor tem a convicção de que o sucesso de uma psicoterapia depende fundamentalmente do encontro entre o ego e a imagem arquetípica de Deus. O diálogo que resulta entre o ego e o arquétipo é a característica essencial da individuação, que oferece uma nova forma de vida para o homem contemporâneo.

– – – – –

Foto de Edwin Snyder

EDWARD F. EDINGER, presidente do Institut of the C. G. Jung Fundation de Nova York, recebeu seu título de M.D. em Yale em 1946, tendo anteriormente sido psiquiatra superintendente no Rockland State Hospital, de Orangeburg, N. Y. Psicoterapeuta praticante, atuou como presidente da Association for Analytical Psychology de Nova York e proferiu palestras sobre esse tema no New School for Social Research and Union Theological Seminary. O dr. Edinger é autor de inúmeros escritos sobre o assunto, é membro da Associação Internacional de Psicologia Analítica, além de membro fundador do Instituto da Fundação C. G. Jung de Nova York.

EDITORA CULTRIX

HISTÓRIA DA ORIGEM DA CONSCIÊNCIA

Erich Neumann

Erich Neumann, conhecido analista junguiano, realiza com esta obra uma interpretação criativa e original da relação entre a psicologia e a mitologia. De acordo com sua tese, a consciência individual passa pelos mesmos estágios arquetípicos de desenvolvimento que marcaram a história da consciência humana como um todo. Esses estágios começam e terminam com o símbolo do Uroboros — a serpente que devora a própria cauda. Os estágios intermediários são projetados nos mitos universais da Criação do Mundo, da Grande Mãe, da Separação dos Pais Terrenos, do Nascimento do Herói, da Morte do Dragão, da Libertação do Cativo e da Transformação e Deificação do Herói. O herói, do começo ao fim dessa seqüência, é a consciência do ego em evolução.

No prefácio que fez para esta obra, Jung escreve: "[Neumann] foi bem sucedido na elaboração de uma história única da consciência e, ao mesmo tempo, na representação do conjunto dos mitos como a fenomenologia dessa mesma evolução. Desse modo, ele chega a conclusões e a descobertas que estão entre as mais importantes a que se pode chegar nesse campo. . . . O autor assentou os conceitos da psicologia analítica — que para muitas pessoas são tão desconcertantes — em uma base evolutiva firme, e sobre ela erigiu uma ampla estrutura, na qual as formas empíricas do pensamento encontram o seu devido lugar."

* * *

De Erich Neumann, a Editora Cultrix já publicou *Amor e Psiquê — uma interpretação psicológica do conto de Apuleio.*

O QUARTO CAMINHO

P. D. Ouspensky

O quarto caminho é o mais amplo relato, até hoje publicado, das idéias ensinadas por P. D. Ouspensky.

Grande parte dos ensinamentos de Ouspensky não foi registrada, a não ser na memória dos que o ouviram. Entretanto, em muitos dos grupos de Ouspensky, suas preleções foram gravadas e, na década depois de sua morte, ocorrida em 1947, alguns de seus discípulos estudaram a transcrição dessas gravações, das quais foram organizadas, palavra por palavra, sínteses adequadas para publicação. *O quarto caminho* é o resultado desse trabalho. (Cerca de 10 000 páginas dessas transcrições encontram-se atualmente no Departamento de Arquivos e Manuscritos da Biblioteca da Universidade de Yale, à disposição das gerações vindouras.)

Um dos discípulos de Ouspensky, que estava presente tanto no primeiro encontro em Londres, em novembro de 1921, como no último, em julho de 1947, disse, uns trinta anos depois: "Esse era um método pelo qual certas verdades essenciais eram formuladas e divulgadas, de tal modo que o seu real entendimento pudesse ser reconstituído por outros muito mais tarde. Todos tivemos uma pequena cota nesse processo. Talvez isso fosse tudo o que pretendêssemos: ser 'parte integrante' na construção de algo cujo futuro e finalidade não chegaremos a ver."

EDITORA PENSAMENTO